Cristina Alger

De Darlings van New York

Vertaald door
Lidwien Biekmann, Gerda Baardman
en Wim Scherpenisse

Nieuw Amsterdam *Uitgevers*

Voor mama

Oorspronkelijke titel *The Darlings*. Pamela Dorman Books /
Viking Penguin, a member of Penguin Group (USA) Inc.
© Cristina Alger 2012
© Nederlandse vertaling Lidwien Biekmann, Gerda Baardman
en Wim Scherpenisse / Nieuw Amsterdam *Uitgevers* 2012
Alle rechten voorbehouden
Omslagontwerp Studio Ron van Roon
Foto omslag © iStockphoto
Foto auteur © Deborah Feingold
NUR 302
ISBN 978 90 468 1288 4
www.nieuwamsterdam.nl/cristinaalger
www.cristinaalger.com

Proloog

Dat was het dan, dacht hij. Hij deed zijn linkerknipperlicht aan. Het einde van de reis.

Het bord van de afslag naar de brug was plotseling opgedoemd. Hij had deze rit al eerder gemaakt, maar niet om twee uur 's nachts, en hij kon toch al niet zo goed in het donker rijden. Toen hij de stad uit reed was het rustig op de weg, maar nu was er nauwelijks nog verkeer. Steeds als hij werd ingehaald door een andere auto vroeg hij zich af wie de bestuurder was en waarom die mensen nog zo laat op pad waren. Misschien vroegen ze zich over hem hetzelfde af.

Een paar keer had een automobilist die hem inhaalde opzij gekeken. Naar zijn auto, dacht hij. Hij had beter niet de Aston Martin kunnen nemen. Zelfs in het donker viel die enorm op. Van al zijn auto's was deze hem het liefst: een bijna perfecte replica van de wagen waarin James Bond in *Goldfinger* en *Thunderball* had gereden. Het origineel had twee jaar geleden op een veiling meer dan twee miljoen dollar opgebracht; hij zou hem direct hebben gekocht als hij de kans had gekregen. Maar deze was vrijwel even goed: perfect gerestaureerd en overgespoten in klassiek zilver. Zelfs voor een kenner was hij vrijwel niet van het origineel te onderscheiden.

Toen hij bij de afslag naar de brug voorsorteerde, kwam een witte Kia naast hem rijden. De bestuurder en hij keken elkaar heel even aan. De man glimlachte goedkeurend en stak zijn duim op. Meestal ging zijn hart wat sneller kloppen als hij indruk op zo'n vent had gemaakt, een of andere accountant uit Westchester die per jaar waarschijnlijk nog minder verdiende dan hij per dag. Nu ging zijn hart tekeer en dat was niet goed. Hij had dit fout ingeschat. Dit was niet het moment om de aandacht te trekken.

Hij had de pest aan foute inschattingen. Daar waren er de laatste tijd nogal wat van geweest, wat er uiteindelijk toe had geleid dat hij op deze woensdag om twee uur in de vroege ochtend zijn auto onder aan de Tappan Zee Bridge parkeerde. Dit was bepaald niet plan A. Zijn hoofd gonsde toen hij de motor en het licht had uitgedaan. Nu hoorde hij alleen nog het geruis van de auto's die over de brug reden en van het bloed dat in zijn oren suisde. Hij bleef een tijdje bewegingloos voor zich uit staren in de richting van de brug. Die zag er anders uit dan een week geleden. Bij daglicht leek het een stalen kooi die over het water hing, een soort kermisattractie, een achtbaan met twee pieken. Nu waren de bovenste balken verlicht en danste de weerschijn ervan op het zwarte water in de diepte. Het was prachtig.

Dit was moeilijker dan hij had gedacht. Misschien zelfs zo moeilijk dat hij het niet kon. Hij wist dat hij moest ophouden met nadenken en moest doen wat hij zich had voorgenomen, maar zijn hart bonsde zo snel dat hij bang was te zullen flauwvallen; het leek haast wel alsof hij een epileptische aanval kreeg.

Hij pakte het potje Dilantin uit het handschoenenkastje. In elke auto had hij zo'n potje, voor noodgevallen. Zijn handen beefden toen hij het dekseltje openschroefde, waardoor het potje uit zijn vingers gleed. Hij raapte de pillen van de passagiersstoel – er waren er nog maar twee – en stopte ze in zijn zak.

Je kent die brug, zei hij tegen zichzelf.

Hij is bijna vijf kilometer lang en heeft zeven rijbanen.

Er zijn vier telefoons, aan elke kant twee.

De storm joeg het rivierwater op. Hij kon het in het donker niet zien, maar stelde het zich voor: het koude, zwarte water dat in een eindeloze stroom onder de brug door kolkte. De wind was nu al aangewakkerd tot windkracht acht, met windstoten van honderd kilometer per uur, dus de stroming was sterker dan normaal. Als je hier sprong, werd je meteen door de rivier verzwolgen. Misschien dat ze je niet eens meer konden terugvinden: een plons en je was weg.

De afgelopen tien jaar hebben op deze brug meer dan vijfentwintig mensen zelfmoord gepleegd. Daarom hebben ze er ook telefoons neergezet, zodat potentiële zelfmoordenaars een hulplijn kunnen bellen.

Het weer is ideaal. Het moet nu.

Meestal vond hij het kalmerend om statistieken en scenario's door te nemen, vooral de ongewone of onwaarschijnlijke die anderen niet serieus namen. Zijn ademhaling werd wat rustiger, waardoor het hem lukte om uit te stappen. Zijn schoen gleed weg over een losse kluit aarde, waardoor hij bijna viel. Hij bleef staan en veegde het zweet van zijn voorhoofd. Hij zag de telefoon niet in het donker, maar hij wist dat die er was. Een paar meter verderop maar. Voor de duizendste keer zei hij tegen zichzelf dat dit niet alleen de beste oplossing was, maar ook de enige. Hij had eindeloos lang gepiekerd, gerekend, de risico's ingeschat. Dit was de enige uitweg.

DINSDAG, 21.30 UUR

Het applaus stierf net weg toen Paul door de zijdeur naar binnen glipte. Hij bleef aan de rand van de zaal staan tot de muziek weer begon. Zijn vrouw, Merrill, stond voorin bij het podium. Ze keek naar een fotograaf die foto's maakte van haar moeder, Ines, die voorzitster was van het comité dat het benefietgala had georganiseerd. Om hem heen zweefden de feestgangers tussen de tafeltjes door als een reusachtig meercellig organisme dat glansde in het fonkelende licht van honderden cocktailglazen en kaarsen. Terwijl Paul zich een weg baande naar zijn vrouw zag hij dat een paar mensen hem koeltjes aankeken. Zijn hand schoot instinctief naar de knoop van zijn das en duwde hem recht. Het was een van zijn lievelingsdassen, die behoorde tot wat Merrill de 'topselectie' van zijn garderobekast noemde. Hij voelde zich met die das op zijn gemak, meestal tenminste. Maar vanavond, in een zee van smokings, kwam hij hem volkomen ongepast voor. Paul hield zijn ogen op zijn vrouw gericht en probeerde zich zonder succes de naam van het goede doel van Ines te herinneren.

De veiling was zo te zien al voorbij. Dat vond hij een beetje jammer, want hij had gehoord dat het spectaculair zou worden. Zijn schoonmoeder was dit jaar voor het eerst voorzitster en ze was niet iemand die voor haar voorgangsters wilde onderdoen. Ze was maandenlang druk in de weer geweest om de bijzonderste veiling samen te stellen die ze kon bedenken: zo konden de gasten bieden op een weekend in het huis van Richard Branson op Necker Island, pianoles van Billy Joel, of een door Babe Ruth gesigneerde honkbal. Hoewel Paul zich niet kon voorstellen dat iemand midden in de crisis een bedrag met vijf nullen over de balk wilde smijten, scheen Ines er volledig van overtuigd te zijn dat ze meer geld zou binnenhalen dan het vorige jaar. Een koppig zelfvertrouwen, dat was een van haar charmes. Ze had een veilingmeester van Sotheby's ingehuurd, rechthoekige biedbordjes besteld met op de achterkant in gouden letters de naam van het goede doel, en al haar relaties ingeschakeld om zo veel mogelijk aandacht van de pers te krijgen. Ze had door weten te dringen tot een societyblad met een foto van haar met een paar andere vrouwen die zich ook 'filantroop' van beroep noemden.

Aan het podium te zien had Ines gelijk gekregen; daar stonden schildersezels met posters van alles wat er was geveild. Op elke poster zat een grote rode sticker waar VERKOCHT op stond, zo'n sticker die je ook wel zag op de voorruit van auto's in een showroom. Op een groot bord op de laatste schildersezel noteerde de veilingmeester met een dikke viltstift het verbijsterend hoge eindbedrag.

Paul was nog maar tien meter van Merrill verwijderd toen hij ineens door iemand bij zijn schouder werd gegrepen. 'Hé, *bro!*' Adrian stond voor hem. 'Ik vroeg me al af of je nog zou komen opdagen.' Adrians wangen waren rood en hij had een waas van zweetdruppeltjes op zijn voorhoofd; door de drank, door het dansen, of allebei. Zijn vlinderstrikje, een gestippeld geval dat paste bij zijn cummerbund, hing los om zijn hals. Adrian was getrouwd met Merrills zus, Lily. Hoewel Paul en hij even oud waren, vond Paul het toch moeilijk om Adrian niet als een soort jonger broertje te zien.

Paul wilde hem de hand schudden, maar Adrian hield twee flesjes bier omhoog. 'Wil je er een?' vroeg hij.

Paul probeerde niet geërgerd te kijken. 'Nee, dank je. Ik kom net van kantoor.'

'Ja, ik ook.' Adrian knikte bedachtzaam en nam een slok bier. Het leek Paul hoogst onwaarschijnlijk. Op de eerste plaats omdat Adrian in smoking was, met die fluwelen instappers die hij graag bij officiële gelegenheden droeg. En verder was hij verdacht bruin.

Nu Paul erover nadacht, realiseerde hij zich dat hij Adrian sinds afgelopen donderdag al niet meer op kantoor had gezien.

'Ik bedoel niet letterlijk van kantoor,' voegde Adrian er snel aan toe. 'Ik was het weekend bij klanten in Miami. Ik moest vanaf het vliegveld meteen door hierheen.'

'De zon scheen daar, zo te zien?'

'Het weer was daar echt waanzinnig. Ik heb vanochtend nog negen holes gespeeld.' Met een brede grijns dronk Adrian zijn bierflesje leeg. 'Godendrank,' zei hij met een goedkeurend knikje. 'Weet je zeker dat je deze niet wilt?'

Paul schudde zijn hoofd. 'Fijn dat je het leuk hebt gehad,' zei hij met afgewende blik.

Hij wist wel dat het tot Adrians taken behoorde om de contacten met de klanten te onderhouden. Maar de koersen stuiterden op en neer, het was op kantoor vijf keer zo druk als normaal, en Paul had weinig begrip voor mensen in het bedrijf die nu niet minstens tachtig uur per week maakten.

Hij zag over Adrians schouder dat Merrill verder in de drukte verdween. 'Zeg, ik moet nu echt naar Merrill, ik ben al zo laat.'

'Ja, ja, doe maar. Ze vroeg al waar je was. Ga je nog naar de afterparty?'

'Ik denk niet dat ik dat nog red. Ik ben kapot. En het is al laat.'

Adrian haalde zijn schouders op. 'Zie ik jullie dan morgen in East Hampton? Lily en ik gaan rond lunchtijd rijden, dan zitten we niet in de spits.'

'Ik denk het niet. Werk, je weet wel. Wij zijn van plan om donderdagochtend te vertrekken.'

'Cool. Zorg wel dat je er om half een bent, anders mis je de aftrap. Familietraditie van de Darlings.'

'Tegen wie spelen ze dit jaar?'

'Tennessee. Gaat zwaar worden. Oké, bro. We zien elkaar nog wel even voordat we naar de afterparty gaan.' Hij gaf Paul een *you-da-man*-knikje en zette zijn lege bierflesje op het blad van een ober.

'Oké. Tot straks.' Paul keek Adrian na. Hij zeilde weg, nonchalant als altijd, met zijn ene hand in zijn zak. Hij liep naar zijn broers die aan de bar stonden. Ze waren alle vier lang en dun als bonenstaken, met een weelderige bos gitzwart haar. De oudste, Henry, vertelde iets waar de tweelingbroers Griff en Fitz luidruchtig om moesten lachen. De vrouwen die bij de vier in de buurt kwamen, vertraagden instinctief hun pas, als sterren die een zwart gat ingezogen worden. De broers Patterson waren zo knap dat ze elk een sterke aantrekkingskracht uitoefenden, maar met z'n vieren bij elkaar vormden ze een middelpunt waar alles om draaide. Toen Adrian bij hen kwam staan, sloeg Henry zijn arm even om zijn schouder. Hagelwitte tanden lichtten op toen ze elkaar begroetten.

Adrian was niet zo saai als Henry en niet zo frivool als Griff en Fitz. Eigenlijk was hij best een leuke vent en Paul mocht hem wel, of hij nu wilde of niet. Terwijl Adrian lol maakte met zijn broers, vroeg Paul zich even af hoe hij Adrians totale onbevattelijkheid voor stress inspirerend zou kunnen vinden in plaats van gekmakend. Hij probeerde Adrian beter te begrijpen nu ze samenwerkten, hoewel de omstandigheden dat er niet gemakkelijker op maakten.

Hij schrok op uit zijn gepeins doordat iemand zijn arm aanraakte.

'Daar ben je!' zei Merrill. Ze werd vergezeld door Lily, die ook in het blauw was. Of misschien was het Merrill die Lily vergezelde; Lily bloeide bij dit soort gelegenheden op, ontvouwde haar blaadjes als een bloem in een broeikas. Haar lichtblonde haar zat in een ingewikkelde serie vlechtjes, een beetje zoals bij de dressuurpaarden waar ze 's zomers nog steeds in de weekenden op reed. Aan haar oren bungelden twee peervormige diamanten, elk groter dan de steen in haar trouwring. Ze had ze als huwelijkcadeau van haar vader gekregen, wist Paul.

Merrill zag er mooi uit, smaakvol gekleed – haar eenvoudige jurk benadrukte het blauw van haar ogen en de ronding van haar schouders. Hoewel ze glimlachte, stond haar gezicht gespannen van frustratie. Paul had het gevoel dat hij een uitbrander zou krijgen. Hij boog zich naar voren en gaf beide zusjes een kus op hun wang.

'Excuses dat ik zo laat ben,' zei hij maar alvast. 'En ik weet dat het black tie is, maar ik kom net van kantoor. Jullie zien er allebei fantastisch uit, zoals altijd.'

'In elk geval ben je er nu,' capituleerde Merrill.

'Maar je hebt wel mama's speech gemist,' protesteerde Lily. Ze knipperde driftig met haar grote ogen.

'Ik weet het. Het spijt me. Hoe was het feest?'

'Geweldig,' zei Lily afwezig. Ze had haar interesse in hem alweer verloren. Ze keek langs hem de zaal rond. 'Gaan jullie naar de afterparty? Volgens mij is het hier zo'n beetje afgelopen.'

'Natuurlijk,' zei Merrill.

'Ik denk het niet,' zei Paul tegelijk.

Ze keken elkaar aan en Lily lachte opgelaten. 'Dat vechten jullie samen maar uit,' zei ze. 'Maar ik vind dat jullie wel moeten komen. Het wordt leuk. Zelfs papa en mama komen even langs.'

Lily draaide zich om en liep geïrriteerd weg; de stof van haar lange jurk sleepte over de grond. De jurk had een laag uitgesneden rug en Paul zag hoe griezelig mager ze was. De wervels tekenden zich scherp af en haar schouderbladen staken een beetje uit. Lily was altijd op dieet. Ze had een gestaag groeiende lijst van etenswaren waar ze allergisch voor beweerde te zijn. Soms vroeg Paul zich af of ze misschien helemaal niet meer at.

'We moeten echt naar die afterparty,' zei Merrill toen Lily buiten gehoorsafstand was. Ze klonk gespannen. 'Het is een belangrijke avond voor mijn ouders.'

Paul haalde diep adem en sloot even zijn ogen. 'Dat weet ik,' zei hij, 'maar daar staat tegenover dat ik totaal uitgeput ben. Ik heb bijna vierentwintig uur gewerkt. En dat is voor je vader trouwens ook heel belangrijk.'

'Hij vindt wel meer dingen belangrijk dan alleen het werk.'

Paul reageerde niet op haar bitse toon. 'Ik doe echt mijn best maar ik ben gewoon uitgeput. Ik wil het liefst naar huis en samen met jou gaan slapen.'

De rimpel in Merrills voorhoofd verdween. 'Sorry,' zei ze hoofdschuddend. Ze sloeg haar armen teder om zijn nek. Paul drukte zijn neus in haar goudbruine haar en voelde de ronding van haar schedel. Ze rook warm, naar ahornsiroop. Ze hield haar hoofd naar achteren en liet haar handen op zijn schouders rusten. Hij liet zijn handen naar haar onderrug glijden en keek haar op een armlengte afstand bewonderend aan. 'Ik snap het echt wel,' zei ze met een zucht. 'Ik heb het ook verschrikkelijk druk gehad. Ik had zelfs nauwelijks tijd om me te verkleden. Ik zie er vreselijk uit, ik heb niet eens mijn haar gedaan.'

'Je bent oogverblindend. Prachtige jurk.'

Haar gezicht klaarde op. 'Lief van je.' Haar ronde wangen kregen de kleur van pioenrozen. Ze streek haar jurk glad over haar heup. 'Wacht maar tot je die van mijn moeder ziet. Ze heeft het er al maanden over. Hij is van een of andere Zuid-Amerikaanse ontwerper.'

Ze keken allebei naar Ines. Ze koesterde zich in de aandacht van Duncan Sander, hoofdredacteur van het tijdschrift *Press*. Duncan liet onder het praten zijn handen fladderen als vogeltjes en Ines lachte uitbundig. Een tafereel dat zo in de Lifestyle-bijlage van de *New York Times* kon. Vorige zomer had er een stuk van twee pagina's in *Press* gestaan over het huis van de familie Darling in East Hampton: DE DARLINGS VAN NEW YORK, luidde de titel. Ines refereerde in gesprekjes graag aan 'het artikel' en sprak over Duncan Sander alsof ze al jaren bevriend waren. Maar eigenlijk was het helemaal geen echt artikel, meer een onderschrift bij een glamourfoto van Ines en Lily die – om onduidelijke redenen in witte cocktailjurkjes gekleed – op het grasveld voor het huis wat dolden met Bacall, de weimaraner van de familie. Voor zover Paul wist zagen Ines en Duncan elkaar nooit, behalve bij dit soort gelegenheden.

Vanavond droeg Ines een lange, smaragdgroene jurk die over de hele lengte was afgezet met ruches, waardoor het leek alsof een python haar met huid en haar probeerde te verzwelgen.

'Ik waardeer het enorm dat je er bent,' zei Merrill, terwijl ze met een cynische blik naar haar moeder keek.

'Vanzelfsprekend. Het is ook een geweldig doel. Wat was het ook alweer? Honden? Kanker? Honden met kanker? Help me eens.'

'New Yorkers for Animals. Jezus, Paul, je moet wel een beetje opletten.'

'O, daar ben ik ook erg vóór. Ik vind al die groeperingen tegen dieren zó harteloos.'

Merrill barstte in lachen uit. 'Ze hebben een reddingshond geveild,' zei ze. 'Voor achtduizend dollar.' Ze keek hem aan en wachtte tot dit feit tot hem was doorgedrongen.

'Zoiets belachelijks heb ik nog nooit gehoord.'

'Dat is toch juist enig!' riep ze uit, met grote, quasiserieuze ogen. 'Allemaal voor het goede doel! En het was zo'n schat, dat arme beest. Een retriever of zo, geen pitbull. Ze hadden hem zelfs op het podium, met een klein vlinderstrikje om.'

'Mmm. Een reddingsretriever.'

Ze moest opnieuw lachen. 'Alles voor het goede doel,' verzuchtte ze. 'Dat strikje was trouwens van Bacall.'

Bacall was de lijn van hondenaccessoires en hondenkleding die Lily een jaar geleden had opgezet. Dat was haar modieuze bijdrage aan de familie: haar eerste en enige poging tot een lucratieve bezigheid. Merrill was ervan overtuigd dat de hele onderneming haar vader twee keer zoveel geld kostte dan ze opleverde, al moest ze Lily nageven dat het bedrijfje zich ondanks de crisis staande scheen te houden.

Op de achtergrond speelde de band het laatste nummer voordat de klok het middernachtelijk uur sloeg. De bandleider stond te swingen achter de microfoon en zette zijn beste Sinatra-bariton op. Paul dacht niet dat chique feesten in Manhattan ooit anders eindigden dan met 'New York, New York'. Dat was ook het laatste lied op hun bruiloft geweest. Nu stonden zijn vrouw en hij samen aan de rand van de dansvloer te kijken naar de laatste dansparen die met wisselende sierlijkheid langskwamen.

'Dansen?' vroeg Paul, hoewel hij daar eigenlijk te moe voor was. Hij zou liever een borrel gaan drinken.

'Alsjeblieft niet. Wat wij nodig hebben is een borrel.' Merrill liet haar hand in de zijne glijden en nam hem mee naar de dichtstbijzijnde bar.

Daar stonden de mensen drie rijen dik te wachten en was de barkeeper druk bezig met de laatste ronde. Terwijl Paul en Merrill op hun beurt wachtten, kwam Carter, de vader van Merrill, achter hen staan.

'En, hoe gaat het hier?' vroeg hij hartelijk terwijl hij ze allebei even op de schouder sloeg. Hij was zo groot dat ze gemakkelijk in zijn uitgestrekte armen pasten. 'Paul, wie heeft gezegd dat jij naar huis mocht?'

'Je laat hem veel te hard werken, pap,' zei Merrill.

'Ja, nou ja. We hebben ook wel twee interessante maanden achter de rug, hè Paul? Een zeer geschikte periode om naar beleggingen over te stappen.' Carter lachte even. Hoewel hij er zoals altijd gesoigneerd uitzag, waren zijn ogen klein en vermoeid achter zijn brillenglazen. Zijn haar was ook dunner geworden en was de laatste tijd meer wit dan zilver. Het stond hem goed, maar als je hem kende zag je het verschil. Het instorten van de markt kwam voor Carter op een slecht moment. Op kantoor werd gezegd dat hij aan het eind van het jaar met pensioen zou zijn gegaan als de markt op koers was gebleven. Nu maakte hij dagen die meer bij een junior beursanalist pasten dan bij een CEO: zeven dagen per week, soms zestien uur achter elkaar.

'Zo te zien gaan Lily en Adrian weg,' zei Merrill met een blik over Pauls schouder. 'Ik ga even zeggen dat we misschien niet naar de afterparty gaan. Niet over het werk beginnen terwijl ik weg ben.' Ze lachte lief naar beide mannen en verdween.

De vader en de schoonzoon bleven achter, zoals gewoonlijk wat onhandig in elkaars gezelschap.

'Wel een geslaagd evenement,' merkte Paul op terwijl ze om zich heen keken.

'Jawel, hè?' Carter knikte enthousiast. Hij leek blij dat er een gespreksonderwerp was aangedragen. Als Paul met zijn schoonvader over koetjes en kalfjes praatte, had hij vaak het gevoel dat hij op het slappe koord balanceerde, en nu ze samenwerkten was dat zelfs nog sterker geworden. Een gesprek over het werk leek overdreven serieus, over elk ander onderwerp te frivool. Hij had het idee dat Carter zich net zo onzeker voelde over hun nieuwe onderlinge verhouding.

'Ines heeft er veel tijd in gestoken,' bracht Carter naar voren. 'Het was dit jaar niet zo gemakkelijk om de mensen hun portefeuille te laten trekken. En ze waren alle bedrijfstafels al kwijt, Lehman had altijd een tafel, AIG, en Howary natuurlijk. Verbijsterend dat die nu allemaal weg zijn.'

Paul knikte. Hij herinnerde zich dat hij zijn vorige baas, Mack Howary, een jaar geleden bij dezelfde gelegenheid was tegengekomen. Mack zat toen met zijn hofhouding en enkele klanten en hun echtgenotes aan de tafel van Howary LLP. Mack was idioot dik en erg luidruchtig voor een jurist; zijn ego was nog steeds opgeblazen door een lovend stuk dat kort daarvoor in *Barron's* had gestaan en waarin hij was uitgeroepen tot 'een van de invloedrijkste spelers van the Street'. Mack had hem gewenkt en hem voorgesteld ('Een van onze rijzende sterren,' had hij de mensen aan zijn tafel verteld), maar dat deed hij pas nadat hij had gezien dat Paul stond te praten met Carter Darling en Morty Reis, de oprichter van Reis Capital Management.

Paul vroeg zich af waar Mack vanavond was. Hij had gehoord dat hij huisarrest had op zijn landgoed in Rye, dat zo enorm groot was dat dat nauwelijks een vrijheidsbeperking inhield. Howary LLP was nog maar tien weken geleden omgevallen, dat was een krappe twee maanden nadat Mack was beschuldigd van zes soorten belastingontduiking en beursfraude. Die teloorgang was enorm snel gegaan. Howary LLP was meer dan tien jaar het goudhaantje van de advocatenkantoren van Wall Street geweest. Mack, de oprichter, was een van de weinige juristen die een bijna mythische status hadden onder jonge partners en rechtenstudenten. Paul had een keer meegemaakt dat Mack een propvolle collegezaal van de New York University had toegesproken; tot op de trappen zaten ze, alleen om hem te horen spreken over *structured investment*. Toen Paul als tweedejaars rechtenstudent ging solliciteren, was een baan bij Howary veruit het meest gewild.

Howary was altijd een onconventioneel kantoor geweest. Het was vrij klein, met maar zo'n honderdvijftig juristen, maar het speelde mee in een veel hoger klassement. Ze waren gespecialiseerd in vennootschapsbelasting en transacties op de kapitaalmarkt, ze adviseerden klanten over derivaten en andere beleggingsinstrumenten, internationale aandelen en privatisering van staatsbedrijven. Het was een complexe en zeer lucratieve praktijk en Howary was de beste.

Helaas bleek het ontduiken van vennootschapsbelasting Macks grootste specialiteit. De toezichthouders hielden hem al jaren in de gaten en wachtten tot hij een fout zou maken. Toen een van zijn grootste klanten bekende ongeveer een miljard dollar van een Colombiaans drugskartel te hebben witgewassen via een bank in Montserrat, volgde een snel en genadeloos einde. Binnen een paar dagen doorzochten rechercheurs van de fiscale opsporingsdienst en van justitie als een stel aasgieren alle werkkamers en computers van de juristen, ze doorzochten de bestanden met dagvaardingen, declaratieformulieren en al het mailverkeer. Het werk voor de klanten lag volledig stil. Iedereen moest zeven dagen per week en vierentwintig uur per dag beschikbaar zijn voor de federale autoriteiten. Paul sliep 's nachts op een bank in zijn kantoor en kwam alleen thuis om te douchen en zijn slapende vrouw een kus te geven. Hoewel hij bang was geweest voor het einde, was hij opgelucht toen dat eindelijk kwam. Het was alsof hij zich staande had moeten houden op een zinkend schip.

Toen Howary LLP omviel, werd daar in de pers minder aandacht aan besteed dan in normale marktomstandigheden het geval geweest zou zijn. Maar het was de herfst van 2008. Vergeleken met Freddy, Fanny, Lehmann, AIG en Merrill Lynch was het omvallen van een advocatenkantoor met 150 medewerkers een schrammetje op een karkas. Toch stond de foto van Mack die gehandboeid uit zijn pied-à-terre aan Park Avenue werd gehaald op de voorpagina van alle kranten. De andere partners verdwenen naar hun huizen in Connecticut, Florida of het Caribisch gebied, waar ze zich gedeisd hielden en afwachtten tot de storm weer zou luwen. Sommigen kregen een andere baan, maar de meesten niet; niemand wilde een partner van Howary aannemen. De naam Howary werd geassocieerd met illegale praktijken. Er werd over gekletst op cocktailparty's, zoals over Bear Stearns of Marc Dreier. De partners werden zonder enig ceremonieel per mail ontslagen. Paul wist niet wat hij moest beginnen, hij zette het op een zuipen en zocht afleiding in de bioscoop. Hij droomde daar nog weleens over en werd dan badend in het zweet wakker.

De eerste avond na zijn ontslag kon hij niet in slaap komen. Merrill lag in zijn armen dicht tegen hem aan en terwijl hij haar voelde ademen tegen zijn huid rekende hij steeds opnieuw uit hoe ze ervoor stonden, tot het ochtendlicht over het plafond kroop. Hij had erg goed verdiend bij Howary. Extreem goed zelfs, maar het probleem was dat ze het ook allemaal heel gemakkelijk uitgaven. Dat kon hij een half jaar volhouden. En dat was niet lang, hij hoorde de klok genadeloos doortikken. Daarna moesten ze drastisch bezuinigen, of Merrills kapitaal aanspreken, of anders moest hij een baan zoeken. Van de eerste twee opties kreeg hij buikpijn, de derde was vrijwel onmogelijk. Op Wall Street krioelde het van de werklozen. De grote advocatenkantoren wilden in geen geval hun vingers branden aan iemand van Howary. Met zeven jaar ervaring zou hij goed bij een hedgefonds aan de slag kunnen, maar de meeste van die fondsen waren failliet of zetten zich schrap voor zwaar weer. Het zag er somber uit.

Een paar dagen nadat de foto's van een gehandboeide, boze Mack in de roddelpers waren verschenen, werd Paul gebeld door Eduardo Galleti, een oud-studiegenoot van Harvard. Paul had rechten gedaan, maar Eduardo rechten en bedrijfswetenschappen tegelijk. Hij was een van de slimste mensen die Paul kende. Ze hadden samen de colleges Financiën gevolgd en werden al snel drinkmaatjes. Toen Eduardo ontdekte dat Paul geïnteresseerd was in Merrill, bood hij aan om hem Portugees te leren. 'Die Zuid-Amerikaanse vrouwen willen zeker weten dat ze je aan hun moeder kunnen voorstellen,' zei hij toen ze een keer samen een biertje dronken. 'Als je een wit voetje wilt halen bij haar Braziliaanse moeder, moet je haar taal spreken.' Tegen het eind van zijn studie sprak Paul redelijk goed Portugees, al wist hij niet of hij daarmee – of met wat dan ook – indruk op Ines zou maken.

Eduardo was getuige geweest bij het huwelijk van Paul en Merrill, maar het contact was de laatste jaren verwaterd door persoonlijke verplichtingen en de gruwelijke werkdruk. Af en toe mailden ze elkaar. Paul had gehoord dat Eduardo kortgeleden een hoge functie had gekregen bij Trion Capital, een private-equityfonds dat gespecialiseerd was in Zuid-Amerika. Ze deden het erg goed, ze waren een van de weinige participatiemaatschappijen die zelfs nog konden uitbreiden. Hoewel Paul niet erg in de stemming was voor een gezellig gesprekje, nam hij toch op.

'Hé, man,' zei Eduardo toen hij Paul hoorde. 'Goed dat je opneemt. Je leven zal wel een gekkenhuis zijn de laatste tijd.'

'Zo kun je het inderdaad wel stellen. Leuk om iets van je te horen.'

'Zeg, ik heb het gehoord van Howary. Ik weet niet of je al nadenkt over de toekomst, maar ik heb een kant-en-klaar voorstel voor je. We zijn een kantoor van Trion aan het opzetten in São Paulo. Ik ga daar volgende maand zelf met een klein team naartoe. We zoeken een jurist die iets van internationale belastingen en van accountancy weet en dat moet iemand zijn die Portugees spreekt. Niet vloeiend, maar redelijk. Merrill spreekt toch vloeiend Portugees? In elk geval: kom even langs als je geïnteresseerd bent.'

Eduardo's stem klonk altijd enthousiast: hij sprak met een aanstekelijke vaart, alsof er geen minuut te verliezen viel. Pauls hart begon sneller te kloppen bij het idee om uit New York weg te kunnen vluchten. Hij had altijd graag de kans willen hebben om naar het buitenland te gaan en deze baan klonk als een droom. São Paulo! Alleen het idee al was geweldig. Het duurde maar een ogenblik voordat hij het ter zijde schoof. Eduardo had gelijk, Merrill sprak vloeiend Portugees, maar ze zou het nooit willen. Hij ging het haar niet eens vragen. New York was niet zomaar een stad voor Merrill, ze was ermee vergroeid. Hij zei tegen Eduardo dat hij er een nachtje over zou slapen, maar toen hij ophing, had hij al besloten.

'Eduardo belde vandaag nog,' zei hij die avond tussen neus en lippen door tegen Merrill toen ze naar bed gingen.

'Hoe gaat het met hem?' Merrill sloeg het dek open en kroop in bed. 'God, wat heerlijk. Fijn bed. Ik ben kapot.' Ze sloot haar ogen, haar gezicht stond vredig.

'Wel goed, zo te horen. Hij zit bij Trion Capital. Hij heeft me zelfs min of meer een baan aangeboden, maar dan in hun kantoor in São Paulo. Volgende maand verhuist hij.'

Merrill deed haar ogen open. 'O?' Ze ging rechtop zitten. 'Wat heb je gezegd?'

'Ik heb hem bedankt en gezegd dat ik erover zou denken. Ik wilde niet onbeleefd zijn. Ik was van plan om hem morgen terug te bellen en te zeggen dat we, nou ja, nogal dol zijn op New York en eigenlijk niet van plan zijn om te verhuizen.'

'O,' zei ze. Ze knikte peinzend. Na een tijdje ging ze weer liggen en deed haar ogen dicht. 'Wil je trouwens nog met papa gaan praten?' Ze klonk slaperig. 'Hij meent dat, hoor, van die baan als bedrijfsjurist. Hij wil binnenkort iemand aannemen en ik weet dat hij jou heel geschikt zou vinden.'

Een paar dagen eerder had ze die mogelijkheid geopperd. Hij had een slag om de arm gehouden, gezegd dat hij er een paar dagen over wilde nadenken. Als de markt anders was geweest had hij er niet eens over gepiekerd. Hij was ervan overtuigd, althans tot dat moment, dat hij niets van zo'n machtige familie als de Darlings moest aannemen. Anders pakten ze je in. Adrian werkte wel al jaren voor Delphic. Paul had het idee dat Adrian bij andere hedgefondsen in New York niet veel kans had gemaakt, maar Carter was zo goedgunstig geweest hem een baan in het verkoopteam aan te bieden. Hij liet hem met klanten dineren en stuurde hem met ze naar de golfbaan, de plek waar hij thuishoorde. Het was een stilzwijgende maar overduidelijke regeling: Carter zorgde voor Adrian en Adrian zorgde voor Lily. Geen regeling waar Paul zich goed bij zou voelen. Maar als São Paulo of werkloosheid zijn enige andere opties waren, leek een baan bij Carter hem de voor de hand liggende mogelijkheid.

'Heel aardig van hem,' zei Paul. 'Ik zou het graag willen. Heel graag zelfs. Denk je echt dat het een goed idee is?'

Merrill pakte zijn hand en kneep erin. 'Absoluut,' zei ze. 'Volgens mij is het perfect.'

Die avond waren er op het benefietgala van New Yorkers for Animals geen tafels van Howary, Lehman, Merrill Lynch of AIG. Toch leek het alsof heel Manhattan aanwezig was. Paul moest het Ines nageven: ze wist hoe ze dingen voor elkaar moest krijgen.

'Er is nauwelijks budget voor de bloemen,' had ze gezegd toen ze tot voorzitter van de commissie was benoemd. 'We moeten creatief zijn. Overdaad is trouwens toch uit.' Ze beklaagde zich niet; Ines maakte simpelweg met een soort stoïcijnse standvastigheid melding van onplezierige feiten. Ze had natuurlijk gelijk: op een benefietgala wilden de gasten, die vijfhonderd dollar per persoon moesten neertellen, geen orchideeën zien, en al helemaal niet nu de Dow rond de 8400 punten schommelde. In plaats daarvan waren de tafels bestrooid met kleine zilveren sterren, die overal opdoken en aan revers en ellebogen bleven plakken. Toch zag het er feestelijk uit, absoluut niet goedkoop. Het eten was ook spartaans, maar het kon ermee door: kip in marsala met een of ander verschrompeld knolgewas. Er kwam hier toch niemand voor het eten.

Paul keek de danszaal van het Waldorf Astoria rond en vroeg zich af hoeveel van de andere gasten ook al hun ontslag hadden gekregen. Iedereen leek ontspannen, vol zelfvertrouwen en onaangedaan door de financiële turbulentie. Ze lachten even vrolijk als anders, vertelden anekdotes over hun kinderen of kondigden aan wat ze met Thanksgiving gingen doen. De stemming was misschien iets somberder dan het voorgaande jaar, maar het was een klein verschil. De vrouwen waren in couture. Misschien van het vorige jaar, maar Paul zag geen verschil. De dameshalzen waren nog steeds ruimschoots met juwelen getooid, van die juwelen die de rest van het jaar in een kluis werden opgeborgen. Voor de ingang stonden limousines en Cadillac Escalades met chauffeur te wachten. Het was natuurlijk allemaal schone schijn. Dat kon gewoon niet anders. Deze mensen zaten allemaal tot hun nek in de financiële wereld in een stad die dreef op een financiële kurk. Er was niemand in deze zaal, echt niemand, die met recht kon beweren zich totaal geen zorgen te maken. Ze maakten zich allemaal zorgen, maar ze dansten en dronken zoals ze altijd deden. Ze wisten allemaal dat het einde naderde, waarschijnlijk zelfs al was gekomen. Het was de stilte voor de storm.

'Daar heb je Bloomberg,' zei Carter tegen Paul. Hij liet zijn glas licht overhellen in de richting van de burgemeester. 'Heb je hem gezien? Bill Robertson was er ook, maar die is voor het diner al vertrokken. Iedereen heeft het erover dat hij zich in de herfst verkiesbaar gaat stellen als gouverneur.'

'Er zijn hier vast heel wat mensen die blij zijn als hij geen procureur-generaal meer is,' merkte Paul droogjes op. De afgelopen jaren was Bill Robertson steeds controversiëler geworden in de New Yorkse politiek. Hoewel zijn eigen vader en broer een fortuin hadden verdiend in de financiële wereld, stond Robertson bekend als de waakhond van Wall Street. Hij had het budget van zijn afdeling voor de opsporing van witteboordencriminaliteit verdrievoudigd en had met succes enkele bekende financiers vervolgd die betrokken waren bij beursschandalen variërend van handel met voorkennis, *market timing* en belastingfraude. Daarbij had hij vijanden gemaakt. Op Wall Street werd hij beschouwd als een overloper. Juristen en politici noemden hem een machtsbeluste megalomaan. In de pers werd regelmatig de vloer met hem aangeveegd vanwege zijn capriolen in de rechtbank (zijn gelijkenis met een knaagdier maakte hem tot een gemakkelijke prooi voor cartoonisten); volgens sommigen was zijn gedrag uitsluitend voor de bühne en ten behoeve van zijn eigen verkiezingscampagne. Toch werd hij steeds machtiger. Als Robertson ergens kwam, ontsnapte dat aan niemands aandacht, zelfs niet die van Carter Darling.

Burgemeester Bloomberg stond een meter of zeven verderop, een beetje afgezonderd van een groepje mannen die heel ernstig keken. Links van hem stond een vrouw in een zwarte strapless avondjurk een beetje naar hem toe gebogen. Ze had haar armen over elkaar, fronste haar wenkbrauwen en knikte bij alles wat hij zei. Haar kaaklijn en jukbeenderen waren messcherp getekend, hoekig en heel opvallend.

Ze droeg in tegenstelling tot de meeste vrouwen op het feest geen sieraden en bijna geen make-up, afgezien van wat dieprode lippenstift. Toch trok ze de aandacht. Links van haar stonden een paar jongemannen in smoking met elkaar te praten. Het leek alsof ze de wacht hielden, want om de paar seconden keken ze onopvallend op, alsof ze de burgemeester en de vrouw met de rode lippenstift in de gaten hielden. Paul vroeg zich af of ze tot zijn of tot haar staf behoorden.

'Wie is die vrouw met wie hij staat te praten?' vroeg hij. Hoewel ze ruimschoots buiten gehoorsafstand was, keek ze op als een ree die voelt dat ze wordt bekeken. Carter en zij keken elkaar een fractie van een seconde aan. Tot Pauls verbazing knikte ze even naar hem voordat ze verderging met haar gesprek. 'O, je kent haar?'

'Dat is Jane Hewitt,' zei Carter. Hij klonk nors. 'We kennen elkaar van de fondsenwerving voor Harvard College. Ze runt het kantoor van de sec in New York.'

'Aha, een beurswaakhond. Geen vriend maar een vijand dus.'

Carter grinnikte even. 'Allebei een beetje. Er stond vandaag een artikel in de krant waarin stond dat ze goede kans maakt om daar hoofd te worden. Daarom kijkt iedereen zo naar haar.'

Carter keek zelf ook. Paul werd onrustig toen de sec ter sprake kwam; hij draaide zich om en keek waar hij zijn lege glas kwijt kon.

Hij schraapte zijn keel. 'Over de sec gesproken: die jurist, David Levin, blijft me maar bellen. Ik probeer het af te houden, maar hij eh... nou ja, hij is nogal vasthoudend.'

Carter kreunde. Hij stak twee vingers op naar een ober die langskwam. 'Waarschijnlijk zo'n beginneling die indruk op zijn baas probeert te maken. Wat wil hij nu weer?'

'Dat weet ik niet precies. Hij vroeg een paar dingen over onze externe beheerders, voornamelijk van rcm. Ongeveer dezelfde dingen die ik vorige week al tegen je zei.'

'Tja, bel maar terug, maar zeg niet meer dan nodig.' Carter gaf de ober zijn lege glas. 'Nog een, graag,' zei hij. De ober scheen te weten wat hij wilde hebben. Paul wist bijna zeker dat Carter zoals gewoonlijk gingerale dronk uit een wijnglas. Hij dronk bijna nooit alcohol, maar hij wekte graag de indruk dat hij zich amuseerde.

'Zeg tegen hem dat we ons werk proberen te doen,' zei Carter korzelig. 'Als ze meer van ons willen hebben, moeten ze maar met een dagvaarding komen. Punt uit. Alsof wij tijd hebben om een beetje aan te klooien en dingen voor hen uit te zoeken.'

Paul wilde iets terugzeggen, maar besloot dat hij dat beter niet kon doen. 'Ja, natuurlijk,' zei hij in plaats daarvan. 'Ik regel het wel.'

Carter knikte ten teken dat het onderwerp hiermee was afgesloten.

Vanaf de andere kant van de zaal zwaaide Merrill naar hem. Ze stond te luisteren naar Lily, die haar iets aan het vertellen was. Toen Lily haar verhaal met geanimeerde gebaren afsloot, klapte Merrill in haar handen en keek haar zus aan met een stralende lach die deels bemoedigend en toegeeflijk en deels geamuseerd was. Paul had zoiets al talloze malen gezien. Hoewel Lily meer een klassieke schoonheid was, vond Paul de natuurlijke, niet-bestudeerde charme van Merrill oneindig veel aantrekkelijker. Soms benam het hem de adem dat hij het ongelofelijke geluk had met haar getrouwd te zijn.

'Wat ziet ze er mooi uit, hè?' zei Carter. Zijn stem klonk zacht van trots. 'Al mijn meisjes zien er vanavond mooi uit.'

'Ja, ik ben een geluksvogel.'

'Wij allebei. Het is geen gemakkelijke herfst geweest, maar we hebben genoeg om dankbaar voor te zijn in de familie.'

'Inderdaad. En ik al helemaal.'

Carter klopte Paul op zijn schouder. Hij had tegen hem gezegd dat hij hem niet steeds opnieuw hoefde te bedanken voor de baan, maar Paul bleef dat doen, op allerlei kleine manieren.

De band was gestopt met spelen en de zaal druppelde in groepjes van twee of vier mensen leeg. Carter knikte naar Ines en Merrill en vroeg aan Paul: 'Moeten we met de meisjes naar de afterparty gaan?'

Paul aarzelde even. 'Ik denk dat wij maar naar huis gaan,' zei hij ten slotte. 'Dat ligt aan mij, hoor, ik ben een beetje moe. Ben je morgen op kantoor?'

'Ines wil met mij naar East Hampton om de boel daar een beetje voor te bereiden. Als je me nodig hebt, ben ik bereikbaar op mijn mobiel, of bel anders naar het huis. Maar Ines vindt het niet prettig als ik te vaak over het werk word gebeld tijdens "gezinstijd", zoals zij dat noemt. En dat is de laatste tijd nogal eens gebeurd, dus wat dat betreft moet ik op mijn tellen passen.'

'Ik begrijp het. Ik kan het vast wel alleen af.'

'Goed zo. Komen jullie dan donderdagochtend?'

'Ja, prima.'

De mannen gaven elkaar een hand. 'Goed zo, jongen. En zorg dat jullie op tijd zijn voor de wedstrijd. De Lions kunnen dit jaar wel wat aanmoediging gebruiken. Tennessee gaat flink wat tegenstand bieden. Dus ik reken op je.'

Paul stond al een paar minuten voor de ingang van het Waldorf voordat Merrill naar buiten kwam. Hij zag dat ze afscheid nam van twee mensen die hij niet kende. Aan de manier waarop ze bij de ingang van het hotel stond te treuzelen merkte hij dat ze vast nog niet met hem naar huis wilde.

'Zullen we lopend naar huis gaan?' vroeg hij toen ze eindelijk naar hem toe kwam. Hij stak haar uitnodigend zijn arm toe.

'Ik wilde eigenlijk nog heel even naar de afterparty,' zei Merrill. Ze sloeg haar ogen neer en knoopte haar bontjas dicht. Ze wist dat ze hem teleurstelde. 'Sorry, maar Lily heeft me overgehaald. Alleen even één drankje.'

'Oké,' zei hij. Hij was teleurgesteld, maar niet erg verbaasd.

'Zullen we er anders samen naartoe lopen?' stelde ze voor. 'Dat feestje is verderop, we komen er toch langs. En deze schoenen lopen best lekker.' Ze lachte en tilde de zoom van haar avondjurk op. De koude avondlucht beet in haar blote tenen. Haar teennagels waren helderrood gelakt. Haar vingernagels waren kort en niet gelakt. Merrill nam nooit een manicure, ze zei dat ze niet zo lang stil kon zitten zonder iets met haar handen te doen.

'Daar geloof ik niets van,' zei Paul hoofdschuddend, 'maar ik kan je dat eindje wel dragen.'

Ze lachte. 'Ik loop liever, dan krijg ik het vanzelf warm.' Ze drukte zich tegen zijn zij. Toen hij haar hoofd tegen zijn schouder voelde, klaarde zijn humeur een beetje op. Ze liepen samen over Park Avenue, zo vlug als ze in haar avondjurk kon. Paul zag dat een man die ze tegenkwamen naar Merrill keek; hij kreeg een trots gevoel en drukte haar nog dichter tegen zich aan.

Zelfs 's avonds vond Paul dit een heerlijke wandeling. Hij woonde al jaren in New York, maar hier, midden in Manhattan, had hij nog steeds het gevoel dat hij zich in het epicentrum van de wereld bevond. De stalen gebouwen gloeiden van bedrijvigheid. Buiten stonden dure zwarte auto's geparkeerd langs de stoep en in de lobby's stonden jonge bankiers en juristen te wachten tot hun maaltijd werd bezorgd. In de kantoren werd onderhandeld over deals die morgen de krant zouden halen, wisselden grote geldsommen van eigenaar en werd rijkdom gecreëerd. Het was een geruststellend gezicht dat het licht nog steeds aan was.

Ze liepen zwijgend een eind over straat, met gelijke tred. 'Ik vind dat je moeder het fantastisch heeft gedaan,' zei Paul. 'Wat een mensen.'

'Ja, hè? En het was dit jaar erg moeilijk door al die toestanden. Gek idee, vond je niet, dat zo veel mensen er niet waren?' Merrill rilde onwillekeurig en trok haar bontjas wat dichter om zich heen.

'Ik heb in elk geval wel gemerkt dat Mack er niet was.'

'Weet je wie er ook niet was? Morty. Dat verbaasde me wel, hij zou eigenlijk bij papa en mama aan tafel zitten.'

'Hij kon waarschijnlijk niet weg op kantoor. Het is ook echt hectisch de laatste tijd. Bij RCM komen ze om in de verzoeken tot uittreden.'

'Hij is met Thanksgiving bij ons,' zei Merrill zacht. Ze bleven op de hoek staan voor het rode voetgangerslicht. 'Ik maak me soms wel zorgen om hem. Julianne schijnt met vrienden te zijn gaan skiën in Aspen.' Ze trok afkeurend haar wenkbrauwen op. 'Kun jij je voorstellen dat wij Thanksgiving niet samen zouden vieren? Het is verdorie een familiefeest, dan zou ze toch in elk geval moeten doen alsóf ze het prettig vindt om bij haar man te zijn.'

'Nou ja, in een tweede huwelijk ligt dat misschien een beetje anders,' zei Paul zo diplomatiek mogelijk. Voor zijn geestesoog verscheen opeens Julianne in een witte bikini en een katoenen sarong. Hij probeerde dat beeld uit zijn hoofd te zetten. Dit gebeurde steeds als iemand het over Julianne had; zo had ze eruitgezien toen hij haar voor het eerst ontmoette. Julianne had een strak lijf, maar ze was net iets te oud voor de meeste kleren die ze droeg. Haar dikke haar was iets te rood en als ze lachte kreeg hij altijd het gevoel dat ze op het punt stond iemand een paar flappen lichter te maken.

'Wat hebben wij het toch goed samen,' zei hij. 'Ik heb zo'n mazzel met jou.'

Merrill lachte. 'Ik ben anders bepaald geen prijspoes zoals Julianne.'

'Jij bent de enige voor mij,' zei hij. 'Voor altijd.'

Ze glimlachte. Het licht stond nog steeds op rood en ze trok hem naar zich toen en fluisterde in zijn oor: 'Ik ben hier degene die mazzel heeft.'

Toen ze langs het hoofdkantoor van Delphic kwamen, keek Paul omhoog naar zijn kantoor. Het Seagram Building was een kolossaal stalen gebouw dat een bronzen gloed had, zelfs 's avonds. Toen het werd gebouwd was het de duurste wolkenkrabber ter wereld. Het solide bouwwerk gaf Paul een vreemd gevoel van vertrouwen, alsof het gewicht ervan een garantie was dat hij de volgende dag nog steeds werk zou hebben. Ik ben er nog, dacht hij, en hij trok zijn vrouw naar zich toe.

'Hier sla ik af,' zei Merrill toen ze op de hoek van 62nd Street kwamen.

Paul gaf haar een snelle kus. Het was een zacht en vertrouwd gevoel toen hun lippen elkaar even raakten. Ze smaakte naar chocoladetaart en haar adem rook vaag naar champagne. 'Kom alsjeblieft snel naar huis,' zei hij. 'Ik mis je.'

Merrill glimlachte. 'Doe ik,' zei ze, en ze gaf hem nog een kus op zijn wang. 'Eén glaasje, ik beloof het.'

Hij keek haar na. Vlak voordat ze de hoek om ging keek ze om en zwaaide even naar hem. De kraag van haar jas stond omhoog waardoor hij haar sierlijke, slanke hals niet kon zien. Hij was gek op die hals. Ze pakte haar BlackBerry uit haar jaszak, hield die tegen haar oor en verdween in de nacht.

Paul liep verder. De kantoren maakten plaats voor appartementen. Hier was het rustig op straat, je zag alleen wat mensen die de hond uitlieten of nog laat uit eten waren geweest. De temperatuur was gedaald en de wind stak op, liet de luifels voor de ingangen wapperen en de takken van de bomen zwaaien. Toen hij bij zijn huis kwam, kleurde zijn neus rood van de kou. Hij sprintte het laatste stuk, rende de hal door en maakte al in de lift zijn das los. Hij was te moe om nog iets te doen, trok zijn pak uit en ging zonder zijn tanden te poetsen naar bed. Toen Merrill een paar uur later bij hem in bed kroop, was hij diep in een droomloze slaap verzonken.

Woensdag, 6.23 uur

Het ontbijtnieuws begon voor de verandering eens niet met de onrust op de financiële markten. Er was veel verkeersinformatie, afgewisseld met luchtige onderwerpen zoals aankomen tijdens de feestdagen en hoe je kinderen de ware betekenis van Thanksgiving kon bijbrengen. De lokale zenders hadden het voornamelijk over de zware winterse buien die het noordoosten naderden. De storm raasde langs de kust van Florida, dreigde de wegen te blokkeren en vluchten vanuit Washington naar New Hampshire te vertragen.

Terwijl de koffie stond te pruttelen zapte Paul doelloos langs de zenders. Hij bleef even hangen bij CNBC in de hoop dat daar financieel nieuws zou zijn. De presentatoren van *Squawk Box* hadden het over het debuut van Grote Smurf, de nieuwste reuzenballon in de Thanksgiving-optocht. Ze waren casual gekleed in een coltrui. Toen het filmpje van de ballonnen afgelopen was, zei een van de commentatoren met een flauwe glimlach: 'Iedereen is toe aan een vrije dag, denken jullie niet? Zeker de mensen op Wall Street.' Paul toostte met zijn koffiemok. Daar drinken we op, dacht hij. Hij had een lichte kater van de vorige dag en een snelle hartslag. Hij werd tegenwoordig van twee glazen whisky al dronken en bovendien was hij er niet aan gewend om op een doordeweekse dag zo laat op te blijven. De andere presentatoren knikten instemmend en losten op in het niets toen Paul de televisie uitzette.

'Het wordt frisjes, meneer Ross,' zei Raymond toen hij de deur van de lobby voor Paul openhield. Hij droeg een donkerblauwe overjas over zijn portiersuniform en zwarte leren handschoenen. Raymond was een vlezige Ier met lichtblauwe ogen en zijn vingers leken op salamiworstjes. Zo'n man die goed gedijde bij koud weer. Als hij een jas aanhad, was het echt koud.

Raymonds rode wangen gloeiden. Hij vond het altijd leuk om iets over het weer te zeggen. 'Aan die jas hebt u niet veel, ben ik bang.' Hij knikte naar Pauls Barbour-jack.

'Dank je,' zei Paul. Hij bleef even in de lobby staan en deed de rits dicht. 'Het is nog vroeg, misschien wordt het nog iets warmer.'

'Gaan uw vrouw en u met Thanksgiving weg?'

'Inderdaad. We rijden morgenochtend vroeg naar East Hampton. Moet jij morgen werken?'

Raymond schudde zijn hoofd. 'Nee. Met Thanksgiving werk ik niet, al bieden ze me een fortuin. We worden met de feestdagen altijd dubbel uitbetaald, dus sommige jongens werken dan graag. Maar ik niet, de familie gaat voor.'

'Ben ik het helemaal mee eens. Familie gaat voor alles.'

Paul zette zijn kraag op en liep Park Avenue op, met de *Wall Street Journal* onder zijn arm. Hij was slaperig en de koude wind sloeg hem keihard in het gezicht. Het was nog geen half acht en de zon hing nog achter de gebouwen aan de oostkant. Hij overwoog even om terug te gaan en een das te halen. Na een blik op zijn horloge besloot hij het niet te doen.

'Fijne dagen,' riep hij over zijn schouder naar Raymond. Zijn adem bleef zichtbaar in de ochtendkilte hangen.

Het was bijna twee maanden geleden dat Paul bij Delphic was begonnen en hij had nog maar sinds kort een goed ritme te pakken. Hij vond het moeilijk om zich er thuis te gaan voelen; de markt ging zo heftig op en neer dat zelfs doorgewinterde professionals de kluts kwijt waren. Elke dag begon met een gespannen stilte, zoals bij paarden die voor het hek staan en nerveus met hun hoeven in het zand schrapen. Iedereen was beleefd en verontschuldigde zich vanwege de drukte, maar ze namen nauwelijks de tijd om hem meer uit te leggen dan waar de toiletten waren. Paul had nog nooit de functie van bedrijfsjurist bekleed en bij Delphic hadden ze er tot nu toe geen gehad, dus de baan was een kwestie van wederzijds aftasten en uitvinden.

Het enige waar Paul zich op kon richten was gelijktijdig met zijn sollicitatiegesprek voorgevallen. Toen Carter Paul naar zijn kantoor liet komen, waren de deuren van Howary nog geen twee weken eerder voorgoed gesloten. Vanuit het raam in Carters kantoor zag Paul de pelgrimsstoet van donkere pakken op Park Avenue. Jarenlang had hij hier vlakbij gewerkt, twee straten verder naar het noorden, en hij kon nog steeds niet geloven dat dat nu voorbij was. Nu zat hij in een leren leunstoel in het kantoor van zijn schoonvader met zijn cv in zijn handen en smeekte hem min of meer om een baan: dat was zó bizar dat het daardoor bijna weer te verdragen was.

Carter begon het gesprek heel charmant, bijna verontschuldigend, alsof Paul hem een dienst bewees door hier te verschijnen. Hij wees hem een stoel, drukte op het knopje van de intercom en vroeg om koffie. 'Heel fijn dat je kon komen, Paul,' zei hij. 'Wil je iets eten?'

'Nee, dank u wel.'

'Ik was echt blij toen Merrill me belde. Het is hier de laatste maanden een gekkenhuis en we kunnen wat extra hulp goed gebruiken.'

'Ik waardeer het enorm dat u aan mij hebt gedacht.'

De deur ging open en een vrouw rolde een zilverkleurige serveerwagen naar binnen. Nadat ze koffie hadden gepakt, bedankte Carter haar en verdween ze zwijgend naar de gang. Toen de deur dicht was, zei Carter: 'Het zit als volgt. Mijn werk was vroeger tachtig procent offensief en twintig procent defensief. Dat is nu precies andersom. Ik heb nauwelijks tijd voor mijn bestaande klanten, laat staan dat ik nieuwe klanten kan aantrekken. Iedereen wil tegenwoordig uitstappen. En als ze dat nog niet willen, dan denken ze erover. Dan willen ze erover praten. Investor Relations lijkt tegenwoordig meer op de eerstehulppost van een ziekenhuis.'

Paul knikte ernstig. 'Hoeveel mensen hebben jullie op IR?'

'Een paar seniors. Maar dat helpt niks.' Carter schudde zijn hoofd. 'Ik heb met veel van die mensen een jarenlange relatie. Sommige klanten zijn al bij ons sinds JPMorgan. Die willen niet zo'n jonge meid van Investor Relations met een leuk mantelpakje aan die hun hand komt vasthouden. Ze willen mij spreken, of Alain, of in elk geval iemand die direct voor mij of Alain werkt.'

'Hoe ernstig is de situatie eigenlijk?' vroeg Paul.

Carter begon zijn bril te poetsen. Paul vroeg zich af of het misschien niet de bedoeling was dat hij vragen stelde.

'Goeie vraag,' zei Carter terwijl hij doorging met poetsen. 'Sommige fondsen doen het beter dan andere. We hebben vijf hoofdfondsen die elk een eigen profiel hebben. Elk fonds staat onder toezicht van een interne beheerder binnen Delphic. Alain houdt toezicht op al onze interne beheerders. Zoals je weet zijn wij een beleggingsfonds dat in andere fondsen belegt, dus onze interne beheerders zijn niet rechtstreeks verantwoordelijk voor de investeringen van het beleggingsfonds waar ze toezicht op houden, maar ze kiezen zelf de externe beheerders. We hebben maar één fonds – het Frederick Fund – waarvan de investeringen onder verantwoordelijkheid van maar één externe beheerder valt en dat is RCM, het beleggingsfonds van Morty Reis. Bij al onze andere fondsen zijn dat er meer. Afhankelijk van het fonds en de timing tussen de drie en de tien. Sommige externe beheerders doen het uitstekend, een paar doen het hopeloos slecht en eentje stuur ik over...' – Carter keek op zijn Patek Philippe-horloge – '...ongeveer vijfentwintig minuten de laan uit.'

Hij zette zijn bril weer op. 'We hebben het later nog wel over de details.' Het was duidelijk dat Carter zich bij dit sollicitatiegesprek net zo ongemakkelijk voelde als Paul. 'Ik heb hier bij Delphic geen uitgebreide staf. We hebben ons jarenlang verzet tegen het idee om een interne bedrijfsjurist te nemen. We hebben wel een paar jaar een CFO met een juridische achtergrond gehad, die had dus zowel een financiële als een juridische pet op. Maar hij is een jaar geleden vertrokken en sindsdien varen we op de automatische piloot en winnen we zo nu en dan extern juridisch advies in. Maar met de huidige marktsituatie is het te riskant om geen jurist in huis te hebben. En eerlijk gezegd zou ik het bovendien bijzonder plezierig vinden als dat iemand is die de klanten als mijn vervanger kunnen beschouwen. Als ze mij niet kunnen spreken, moeten ze het maar met mijn schoonzoon doen. Begrijp je?'

'Ik ben geen jonge meid van Investor Relations met een leuk mantelpakje.'

Carter grinnikte. 'Doe jezelf niet tekort, Paul. Je hebt deze baan verdiend. Maar je kunt ook goed met mensen omgaan en er zijn nu nogal veel klanten met wie we contact moeten onderhouden. Als de rust weerkeert kun je je desgewenst meer op de zuiver juridische aspecten van je functie gaan concentreren, maar zoals gezegd zou ik het voorlopig erg plezierig vinden als je me met de klanten te hulp komt. Jij skiet geloof ik niet, hè?'

'Nee. Vorig jaar in Vail voor het eerst.'

'Echt?' Carter trok geamuseerd zijn linkerwenkbrauw op. 'Niks van gemerkt.'

Paul wist niet of Carter een grapje maakte. Hij was de hele vakantie met de punten van de ski's tegen elkaar van de berg af geglibberd en had voortdurend gehoopt dat hij zijn vrouw niet tegen zou komen. Alle Darlings konden uitstekend skiën. Met President's Day ging de hele familie altijd vier dagen naar Vail, Gstaad of Whistler. Paul had zich de afgelopen jaren weten te drukken met een of andere verplichting op zijn werk als excuus, maar de laatste keer had Merrill erop aangedrongen dat hij meeging. Toen ze ontdekte dat hij nog nooit op de ski's had gestaan, had ze als verrassing privéles voor hem geregeld; een pittige meid genaamd Linda had het hele weekend op hem gepast. Dat was weer zo'n misplaatst cadeau van Merrill, attent en tegelijk volkomen onnadenkend. Gul en verschrikkelijk vernederend.

'Ik heb op mijn zesde al leren alpineskiën,' zei Carter. Dat had hij al eens eerder verteld, maar toch glimlachte Paul geïnteresseerd. Carter leek zich altijd te ontspannen als hij over een van zijn sporten vertelde. 'Ik vind het nog steeds leuk, maar telemarken heeft echt mijn hart gestolen. Weet je wat telemarken is, Paul?'

'Niet precies.'

'Ik zie het als een combinatie van crosscountry en alpineskiën. De skischoen zit alleen aan de voorkant vast, zodat je met de hiel los kunt komen van de ski. Je kunt hard de berg af suizen, maar je bent toch flexibel, zoals bij crosscountry. De voordelen van allebei dus. Door die skischoenen heb je echt contact met de berg en kun je veel beter uit de voeten.' Carters blik verzachtte en zijn mondhoeken gingen een beetje omhoog. 'Ik denk dat goede investeerders over het algemeen ook goede skiërs zijn,' zei hij. Hij leunde naar voren alsof hij een beroepsgeheim ging onthullen. 'Ze blijven overeind. Ze reageren snel. Ook als ze opeens een haarspeldbocht moeten maken.'

Paul ging verzitten en probeerde niet verbaasd te kijken. 'Mijn prestaties in Vail voorspellen wat dat betreft dus niet veel goeds.'

'Ha, wij maken nog wel een goede skiër van je, Paul,' zei Carter plechtig. 'Het punt is dat zulke markten veel soepelheid vereisen. Willen we op de been blijven, dan moeten we flexibel zijn.'

'Inderdaad,' stemde Paul in. Hij vroeg zich af of hij er nu aan vastzat. Of de zaak al was beklonken. Of misschien was dat al veel eerder het geval en had iedereen behalve hij dat allang begrepen.

'Het zal hier nog wel een tijdje vrij hectisch blijven. Je moet dus een vliegende start maken.'

'Dat begrijp ik.'

'Slaap er maar een nachtje over, als je wilt. Kom maar terug als je hebt besloten, dan bespreken we je honorarium.'

'Prima, dank u wel.'

'En tutoyeer me alsjeblieft! Wat ik trouwens nog wilde zeggen: je moet zelf maar een functienaam verzinnen. *Senior vice president,* juridisch adviseur, het maakt mij niet uit zolang het maar niet klinkt alsof je lid van het Britse koningshuis bent.'

De eerste weken dat hij bij Delphic werkte verbaasde Paul zich erover hoe groot het bedrijf was. Hij had het gevoel dat hij de achterkant van een reusachtige klok had opengemaakt. De computers in de kantoortuin zoemden, de vergaderruimtes sprankelden, secretaresses gleden als goedgeoliede voertuigen geluidloos door de gangen. Zelfs de dag voor Thanksgiving snorde het kantoor als een machine. Toen Paul met zijn pasje de grote glazen deuren opende, kwam een stroom gefilterde lucht en kinetische energie hem tegemoet. De lampen brandden en een paar partners liepen haastig langs hem door de gang. Het verbaasde Paul dat er nog zo veel mensen aan het werk waren. Hij knikte naar Ida, Carters secretaresse, die in haar headset praatte. Ze wenkte hem met één hand als een controller op een vliegveld die hem moest assisteren bij de landing. Hij bleef voor haar bureau staan wachten terwijl zij haar telefoongesprek afrondde. De bedrijfsmascotte, een glanzende bronzen leeuw, staarde hem onbewogen aan vanaf de overkant van de hal. Het beeld hield eeuwig de wacht bij de kamer van Carter, die het cadeau had gekregen van zijn advocaat, Sol Penzell.

'Terry is er vandaag niet,' zei Ida opgewekt nadat ze had opgehangen. 'Ik val voor haar in. Als je iets nodig hebt, geef je maar een gil.'

'Bedankt, Ida,' zei hij. 'Goed om te horen.' Hij liep naar zijn kamer, die naast de kamer van Carter was. Hij vond het nog steeds een beetje verontrustend dat ze zo dicht naast elkaar zaten.

'O, en Paul!' riep Ida. 'Er heeft iemand van de sec voor je gebeld, ene Alexa Mason. Ze zei dat het dringend was.'

'Alexa Mason?' Paul bleef staan en draaide zich om, met zijn hand nog op de deurkruk. 'Zo vroeg al? Zei ze waar het over ging?'

'Ze heeft de voicemail ingesproken. Het heeft iets te maken met David Levin, of ik dat wilde doorgeven.'

Paul knikte. 'Bedankt, Ida. Ik zal haar terugbellen.'

'Heb je haar nummer?' vroeg Ida, maar Paul had de deur al achter zich dichtgedaan.

In de veilige beslotenheid van zijn kantoor sloot hij zijn ogen en zuchtte diep. Hij wreef met zijn schouderbladen langs de muur. Het rode berichtenlampje op zijn telefoontoestel knipperde nadrukkelijk. Als hij er alleen maar naar keek, ging zijn hartslag al omhoog.

Ik ben er nog niet aan toe om met iemand van de SEC te praten, dacht hij. Zelfs niet met Alexa.

Hij ging achter zijn bureau zitten en draaide na een tijdje zijn telefoon naar de muur zodat hij niet steeds dat knipperende lampje zag.

Tegen twaalf uur had hij een stapel overeenkomsten doorgewerkt die hij ter goedkeuring moest tekenen. Omdat de meeste senior managers er niet waren, had hij zijn schoenen uitgetrokken zodat hij in kleermakerszit op zijn bureaustoel kon zitten. Het telefoontje van Alexa was hij vergeten, of hij had het althans naar zijn achterhoofd verbannen.

Buiten had de novemberlucht een zilveren kleur gekregen. De paar voetgangers die hij beneden op straat zag lopen, waren diep weggedoken in hun jas. Hij kreeg spijt dat hij niet toch nog even zijn sjaal had gehaald. Er werd voorspeld dat het eerder zou gaan sneeuwen dan anders; toen hij naar de weersverwachting op internet keek, rilde hij even van opwinding. Een van de dingen die hij zo leuk vond aan New York was dat de seizoenen er zo fel waren. De naderende winter had iets opwindends. Het was ruig en koud, maar ook wonderbaarlijk mooi. Het donkere leger van bomen langs Park Avenue kwam 's avonds door de lichtjes tot leven, de etalages aan 5th Avenue waren overdadig maar prachtig, en de straten stroomden vol met winkelende toeristen. In New York veranderde sneeuw al snel in een zwarte blubber langs de stoeprand, maar als het pas gesneeuwd had leken de straten bestrooid met

poedersuiker en was de skyline van de stad een prachtige bruilofts-
taart met heel veel lagen.

Paul kreeg opeens zin om naar buiten te gaan. Hij zette de headset op en belde Ida.

'Ida, met Paul. Je mag wel naar huis gaan, er is verder niemand
meer en ik denk niet dat er nog iemand belt. Je kunt ook de lijn
van Carter naar mij doorschakelen als je dat prettiger vindt.'

'Weet je het zeker?' vroeg Ida blij. 'Het is pas lunchtijd, ik wil
best nog blijven, hoor.'

Paul wilde haar net een vrolijke Thanksgiving wensen toen ze
zei: 'O, er komt net een telefoontje binnen, van Merrill. Wil je
haar nu spreken?'

'Ja, natuurlijk, verbind maar door. En nu wegwezen jij.'

Hij schakelde naar lijn twee en zette Merrill op de luidspreker.
'Hé, hallo,' zei hij teder. Hij leunde achterover. 'Bijna klaar met je
werk?' Merrill was van plan om 's middags vrij te nemen om alvast
hun koffers te pakken voor het weekend. 'Zou jij misschien op
weg naar huis even langs de drogist kunnen gaan?'

Het bleef stil. Toen ze iets zei, klonk ze mat, alsof alle energie uit
haar weggevloeid was. 'Met wie spreek ik?' vroeg ze.

'Met Paul, Mer.' Hij greep de hoorn van de haak en hield die tegen zijn oor. De adrenaline schoot door zijn lijf. Er was iets mis.
'Ida heeft de telefoon van je vader naar mij doorgeschakeld.'

'Ik moet hem spreken. Ik heb hem op zijn mobiel gebeld, maar
die staat uit. Waar is hij?'

'Volgens mij in de auto. Wat is er aan de hand? Kun je het niet
tegen mij zeggen?'

Merrill zweeg. Op de achtergrond hoorde hij een televisie; het
geruis gonsde op de telefoonlijn.

'Zet de tv maar aan,' zei ze zacht. 'Het is op alle zenders.'

'Wat?'

'Morty is dood.'

'Hè? Hoe kan dat?'

'Zet de tv maar aan, dan zie je het zelf.'

'Ik bel je zo terug uit de vergaderruimte,' zei Paul terwijl hij zijn schoenen aantrok.

'Ik moet ophangen. Ik ben op kantoor, ik moet zo naar een getuigenverklaring.'

'Dat hoeft nu toch niet,' zei hij zo rustig mogelijk. 'Je hoeft helemaal niks als je van streek bent.'

'Nee, ik kan niet zomaar... dat gaat niet. Sorry, ik ben nogal van slag. Ik bel je straks terug. Ik hou van je.'

En ze hing op, voordat hij kon zeggen dat hij ook van haar hield. Voordat hij überhaupt nog iets kon zeggen.

De dag begon slecht voor Lily, met alle symptomen van een kater.
Ze werd wakker met barstende hoofdpijn en het ontmoedigende
besef dat ze naar bed was gegaan zonder haar make-up eraf te halen. Ze deed voorzichtig haar ogen open, maar sloot ze meteen
weer toen ze zag dat de slaapkamer baadde in het licht. Ze bleef
een paar minuten liggen en telde het aantal glazen dat ze de vorige
avond had gedronken. Was ze nog maar niet wakker. Het plezier
dat ze zich van de vorige avond herinnerde viel in het niet bij het
ellendige gevoel dat ze nu had.

Lily dronk altijd te veel als ze met Daria op stap was. Daria was
waarschijnlijk haar beste vriendin, of in elk geval degene met wie
ze de meeste tijd doorbracht, afgezien van Adrian en haar moeder.
Daria kon niet de goedkeuring van Ines wegdragen; die beschreef
haar — met opgetrokken wenkbrauwen — als een meisje 'met een
verborgen agenda'. Ines was op haar hoede voor meisjes die volgens haar niet uit een goede familie kwamen, meisjes die zich in de
New Yorkse society probeerden in te dringen door op de juiste
feestjes tactische vriendschappen met de juiste mensen te sluiten.
Vrouwen met een verborgen agenda: daar was Lily voor gewaarschuwd. Ze waren volgens de inschatting van Ines gevaarlijker
dan golddiggers omdat ze slim waren en omdat ze dingen wilden
die meisjes zoals Lily konden leveren.

Als je Ines moest geloven, werd de wereld bevolkt door mensen
die klaarstonden om misbruik van Lily te maken. Onbemiddelde
jongens zaten achter haar geld aan. Bemiddelde jongens zaten ook
achter haar geld aan omdat kinderen van rijke ouders nu eenmaal

geen arbeidsethos kenden en een eega wilden die ervoor zorgde dat het lidmaatschap van hun clubs op tijd werd betaald, hun kinderen werden toegelaten tot de juiste scholen en ze 's avonds naar leuke diners en benefietgala's konden. En alle vrouwen wilden ook iets. Ines was ervan overtuigd dat vrouwen zelden met elkaar bevriend waren tenzij ze er voordeel bij hadden. Vriendschappen tussen vrouwen waren een soort strategisch verbond: elke partij moest iets op tafel leggen om het evenwicht te handhaven. En Lily had nu eenmaal van niemand iets nodig. Ze had geld, ze had relaties, ze was mooi, ze had stijl en een huis in The Hamptons. Bij een vriendschap had ze daarom alleen maar iets te verliezen. Door dit alles vond Lily het moeilijk om mensen te vinden met wie ze om kon gaan.

Ze was het niet helemaal oneens met de inschatting die Ines van Daria maakte. Daria had inderdaad iets doortrapts. Maar ze was ook levendig en grappig en Lily vond het leuk om met haar om te gaan. In tegenstelling tot de meeste schoolvriendinnen die Lily van Spence kende had Daria een echte baan: ze stond aan het hoofd van de afdeling Investor Relations bij een groot private-equityfonds, een baan die goed paste bij haar uiterlijk, haar dominante karakter en haar onophoudelijke inspanningen zich te omringen met zeer vermogende mannen. Daria kende iedereen in New York. Dat was haar werk. En haar tomeloze energie was aanstekelijk: in haar aanwezigheid kon je je onmogelijk lusteloos voelen. Verveelde je je? Daria had een kaartje over voor een vernissage en kwam je over een uur ophalen. Single? Daria kende een knappe hedgefondsbeheerder die het net had uitgemaakt met zijn vriendin. Huwelijksproblemen? Daria nam je mee naar het gala van New Yorkers for Animals en ging eerst een paar bellini's met je drinken.

Maar dat allemaal natuurlijk alleen als je iemand was met een huis in East Hampton waar ze elk jaar in augustus mocht logeren, iemand die haar kon voorstellen aan een algemeen directeur van Goldman Sachs. Gelukkig was Lily zo iemand.

Toen Adrian had gebeld om te zeggen dat hij rechtstreeks naar het gala zou gaan, had Lily meteen Daria opgebeld. Ze spraken af om van te voren iets te gaan drinken in de Library Bar van het Regency Hotel, een knusse bar die precies tussen hun appartementen aan Park Avenue lag. Er kwamen voornamelijk mensen uit de buurt: oudere vrouwen met haarlak en een facelift, bankiers die even een borrel nodig hadden voordat ze naar hun kinderen thuis gingen. Een plek waar twee vrouwen in avondkleding niet uit de toon vielen.

'Vertel,' zei Daria toen Lily binnenkwam, 'wat is er met Adrian?' Ze had een strategische plek in de hoek gekozen, ideaal om mensen te bekijken en te zien of mensen wel naar haar keken. Daria vond het heerlijk om te worden bekeken. Ze had een donkerpaarse strapless kokerjurk aan waar haar strakke figuur goed in uitkwam (donkerpaars was dit seizoen in en stond fraai bij haar eeuwig gebruinde huid). Om haar schouders lag een bolero van vossenbont. Ze had een zwarte veer in haar chignon gestoken, iets wat Lily haar fantastisch vond staan, maar wat ze zelf nooit zou doen. Daria's armen lagen lui op de rugleuning van de leren bank en ze gaapte een beetje, alsof ze er zo aan gewend was om een avondjurk te dragen dat het voor haar een doodnormale dinsdagavond was.

Lily begroette Daria met een kus en ging op het puntje van de bank tegenover haar zitten, voorzichtig, want ze wilde haar jurk niet kreuken.

'O, niks,' antwoordde ze, en ze wendde haar blik af. Op het moment waarop ze het zei, besefte ze dat dat de waarheid was. 'Hij kon alleen niet weg van zijn werk.'

'Komt hij niet?' vroeg Daria door, want ze wilde het probleem helemaal in kaart brengen. Hoewel Lily er zoals altijd oogverblindend uitzag, leek ze niet helemaal zichzelf. Aan de telefoon had ze al wat prikkelbaar geklonken. Dat was de laatste tijd wel vaker zo en Daria wist niet goed wat ze daarmee aan moest.

'Nee hoor, hij komt straks wel. Alleen iets later. En ik wilde liever niet alleen gaan.'

Daria fronste haar wenkbrauwen en wenkte de ober. De tranen sprongen Lily in de ogen. Ze merkte dat Daria zich een tikkeltje aan haar begon te ergeren, of haar in elk geval vermoeiend begon te vinden. Dat was ook te begrijpen, want Lily werd ook moe van zichzelf. Ze wist niet goed hoe het kwam, maar het ongrijpbare gevoel dat er iets mis was achtervolgde haar voortdurend als een schaduw. Als ze 's ochtends wakker werd, drukte het op haar oogleden, 's middags hing het om haar heen, het knaagde aan haar als ze haar mail las, ging lunchen, op de loopband rende. Ze begon een vervelend mens te worden.

'Ik stel me aan,' zei ze.

'Natuurlijk niet. En hij is gek op je. Dat weet je toch wel?'

De ober kwam met de drankjes.

'Ja, natuurlijk wel. Er is eigenlijk ook niets aan de hand. Het ligt niet aan hem, hij is de laatste tijd gewoon een beetje... ik weet niet, afstandelijk. Mijn vader ook. Het is op het moment erg spannend op kantoor. Adrian moet veel met de klanten op stap en dan ben ik alleen. En daar heb ik zo de pest aan, aan alleen zijn. Dan voel ik me zo sneu. Dat had ik vroeger nooit.'

Aan het tafeltje naast hen gingen twee mannen van middelbare leeftijd zitten, beiden met een rode powerdas en een krijtstreeppak. Ze keken met een roofzuchtige blik naar Daria. De ene boog zich wat naar voren en fluisterde iets tegen de ander, waarna ze beiden grinnikten. Daria kruiste haar lange slanke benen en negeerde ze.

'Iedereen is de laatste tijd zo gestrest,' zei ze. 'Jim is ook krankzinnig druk. Hij krijgt midden in de nacht telefoontjes uit Azië. Hij gaat tekeer tegen serveersters die ons eten niet snel genoeg brengen. Vorige week werd hij razend omdat ik volgens hem te veel Pellegrino had besteld bij Fresh Direct. Pellegrino, moet je je voorstellen? Hij laat zich rondrijden in een Escalade met chauffeur en dan wordt hij kwaad op mij over Pellegrino. Mooie armband, trouwens, is die nieuw?'

Lily glimlachte flauwtjes en stak haar arm naar voren. De armband was inderdaad nieuw. Ze wist dat het niet logisch was, maar door de crisis wilde ze juist méér spullen kopen in plaats van minder. Ze had de laatste tijd veel geshopt, met een bijna roekeloze overgave. Als ze ergens naartoe ging kon ze het vaak niet laten om onderweg even ergens naar te gaan kijken en dan kwam ze thuis met een espressomachine of een paar espadrilles. Ze kocht verjaardagscadeaus voor niemand in het bijzonder, of jurken zonder dat daar een aanleiding voor was. Als het kleine spullen waren (oorbellen of lingerie), stopte ze die in haar tas en gooide de prijskaartjes, de tasjes en de bonnetjes in een prullenbak op straat. Ze deed dat niet eens omdat ze ze voor Adrian wilde verbergen, maar ze vond het niet prettig om nieuwe spullen te zien met de prijskaartjes er nog aan. De kasten puilden uit van de nieuwe dingen.

Als ze een paar nieuwe oorbellen of schoenen had gekocht, gaf dat meteen voldoening, wat later op de dag plaatsmaakte voor een enorm schuldgevoel. Dit was het voor deze maand, dacht ze dan woedend. Maar dan kwam er weer zo'n vreselijk saaie maandag, Adrian was de stad uit, haar vriendinnen hadden het druk, haar agenda was akelig leeg, en opeens liep ze weer door de gangpaden van Bergdorf Goodman, Williams-Sonoma of zelfs Duane Reade en pakte gretig spullen waar ze pas behoefte aan kreeg als ze ze zag.

'Misschien verveel je je gewoon,' suggereerde Daria met een schouderophalen. 'Werk je de laatste tijd nog?'

'Een beetje. Barney's gaat onze vakantieriem verkopen. Dus dat is wel leuk.' In werkelijkheid ging het met Bacall helemaal niet goed en Carter wilde er geen geld meer in pompen tot de economie weer aantrok. Zo nu en dan kwam er nog een internetbestelling binnen en ze had die deal met Barney's, maar uiteindelijk was de cashflow negatief. Het project was meer voor de lol, geen echt werk. Lily deed er steeds minder aan, de tijd die ze erin stopte was afgenomen van bijna fulltime naar uiterst parttime, en tegenwoordig besteedde ze er alleen zo nu en dan een uurtje aan, alsof het een hobby was, of een huishoudelijk klusje.

Lily draaide met haar glas en keek naar de smeltende ijsblokjes en de druppeltjes die zich aan de buitenkant vormden. 'Maak jij je weleens zorgen over Jim?' vroeg ze terloops.

Daria keek haar met grote ogen aan. 'Zorgen?' Ze zette haar glas neer. 'Hoezo?'

Lily keek op, zag de geschrokken blik in de ogen van haar vriendin en kreeg meteen een rotgevoel. 'Niks!' riep ze uit. 'Sorry, daar bedoelde ik niks mee. Jim is echt smoorverliefd op je.'

Daria knikte ongemakkelijk. Ze keek opzij. Een van de mannen aan het andere tafeltje ving haar blik. Beurshandelaren, zo te zien, dacht Lily. Of hedgefondsbeheerders. Een beetje te gladjes voor investeringsbankiers. Daria glimlachte terug en deed haar bolero recht.

'Ik had het eigenlijk meer over mezelf,' ging Lily verder. Ze zag dat Daria naar die beurshandelaar keek. 'Ik weet wel dat het stom is, maar soms word ik er een beetje nerveus van als Adrian met klanten op pad is. De vrouwen hier in de stad zijn zo schaamteloos. Vorige week waren we op een feestje en toen zag ik twee meisjes die recht op Adrian afkwamen alsof ik er helemaal niet was. Bloedmooie meisjes. Allebei veel mooier en beslist jonger dan ik. Vind je dat paranoïde?'

'Ja,' zei Daria. 'Of nee. Ik weet het niet. Adrian is een knappe, succesvolle man. En New York is een slangenkuil. Er zullen altijd jongere, knappere meisjes zijn. Wij worden ouder, maar zij blijven jong. Daar moet je gewoon aan wennen.' Een van de handelaren werd gebeld op zijn mobiel, stond abrupt op en liep de bar uit naar de hotellobby. Daria keek hem na tot hij uit het zicht verdwenen was en keek toen weer naar Lily. 'Weet je,' zei ze – en ze legde haar hand op Lily's schouder om haar woorden kracht bij te zetten –, 'het enige wat je kunt doen is zorgen dat je er goed uitziet en niet onzeker lijkt. Mannen zijn net honden. Ze ruiken het als je bang bent. Jezus, jij bent Lily Darling, vergeet dat niet! Adrian mag van geluk spreken dat hij met jou getrouwd is. Als jij dat niet vergeet, doet hij dat ook niet.'

Lily knikte met terneergeslagen blik. Het ijs in haar glas was gesmolten. De condens maakte een kring op de tafel, ondanks het cocktailservetje dat als een stuk verbandgaas om haar glas zat. 'Bedankt,' zei ze met een benepen stemmetje. 'Ik ben de laatste tijd niet helemaal mezelf.'

'Doe niet zo gek,' zei Daria bruusk. Ze rechtte haar rug en gebaarde dat ze de rekening wilde. 'Wat zou Ines in zo'n geval zeggen? Kop op en geniet van het partijtje!'

'Weet ik. Mijn moeder kan erg goed de schijn ophouden.'

'Dan heeft ze jou dat vast goed geleerd.' Daria kwam overeind en bood Lily haar arm aan. 'Kom, we gaan.'

Ines had haar dochters inderdaad een hoop nuttige dingen bijgebracht. De meeste vielen onder het hoofdstuk stijl en etiquette. (*Nooit de deur uit zonder make-up, je weet maar nooit wie je tegenkomt. Leuke meisjes dragen leuke lingerie. Loop niet met de laatste mode mee als die je niet staat. Altijd handgeschreven bedankjes sturen.*) Maar ze had hun ook grotere wijsheden meegegeven waar Merrill zich meestal niets van aantrok maar die Lily als enige waarheid aannam. Ze voerden weliswaar eeuwig strijd over de vraag of donkerblauw bij zwart gedragen kon worden, maar afgezien van die kwestie vond Lily dat Ines vrijwel altijd gelijk had.

Daarom geloofde ze ook dat haar moeder er terecht van overtuigd was dat Merrill slim was en Lily mooi. Dat onderscheid was al zo vroeg gemaakt dat Lily zich niet kon herinneren dat iemand in de familie daar ooit anders over had gedacht. Ines had het natuurlijk nooit met zoveel woorden gezegd. Maar ze liet het wel steeds opnieuw merken met talloze kleine dingen die hun sporen nalieten, als voetstappen die een stenen trap uitsleten. Merrill kreeg met Kerstmis boeken, Lily een make-upsetje of zelfbruinende zonnecrème. Merrill ging naar Franse les en Lily naar ballet. Ines nam Lily eenmaal per week mee naar Elizabeth Arden, waar ze gingen lunchen en hun nagels lieten doen. Er werd van uitgegaan dat Merrill het te druk had met belangrijke intellectuele zaken, dus ze werd nooit meegevraagd, maar ze vroeg zelf ook nooit of ze mee mocht.

Lily begreep haar moeder goed genoeg om geen aanstoot aan zulke dingen te nemen. Dat Merrill slim en Lily mooi was, was geen waardeoordeel. Zo zat de wereld nu eenmaal in elkaar. Merrill behoorde tot de ene soort en Lily tot een andere; ze waren afzonderlijke takken aan dezelfde boom. Lily vermoedde alleen wel dat Ines iets meer waarde hechtte aan schoonheid dan aan verstand. Maar in elk geval had Lily voldoende verstand om haar moeder aan het lachen te maken en aangenaam bezig te houden als ze samen waren. 'Voldóénde verstand, daar gaat het om,' was een van de uitspraken die Ines graag bezigde.

Verder was Ines er heilig van overtuigd dat je aan schoonheid noch verstand iets had als je niet wist wat je ermee moest doen. 'De grootste kracht is je eigen kracht kennen,' zei ze toen Lily was afgewezen voor de Tisch School of Arts, de toneel- en filmopleiding waarvoor ze zich had opgegeven. 'Je moet proberen te ontdekken waar je goed in bent en dat zo goed mogelijk doen.'

Dat was Lily niet vergeten. Ze deed haar best om er zo goed mogelijk uit te zien, om haar gevoel voor stijl en haar vermogen om andere mensen te vermaken zo goed mogelijk te ontwikkelen. Eigenlijk was het leven heel simpel als je wist waar je goed in was.

Lily had altijd het idee gehad dat Merrills zwakke plek was dat ze overál goed in was. Ze was een uitstekende atlete en blonk uit in elke sport die ze deed. Op school kwamen de goede cijfers haar aanwaaien, net als haar vrienden: alle meisjes wilden Merrill bij hun vriendinnengroepje. Hoewel Merrill tegen iedereen aardig was, ging ze maar met een paar meisjes om, meisjes met namen als Whitney, Lindsey of Kate, meisjes met wipneuzen en sproetjes, paardenstaarten en de glanzende huid van kinderen die in de watten worden gelegd. Ze droegen allemaal dezelfde kleren: fleecejacks van Patagonia, pareloorbellen en kabeltruitjes in vrolijke sorbetkleuren. Dit waren de 'leuke meisjes', die door iedereen aardig gevonden werden, ze waren niet te losbandig voor de ouders, maar ook weer niet te degelijk voor de jongens. Ze gingen studeren aan een van de universiteiten in New England: Middlebury, Dartmouth of Trinity, waar ze lacrosse speelden en uitgingen met jongens uit Connecticut. Ze wonnen prijzen voor 'algemene uitmuntendheid' en 'excellente prestaties'. De schoolgids van Spence, hun exclusieve middelbare school in Manhattan, stond vol met foto's van hen in de klas of in de bibliotheek, met stralende gezichten, enthousiast, de armen gezusterlijk om elkaar heen. Maar meisjes als Lily werden op Spence veel onverschilliger behandeld, als speelfilms die meteen op dvd werden uitgebracht.

Vanaf haar zesde jaar was het duidelijk dat Lily op een topschool niet veel te zoeken had. Ze mocht er natuurlijk wel blijven, uit ontzag voor haar vader en omdat ze de zus van Merrill Darling was, maar de verwachting was dat ze zich met zesjes door haar schoolloopbaan zou worstelen en dan discreet naar een of andere vervolgopleiding werd doorgeschoven. Bij haar diploma-uitreiking zou niet de loftrompet over haar worden gestoken, zoals bij Merrill. Geen prijzen, geen docenten die een traantje wegpinkten, geen feestelijke lunch met de hele familie bij '21'. In plaats daarvan zou iedereen een zucht van verlichting slaken dat ze het had gered.

Omdat Lily als leerling geen succes was geweest, deed ze als volwassene een nieuwe poging. Op haar vierentwintigste was ze als eerste van haar vriendenkring getrouwd. Adrian was precies de man die haar ouders zich volgens Lily voor haar wensten: hij had op Buckley gezeten, hij woonde op de hoek van 73rd Street en Lexington Avenue, had een baan in de financiële sector en was lid van de Racquet Club. Als hij een pak droeg, leek hij verbazend veel op Carter: recht van lijf en leden en de grijns van een winnaar. Adrian was de meest extraverte van de aantrekkelijke en beroemde gebroeders Patterson. Ines had een hekel aan alle vriendjes van Lily, maar aan Adrian scheen ze de minst grote hekel te hebben.

Alle meisjes in de Upper East Side tussen de tweeëntwintig en de vijfendertig jaar kenden de broertjes Patterson. Ze waren alle vier lang, hadden een onmogelijk regelmatig gebit en pikzwart haar. Hun vader, Tripp Patterson, had een ontzagwekkend knap patriciërsuiterlijk. Hij gedroeg zich met de zelfverzekerdheid van een rashond op een tentoonstelling; hij was tenslotte de voorzitter van de Racquet Club, een toptennisser en verdomd goed in backgammon. Tripp, die nooit echt had gewerkt, beheerde het familiekapitaal. Dat kostte weinig tijd omdat er na verscheidene generaties luie Pattersons niet veel kapitaal meer te beheren viel. Dat was een vervelend detail dat alleen door oplettende waarnemers kon worden vermoed, want Tripps vrouw, CeCe, wist het uitstekend binnenskamers te houden. Ze was zelf makelaar en hield het gezin met haar courtages draaiende. Ze zorgde ervoor dat de hele familie er altijd tiptop uitzag en altijd aanwezig was bij belangrijke sociale evenementen in New York, Palm Beach en Southampton, al was het maar als gast van andere families. Ines maakte soms een wrange opmerking over de Pattersons, die volgens haar van de lucht leefden. Toch beschouwde Ines CeCe Patterson als een onweerstaanbare sociale bondgenoot en had ze, lang voordat haar dochter geïnteresseerd bleek te zijn in CeCe's zoon, besloten vriendschap met haar te sluiten.

De kerstkaarten van de Pattersons waren legendarisch. Elk jaar wensten ze hun vrienden een vrolijk kerstfeest vanaf de skipiste in Aspen, het strand van Lyford Cay of de golfbaan in St. Andrews. Elk jaar pikten de dochters van die vrienden de kaart in en verborgen hem in hun rugzak of nachtkastje zodat ze nog tot ver in het nieuwe jaar verliefd naar het gezicht van Henry, Griffin, Fitz of Adrian konden staren. Meisjes die op de middelbare school uitgingen met een jongen van Patterson werden meteen verheven in de schooladelstand. Trouwen met een Patterson was alsof je een Kennedy aan de haak had geslagen.

De liefdesgeschiedenis van Lily en Adrian was een sprookje, compleet met een kennismaking op de tennisbaan van de Meadow Club in Southampton en een bruiloft met tweehonderdvijftig gasten op de Maidstone Club in East Hampton. Lily kwam net van de ontwerpacademie Parsons en woonde thuis bij Carter en Ines toen Adrian op de tennisbaan per ongeluk een service haar kant op sloeg. Hoewel Lily zich later neer zou moeten leggen bij het feit dat Adrian geen fortuin zou erven en er ook geen zou verdienen, maakte hij haar op grootse wijze het hof, met middelen waar de meeste jongens van haar leeftijd alleen maar van konden dromen. Voor een meisje van tweeëntwintig was het waanzinnig volwassen en spannend om uit te gaan met een man van dertig. Lily was dan ook meteen verkocht. Na een jaar vol dates met Adrian, inclusief eindeloze voorbereidingen en nabesprekingen van die dates, zei Lily ja. En na een jaar voorbereidingen van wat *Quest* 'de society-bruiloft van deze zomer' noemde, gaf Lily nogmaals haar jawoord. Pas toen de trouwfoto's waren geüpload en de cadeaus van de huwelijkslijsten waren afgeleverd en de bedankjes waren geschreven, ging Lily zich weer afvragen wat ze verder moest.

Toen Lily hoorde dat de douche werd uitgezet, drong het pas tot haar door dat Adrian nog thuis was. Ze draaide zich om en keek op de wekker. Ze voelde zich meteen ontmoedigd, want het was veel later dan ze dacht. Ze kreunde en liet zich met haar gezicht in het kussen vallen. Zo lag ze nog steeds toen Adrian de slaapka-merdeur opengooide. Zonder naar hem te kijken wist ze dat hij geërgerd was.

'Je zou de wekker op half acht zetten, maar hij stond op acht uur dertig,' zei hij toen ze rechtop was gaan zitten. Ze zag dat hij een badhanddoek als een kilt om zijn middel had geknoopt. 'Nu heb ik een telefoontje met Azië gemist.' Hij stond met zijn rug naar haar toe en ze zag de spieren tussen zijn schouders bewegen terwijl hij de hangers met broeken een voor een opzij rukte alsof hij een saai tijdschrift doorbladerde. Het warme water van de douche stoomde van zijn lijf en zijn nek was gespannen alsof daar elektriciteitsdraden doorheen liepen.

Toen hij een pak had gekozen, liet hij de handdoek van zich af glijden. Lily keek naar het natte, blauwe hoopje stof aan zijn voeten en probeerde zich er niet aan te ergeren. Nog maar een week geleden had Adrian in een overijverige poging tot bezuinigen Marta ontslagen, hun hulp. Marta had de indruk gewekt dat ze eigenlijk wel blij was om weg te kunnen, wat Lily vreselijk gênant had gevonden. Ze wist best dat ze ontzettend slordig waren. Als Marta het huis stofzuigde, liep Lily altijd in de weg, vaak nog in haar badjas. Dan zei ze tegen Marta dat ze op moest schieten en weg moest zijn voordat haar vriendinnen om zes uur kwamen borrelen. Adrian liet een spoor na van vuile hardloopsokken, kleingeld en ontbijtkommen met opgedroogde havermout aan de rand. Marta wist altijd meteen of Adrian en Lily thuis waren: als ze het spoor van rotzooi volgde – een aktetas in de hal, schoenen verspreid door de woonkamer, een jasje dat over een eetkamerstoel was gegooid, een half glas frisdrank op het aanrecht – kwam ze uit bij Adrian die met zijn voeten op de salontafel naar *SportsCenter* zat te kijken, of bij Lily die jurken op het bed gooide en probeerde te bedenken wat ze die avond aan zou trekken.

'Sorry,' zei Lily zwakjes. Haar hoofd bonkte. 'Ik eh... heb gisteren een beetje te veel gedronken.'

'Ja, dat heb ik gemerkt.'

'O, was het heel erg? Ik schaam me dood. Was ik gênant?'

Ze liet zich achterover op haar rug vallen en zakte met haar hoofd weg in het kussen. Haar blonde haar lag als een halo om haar hoofd. Het dekbed gleed van haar schouders en ontblootte haar bovenlijf. Lily sliep altijd naakt. 's Ochtends zag ze er zo fris en schoon uit als een pasgeboren baby. Haar huid was zacht en melkwit, bijna precies de kleur van de lakens. Ze was nog net zo zacht en slank als op haar zestiende. Het was nog nooit voorgekomen, zelfs niet één keer, dat Adrian haar zag en niet met haar naar bed wilde.

Hij zuchtte, pakte zijn schoenen en ging op de rand van het bed zitten. Lily zette zich schrap voor een preek, maar hij boog zich over haar heen en kuste haar zachtjes op haar slaap.

'Dat viel wel mee,' zei hij. 'Ik wil alleen dat je een beetje rustiger aan doet, als we het gaan proberen en zo. Of het niet niet gaan proberen.'

'Wil je niet nog heel even komen liggen?' vroeg ze met haar ogen dicht. 'Ik word gek van die hoofdpijn. Heel even maar, echt. Ik heb het gevoel dat ik je de laatste tijd nooit meer zie.'

Hij zwaaide zijn benen op het bed. Toen sloeg hij zijn arm om Lily heen, ze kroop tegen hem aan en drukte haar gezicht tegen zijn vochtige borst.

Ze sloeg voorzichtig haar been over het zijne, maar hij bewoog niet. Daarna drukte ze haar lippen op zijn mond. Misschien verbeeldde ze het zich, maar ze dacht dat ze hem licht voelde verstrakken en ze raakte ontmoedigd toen ze probeerde te raden wat hij dacht. Vond hij het irritant dat ze hem ophield? Telde hij de seconden af tot hij haar met goed fatsoen los kon laten? Het was stom om te proberen hem 's ochtends te verleiden als hij al laat was en naar zijn werk moest, dat wist ze wel, maar de laatste tijd verlangde ze zo naar hem en hoe afstandelijker hij deed, hoe groter dat verlangen werd.

Lily had zich nooit eerder zorgen gemaakt over hun seksleven. En als ze even nadacht, wist ze best dat daar nu ook helemaal geen reden toe was. Zij en Adrian deden het vaak genoeg (als ze tenminste af kon gaan op de twee getrouwde vriendinnen met wie ze zulke dingen kon bespreken); ze waren avontuurlijk (zo avontuurlijk als hun soort mensen behoorde te zijn) en ze gebruikten vanaf hun derde trouwdag geen voorbehoedsmiddelen meer. Eigenlijk was er niets veranderd.

Het was niet zo dat ze probeerden zwanger te raken, maar ze probeerden het ook niet niet. *Niet niet proberen*, dat was zoals Adrian het noemde en wat hij als de officiële partijlijn naar buiten bracht voor de steeds verwachtingsvollere vrienden en familieleden. Het werd verteld met een brede grijns en aangehoord met goedkeurende knikjes. Steeds als hij dit zei, liet Lily het zinnetje door haar hoofd rollen als een knikker en onderzocht het op sporen van onacceptabele onverschilligheid of nonchalance. *Niet niet proberen*. Ze kon er niets verkeerds aan ontdekken, maar van de andere kant kon ze er ook niets niet verkeerds aan ontdekken.

Volgens Adrian hadden ze het er tot vervelens toe over gehad of ze een kind wilden; volgens Lily nog lang niet uitgebreid genoeg. Ze wist niet waarom, maar ze vond dat ze nog niet tot een conclusie waren gekomen, zoals bij een project waar niet het rode licht voor was gegeven, maar dat ook nog geen groen licht kreeg. Ze kon nergens anders meer aan denken. Het was een beetje zoals met Bacall: een goede deal, maar tijdelijk opgeschort, wachtend op goedkeuring en financiering.

'Ik vind het vreselijk als je dat zegt,' zei ze. Haar hoofd bleef bonzen. Ik ga nooit meer zo veel drinken.

'Als ik wat zeg?'

'Niet niet proberen. Zoals je dat zegt. Het klinkt zo... passief.'

Adrian legde zijn vinger onder haar kin en tilde haar hoofd voorzichtig omhoog tot haar grote blauwe ogen opengingen. Hij bekeek haar met een tedere blik, zijn wenkbrauwen gefronst met een bijna vaderlijke begaanheid. Ze had sproetjes op haar neus, als kleine vlokjes chocola. Het was erg frustrerend als ze zo deed: zo kinderlijk en koppig en hopeloos aantrekkelijk. 'Oké.' Hij trok zijn wenkbrauwen op. 'We proberen het. Nou goed?'

'Nee,' zei ze koppig, en ze kneep haar ogen dicht, ook al wist ze dat hij alles precies goed zei. Want ondanks Adrians kinderlijke tekortkomingen – hij was slordig, kwam altijd te laat, schonk zichzelf altijd iets te enthousiast bij – wist Lily dat Adrian een goede echtgenoot was, toegewijd aan haar en aan het plan om kinderen te krijgen, al deed hij dat misschien alleen maar omdat dat nu eenmaal zo hoorde.

Adrian bewoonde een keurig geordende wereld. Een wereld die Lily goed kende en waarin ze graag de rest van haar leven wilde doorbrengen zonder aan mogelijke alternatieven te denken. Oké, Adrian hield zich niet altijd aan de regels – hij was korte tijd van kostschool geschorst geweest omdat hij wiet had gerookt en hij was een paar keer met te veel drank op achter het stuur gekropen – maar dat hoorde er allemaal bij, dat waren dingen die Tripp Patterson zelf ook op zijn kerfstok had, evenals diens vader, Henry Patterson junior. Maar over het algemeen hield Adrian zich keurig aan de regels.

Hij droeg zijn kleren – rode broeken, vlinderstrikjes en jagersjasjes – zonder een spoor van ironie. Tijdens zijn studie speelde hij lacrosse, dronk zich suf en twijfelde er geen moment aan dat hij na zijn afstuderen trainee kon worden bij Morgan Stanley (dat klopte) en daarna een baan zou krijgen bij het hedgefonds van zijn schoonvader. Zo zou het gaan, want zo ging het altijd. Zijn broers, die allemaal getrouwd waren en bij een hedgefonds of grote investeringsbank werkten – de ene bracht de zomer door in Nantucket en de andere twee in de Hamptons –, bevestigden Adrian in zijn veronderstellingen. Zolang Adrian het voor het zeggen had, wist Lily zeker dat haar wereld zoals ze die had gekend met Carter aan het stuur altijd zo zou blijven. Dat was zeer geruststellend.

'Ik wil gewoon zeker weten dat we eraan toe zijn.'

Lily voelde Adrian naast zich, zijn gewicht op het matras; door haar oogharen zag ze dat zijn hoofd het schijnsel van het bedlampje gedeeltelijk blokkeerde. Zijn huid tegen haar schouder en bovenarm, haar knie die zacht over de zijne lag. Zijn gespierde arm onder haar hoofd gaf haar een veilig gevoel, ook al was het maar voor even. Ze zou het liefst willen dat hij de hele dag bij haar bleef, dat ze onder hun dikke dekbed konden wegkruipen, dat hij zijn voorhoofd tegen het hare zou drukken en zou zeggen dat deze dag van hen was, helemaal van hen. Zolang zij haar ogen dicht had, zou hij niet weggaan. De klok zou stoppen met tikken en ze zouden in het ogenblik blijven hangen, samen, als in de seconde stilte tussen het einde van de voorstelling en het begin van het applaus.

'Ik ben vierendertig,' zei Adrian simpelweg. 'Het wordt weleens tijd. Ik weet niet wat ik er verder nog over moet zeggen.' Hij boog zich over haar heen en masseerde haar slapen. Hij rook naar de cederhouten betimmering van hun garderobekast, de geur van thuis.

De telefoon ging en het moment was weg. Niemand belde ooit naar hun huistelefoon, behalve de portier en telefonische verkopers. Ze keken elkaar even aan en vroegen zich allebei af wie dat kon zijn.

Adrian trok zijn arm onder haar hoofd weg om op te nemen, waardoor Lily wel overeind moest komen.

'Dat meen je niet,' zei Adrian na een paar seconden. Lily hoorde door de telefoon het staccato geluid van een man die snel sprak, maar het was niet zo hard dat ze het kon verstaan. Ze was nu klaarwakker, gespannen door die nerveuze stem aan de andere kant van de lijn.

Adrian legde zijn hand op de hoorn en fluisterde: 'Doe de tv aan.' Lily pakte de afstandsbediening en deed wat hij vroeg, geschrokken en een beetje gekwetst door de bevelende toon van haar echtgenoot. Zo kortaf deed Adrian anders nooit. Haar tepels werden hard toen het dek van haar af gleed; ze rilde en was zich er opeens van bewust dat ze naakt was.

Terwijl ze langs de zenders zapte, kreeg ze een bekend gespannen gevoel in haar buik. Koortsachtig ging ze de afgelopen dagen na. Had ze iets verkeerd gedaan? Was ze weer vergeten om de huismeester te betalen? Of had ze te veel geld opgenomen van de huis-houdrekening?

Met pijn in haar buik fluisterde ze: 'Wat is er?'

Adrian schudde zijn hoofd en gebaarde dat ze stil moest zijn. 'Wanneer heb je dat gehoord?' vroeg hij aan de man die hij aan de lijn had. Hij fronste zijn wenkbrauwen. 'Weet Carter het al?'

Lily sperde haar ogen open. 'Weet hij wát al?' vroeg ze, nu harder en nadrukkelijker. Toen hij geen antwoord gaf, keek ze naar de vage gestalten op het televisiescherm.

Het huis van oom Morty. Waarom was dat op tv?

Ze zette het geluid aan.

'Jezus, Lily,' fluisterde Adrian en hij griste de afstandsbedie-ning weg. Hij drukte het geluid uit en legde zijn hand over het oor dat niet tegen de telefoon gedrukt was. 'Oké,' zei hij. 'Ja, dat is na-tuurlijk verschrikkelijk nieuws. Ja, ja, ik snap het. Ik ga nu meteen naar kantoor. Lily is hier... Nee, die heb ik nog niet gesproken. Heb je zijn mobiel geprobeerd? Oké, Sol. Ja, bedankt voor het bel-len. Tot later.'

Adrian drukte het gesprek weg en leunde tegen het hoofdeinde.

'Jezus christus,' zei hij.

Lily keek op van het tv-scherm; ze wist nog steeds niet goed wat ze daar nu op zag, maar ze kreeg kippenvel over haar hele lijf. Adrians perfect gebruinde gezicht was ziekelijk groen. Ze vond dat hij er precies zo uitzag als die keer dat ze hem ineengedoken op de vloer had gevonden en hem naar het ziekenhuis had gebracht, waar bleek dat hij een blindedarmontsteking had.

'Was dat Sol? Waar belde hij over?' Lily's stem klonk zacht, bijna onhoorbaar. Ze wilde Adrian vastpakken, maar ze was ver-stijfd, als een konijntje in de koplampen. Zie je wel, dacht ze. Ik wist dat er iets aan de hand was.

'Lil.' Hij pakte haar handen vast. 'Hij probeert je vader te berei-ken. Hij wilde hem vertellen – ons allemaal – dat Morty Reis... oom Morty... is overleden.' Hij keek haar strak aan, onderzoekend, gespannen. 'Het is vreselijk, lieverd, ik vind het heel erg.'

Ze schudde vol ongeloof haar hoofd. Ze greep zijn hand stevig vast, maar ze kon niet opkijken. De tranen stonden in haar ogen.

'Hoe kan dat?' vroeg ze zacht. 'Hij is... hij was nog zo jong.'

Adrian trok haar naar zich toe. Haar hoofd lag tegen zijn hals, haar voorhoofd drukte zacht tegen zijn adamsappel.

'Hij heeft het zelf gedaan. Hij is van een brug gesprongen.' Adrian slikte. 'Het is afschuwelijk, ik weet het.'

Ze begon te huilen. 'O, god!' Haar mooie gezicht vertrok van verdriet. 'Weet mama dat al? We moeten haar bellen, ik wil haar spreken.'

'Ja, natuurlijk,' zei Adrian. Hij tastte naar de telefoon. 'Natuurlijk.'

Het gesprek met Ines was kort en liefdevol. Toen Ines een paar geruststellende woorden tot Lily had gesproken, vroeg ze of ze Adrian weer aan de lijn kon krijgen.

'Hallo,' zei hij. Hij knikte ernstig en luisterde naar haar terwijl Lily naar de badkamer ging en na een tijdje om de hoek van de deur keek met een glimmend gezicht, vochtig en roze van het scrubben. 'Ja, ik begrijp het helemaal. Nee hoor, het gaat wel. Ik heb hem nog niet gesproken, nee... Ja, ik zal voor haar zorgen. Bel maar als ik iets kan doen. Nee, nee, natuurlijk blijf ik bij haar.'

'Vraag of ze hier komt,' snikte Lily vanuit de badkamer, schor en met de hik van het huilen.

'Lily vraagt of je hier wilt komen... Nee, dat snap ik. Goed, bel ons maar als je hem hebt gesproken.'

Toen Adrian had opgehangen, stak hij zijn armen naar haar uit. Ze kroop bij hem in bed en hij hield haar heel lang vast. Ze vroeg niet wat dit voor de zaak betekende en daar zei hij niets over.

Na een tijdje begonnen ze elkaar heftig te zoenen, Lily's gezicht was opgezwollen en lelijk van het huilen, hun verstrengelde lichamen werden nat van het zweet, en toen Adrian hard in haar stootte ontlaadden ze zich met de passie van mensen die zich er pijnlijk van bewust zijn dat ze nog leven. Zo rauw en onvervalst heftig hadden ze het sinds hun huwelijksreis niet meer met elkaar gedaan.

'Ik hou zó veel van je,' zei hij na afloop teder. Hij kuste haar stevig op haar voorhoofd en zag dat ze opnieuw begon te huilen. 'Hé,' zei hij, en hij drukte zijn voorhoofd tegen haar wang. 'Hé, toe.'

Ze kneep haar ogen dicht en schudde haar hoofd... Hoe konden ze het juist nu met elkaar doen? Wat egoïstisch, wat zwak... en onverantwoordelijk... niet niet proberen... wat een rotmoment zou het zijn om nu zwanger te worden... maar ze wilde zich zo wanhopig graag dicht bij haar man voelen... en ze had zich heel lang niet meer zo dicht bij hem gevoeld...

'Zijn we er nu nog steeds wel aan toe?' vroeg ze benepen. 'Wat er ook gebeurt?'

'Natuurlijk, Lil.' Hij trok haar weer naar zich toe. Hij streelde de zachte huid op haar rug en liet haar vingers over de holling van haar middel glijden tot ze ervan rilde. 'Natuurlijk zijn we eraan toe. Het komt heus allemaal goed.'

Woensdag, 12.56 uur

Toby, de hond van de buren, zorgde al jaren voor problemen. Het was een typisch bastaardhondje zoals je ze veel ziet in grote steden, een of andere kruising tussen een pitbull en een stafford met een gespierd vierkant lijf en een stompe snoet. Zijn oren waren gecoupeerd en zaten naar achteren gedrukt, waardoor het leek alsof hij in volle vaart op je af stormde om je naar de keel te vliegen. Toby's geschiedenis was hem duidelijk aan te zien: van straat geplukt door de dierenbescherming en daarna gered uit het asiel toen hij nog een redelijk schattige puppy was. Op de een of andere manier was hij vervolgens in de achtertuin van de familie Dunn op Staten Island beland. Daar was het bepaald geen paradijs, eerder een kalm vagevuur waarin hij zijn laatste hondenjaren kon doorbrengen met heen en weer rennen, blaffen en de buurkinderen de stuipen op het lijf jagen zonder bang te hoeven zijn voor een spuitje.

Chris was doodsbang voor Toby, maar Chris was voor de meeste dingen doodsbang. De vorige dinsdag was hij trillend en met dikke betraande ogen thuisgekomen van de naschoolse opvang. Yvonne kon eerst geen woord uit hem krijgen, maar dat was haar uiteindelijk toch gelukt met behulp van cola en veel Oreo-koekjes. Het kwam door Toby, zei hij toen de snottranen waren gestopt. Toby had hem aan het schrikken gemaakt. Hij was tegen het hek aan gestormd toen hij daar net langsliep: hij had zelfs de hete hondenadem tegen zijn arm gevoeld, zó dichtbij was hij geweest. Yvonne vermoedde dat die tranen ook nog met iets anders te maken hadden, waarschijnlijk met de kinderen op school, maar ze vroeg niet door. Als hij was gepest zei Chris daar liever niets over.

Vooral niet als zijn broer erbij was, Pat junior. Want Pat junior werd daar alleen maar kwaad van en dan raakte Chris nog meer van streek en werd alles nog veel erger.

'Ze zouden dat beest moeten afmaken,' brieste Pat junior en hij sloeg zijn arm beschermend om zijn broertje heen. Hij had zijn footballshirt nog aan, ook al had Yvonne tegen hem gezegd dat hij zich voor het eten moest gaan kleden. 'Die kuthond is doodeng.'

'Let op je woorden,' zei Yvonne.

'Sorry, mam. Maar het is echt zo. En hij heeft een hekel aan Chris.'

'Die hond heeft aan iedereen een hekel. Het is gewoon een kwaaie hond.'

'In elk geval is Joe Dunn een klootzak omdat hij hem loslaat.'

'Pat, let op je wóórden!' zei Yvonne, deze keer wat strenger. Ze vond het moeilijk om Pat terecht te wijzen als hij opkwam voor zijn broertje. Ze smolt toen ze zag dat die twee samen op de bank gingen zitten. Ze hadden beiden een lichte huid met sproeten en als hun gezichten elkaar raakten kon je nauwelijks zien waar de een begon en de ander ophield.

Pat zapte zwijgend naar Discovery, de lievelingszender van Chris. Ze hadden een stilzwijgende routine ontwikkeld als een echtpaar dat al jarenlang getrouwd is. Pat was bijna twee keer zo groot als Chris, maar je kon duidelijk zien dat het broers waren. Ze hadden allebei de doordringende blauwe ogen van hun vader. Blauw dat zo stralend was dat je de neiging had je ogen dicht te knijpen zoals je doet als je op een zonnige dag naar de lucht kijkt. Ierse ogen, noemde Yvonnes moeder ze altijd. Chris zou ook een atletisch lichaam hebben gehad als er geen complicaties waren opgetreden bij zijn geboorte waardoor hij scheef en klein was, met een ingevallen borstkas en spillebenen. Chris maakte op iedereen een ziekelijke indruk, maar voor Yvonne was hij gewoon de kleinste van haar twee zonen. Ze probeerde hem op dezelfde manier te behandelen als Pat junior – ze wist dat het heel slecht voor hem zou zijn als zijn eigen moeder hem als een kneusje zou behandelen – maar soms was dat sterker dan zij. Dan knuffelde ze hem net iets langer, vroeg ze meerdere keren in hetzelfde gesprek hoe het met hem ging, stond ze toe dat hij vlak voor het eten een koekje pikte. Ze haalde alles in huis waar hij van hield: Oreo-koekjes, Fruit Roll-Ups en minipizza's voor in de magnetron.

Yvonne wilde Chris even door zijn haar woelen, maar hij deinsde terug toen haar vingers over zijn hoofd streken. Hij werd ouder, zei ze tegen zichzelf. Jongens van zijn leeftijd vonden het niet leuk meer om door hun moeder geknuffeld te worden. Zijn ogen bleven strak en geconcentreerd als een coureur op het scherm gericht. Yvonne voelde een steek van liefde.

Ze rechtte haar rug en liep terug naar de keuken, waar ze uien aan het snijden was voor de pastasaus. Haar ogen prikten ervan en ze veegde een traan weg met haar mouw.

'Ga jij eens een ander shirt aandoen, Pat junior,' riep ze over haar schouder. 'En gaan jullie je handen even wassen?'

'Ik heb mijn handen al gewassen!'

'Dan alleen een ander shirt, geen sportkleren aan tafel.'

De jongens holden de trap op. Halverwege meende ze Chris te horen zeggen: 'Joe is een klootzak.' Hij stotterde en bleef hangen op de k, als een plaat waar een tik in zit. Chris gebruikte nooit scheldwoorden.

Yvonne stopte met snijden, het mes bleef boven de snijplank hangen. 'Joe Dunn?' riep ze, maar ze waren al boven en het geluid van hun gymschoenen op de vloerbedekking stierf weg achter de dichte deur. Ze hoorde water door de leidingen stromen, een van de jongens had de kraan van de wastafel opengedraaid.

Yvonne ging langzaam verder met snijden en doorboorde de ui met de punt van haar mes. 'Let op je woorden,' zei ze hoofdschuddend, maar er was niemand die dat hoorde.

Pat had gelijk, Toby leek het inderdaad op Chris gemunt te hebben. Yvonne had dat zelf ook gemerkt. Toby rook dat Chris bang was. Hij begon genadeloos tegen hem te blaffen als hij langskwam.

Kinderen waren precies hetzelfde. Chris werd altijd gepest met zijn lengte en zijn gestotter. Dit jaar was het nog erger, erger dan ooit. Yvonne begreep niet waarom. Chris was altijd al een beetje anders dan de andere kinderen geweest, maar dat verschil was nu een onoverbrugbare kloof geworden. Hij kreeg onvoldoendes terwijl hij volgens de testuitslagen bovengemiddeld zou moeten scoren. Hij had geen vrienden, behalve zijn broer. Vroeger ging hij gewoon zijn eigen gang, alsof hij zich er helemaal niet van bewust was hoe anders hij was. Maar nu hij twaalf was, leek alles te veranderen. Yvonne probeerde na te gaan wanneer dat was begonnen (ging het nu echt al een jaar zo slecht? Was dat vanaf de zomer?), maar het was geleidelijk achteruitgegaan, het was er langzaam in geslopen.

Eerst dacht ze dat het te maken had met de meisjes in zijn klas. Die kwamen na de zomervakantie zo lang als bonenstaken terug op school en waren zich opeens erg bewust van de jongens. Ze droegen hun haar cool en quasinonchalant opzij. Hun oorlellen waren bezaaid met knopjes: hartjes, vredetekens en sterretjes. Alli Shapiro had een neuspiercing, vertelde Chris vol ontzag. Yvonne zag de meisjes in groepjes bij school staan, gegiechel en gefluister trok door de groepjes heen als de wind door het riet. Ze droegen dezelfde soort kleren, wat haar nog het meest verontrustte. Je zag precies hoe de pikorde was aan de mate waarin ze zich conformeerden aan wat de mode dat seizoen voorschreef. Twaalf, de leeftijd van het conformisme. Iemand die anders was, maakte geen schijn van kans. Het gebrek aan belangstelling voor Chris zorgde ervoor dat hij nog verder afdreef, op een klein vlot dat het op het open water van de middelbare school wel nooit zou redden.

Toen Pat junior zeven was, zag Yvonne hem op een dag gehurkt op de stoeprand voor hun huis zitten. Hij had een kommetje van zijn handen gemaakt en daarin lag een jong musje. Pat had het vogeltje in de goot gevonden, het diertje was bijna overreden door een auto die daar wilde parkeren. Het zat onder de modder en had een gebroken vleugel; er was niet veel meer van over. Hij stopte het musje in een kooi die hij in de kelder had gevonden en voerde het drie keer per dag geprakte banaan tot het groot was. 's Middags nam hij de mus mee naar de tuin en op een dag vloog het vogeltje weg. Pat junior was een beschermengel, dat moest ook wel met zo'n broertje als Chris. Dat bedacht ze de laatste tijd vaak, vooral als hij weer bij een vechtpartij betrokken was.

De eerste keer dat de school over zo'n vechtpartij opbelde zei Pats vader: 'Ik hoop niet dat dit iets met je broertje te maken heeft. Je kunt het niet altijd voor die jongen uitvechten.'

De tweede keer kwam Pat thuis met een blauw oog en was hij een dag geschorst. Yvonne ging naar school om met zijn mentor te praten, Teresa Frankel. Dat was een vrouw van middelbare leeftijd die eruitzag alsof ze voortdurend op de grens tussen verveling en ongeïnteresseerdheid balanceerde. Ze gaf Yvonne niet veel gelegenheid om iets te zeggen, maar waarschuwde haar dat het 'ernstige consequenties' zou hebben als zoiets nog eens gebeurde.

Dat was nu drie weken geleden en Pat was sindsdien erg chagrijnig. Yvonne had het angstige gevoel dat het probleem met hem nog lang niet voorbij was, misschien zelfs nog maar net was begonnen.

Ze had er de hele week al buikpijn van, maar dat kwam niet alleen door de jongens. Ze dacht dat het misschien ook te maken had met de vakantie: ze had voor het eerst in vierenhalf jaar vakantiedagen opgenomen. Sol deed steeds alsof ze twee hele weken vrij was, maar omdat de feestdagen daar ook in vielen, waren het maar zes echte vrije dagen. Sol was er niet aan gewend om alles alleen te doen en daar werden ze allebei een beetje zenuwachtig van.

Hij had haar de hele week lastiggevallen met kleine dingetjes die volgens hem beslist moesten gebeuren voordat ze wegging en hij vroeg allerlei dingen die hij zelf ook wel wist. Hoe de kleurenprinter werkte. Wat het wachtwoord van zijn voicemail was. Ze vermoedde dat hij dat met opzet deed, dat hij haar overlaadde met werk zodat het nauwelijks de moeite waard leek om vakantie op te nemen. Gelukkig was hij de hele dag naar een klant in Westchester en kwam hij pas maandag terug.

Het kantoorpersoneel mocht die middag al om twaalf uur naar huis, en hoewel de meeste juristen zoals gewoonlijk nog aan het werk waren, was het toch rustiger dan anders.

Sol had zijn telefoon doorgeschakeld naar zijn mobiel en het was de hele ochtend griezelig stil geweest. Toen de telefoon toch rinkelde, was ze enorm geschrokken. Ze werd bijna nooit op haar eigen lijn gebeld.

'Mevrouw Reilly,' klonk de nasale, vermoeide stem van Teresa Frankel. 'Ik bel over uw zoon Patrick.' De grond zakte onder Yvonnes voeten weg alsof ze in een vliegtuig zat met hevige turbulentie.

'Maar ze zijn vanmiddag toch vrij? Is hij nog steeds op school?'

'Hij was nog op het schoolplein. Hij heeft gevochten met Joseph Dunn. We willen graag dat iemand hem nu direct komt halen.'

'Is hij gewond?'

'Met Patrick is alles goed, hij heeft alleen een schram op zijn knie, maar die heeft onze verpleegkundige ontsmet. Joe heeft een blauw oog.'

'Maar Joe zit toch al op de middelbare school?' vroeg Yvonne argwanend. Ze legde haar boterham neer en leunde met haar voorhoofd op haar handpalm.

Er was niemand binnen gehoorsafstand, maar toch praatte ze bijna fluisterend. Haar werkplek was aan drie kanten open en mensen die de hoek om kwamen konden haar horen voordat zij ze zag. In de gangen van Penzell & Rubicam was het altijd erg stil. De juristen waren meestal in hun kamers aan het werk. De secretaresses waren geïnstrueerd om zacht te praten en de gesprekken zo kort mogelijk te houden. Op de verdiepingen waar de juristen zaten, mochten geen bezoekers van buiten komen in verband met de vertrouwelijke aard van hun werk. Penzell & Rubicam had eigen mensen in dienst voor de schoonmaak, beveiliging en de postkamer; die werden beter doorgelicht dan de mensen die voor de overige bedrijven in het gebouw werkten. Cliënten werden rechtstreeks vanuit de lobby naar een vergaderruimte op een van de vijf ontvangstverdiepingen gebracht. De advocaten kwamen daar via een intern trappenhuis dat alleen met pasjes toegankelijk was, maar de cliënten moesten gebruikmaken van aparte liften – elke verdieping had zijn eigen lift. Het kantoor was zo discreet dat zelfs die liften volgens een bepaald schema werkten om te voorkomen dat de cliënten elkaar tegenkwamen.

'Nee, Joe Dunn zit nog bij ons,' snauwde Teresa. 'Waar het om gaat is dat uw zoon hem op het terrein van school heeft geslagen. En als ik het zo hoor, mevrouw Reilly, lijkt het me eerlijk gezegd niet dat hij dat heeft uitgelokt. Het lijkt me dus het beste dat u of uw man hier zo snel mogelijk naartoe komt. Ik kan hem niet laten gaan als er geen ouder aanwezig is.'

'Waar is Chris?' vroeg Yvonne. 'Mijn andere zoon,' voegde ze er geïrriteerd aan toe.

'Christopher zit hier in mijn kantoor. Hij is erg van streek, hij heeft het steeds over een hond.'

'Toby.'

'Wat?'

'Niks. Die hond heet Toby. Dat is de hond van Joe Dunn. Het zijn onze buren. Laat u maar, ik kom eraan.'

'Mevrouw Reilly, de school is twintig minuten geleden gesloten,' zei Teresa afgemeten. 'Als ik u was, zou ik hier zo snel mogelijk naartoe komen.'

Yvonne had net haar jas aangetrokken toen de telefoon weer ging. Ze verstijfde en liet de mouw langs haar zij bungelen. Wat nu weer, dacht ze toen ze het nummer zag.

'Hallo,' zei ze zo neutraal mogelijk.

'Pak meteen pen en papier en schrijf op wat ik zeg. Heb je een pen?'

'Ik wilde net weggaan. Heeft het haast?'

Sol zweeg verbijsterd. Yvonne kneep haar ogen dicht. Ze had hem maar zelden tegengesproken en al helemaal niet als er iets dringends was, dus ze wisten allebei even niet hoe ze het hadden.

'Hè?' vroeg hij stomverbaasd.

Yvonne probeerde te bedenken wat ze nu moest doen. Beter voet bij stuk houden dan terugkrabbelen, dacht ze. Als ik mijn excuses maak, denkt hij dat hij terecht kwaad is en dan wordt hij alleen nog maar lastiger.

'Je had gezegd dat ik om twaalf uur naar huis kon gaan,' zei ze. Ze zei het hard, een beetje te agressief. 'Iedereen is al weg. Er is een probleem op de school van mijn kinderen. Ik kan dus echt niet blijven, tenzij het heel dringend is.' Ze had meteen spijt van die laatste zin en zette zich schrap.

'Het is inderdaad heel dringend,' antwoordde Sol triomfantelijk. 'Een noodgeval. Dus pak een pen.'

Shit, dacht ze. Ga nooit in discussie met een advocaat.

Op de achtergrond hoorde Yvonne vaag het belletje van liftdeuren die werden geopend en gesloten en het geroezemoes van stemmen.

Hij staat ergens in een lobby. Dan moet het echt een noodgeval zijn.

Sol belde nooit vanaf openbare plekken, behalve over dagelijkse beslommeringen, een tandartsafspraak, of als ze een vergaderruimte moest reserveren. Hij was doodsbang – op het ziekelijke af – dat een buitenstaander (een taxichauffeur, een hacker, haar neef uit Boston die toevallig op bezoek was) een snippertje vertrouwelijke informatie te pakken kreeg. Daar had hij het voortdurend over.

Yvonne had haar headset al afgezet en de hoorn zat tussen haar oor en haar schouder geklemd. Een doffe pijn schoot door haar rug, ze wisselde van oor en ging zitten. Ze zou hem liever op de speaker zetten, maar daar had hij een hekel aan.

Omdat de stof van haar jas in de weg zat, kon ze alleen heel rechtop zitten, alsof ze gespannen en alert was. Ze pakte een pen uit de la en hield die in de aanslag boven het stenoblok dat ze altijd bij zich had. Er zat nog maar één vel op, dus ze hoopte dat hij niet erg veel door te geven had.

'Goed,' zei ze. 'Brand maar los.'

WOENSDAG, 13.25 UUR

Alle televisiestations zonden uit vanaf dezelfde straathoek. Het duurde even voordat het beeld tot hem was doorgedrongen, maar het was onmiskenbaar 77th Street, vlak bij de hoek met Park Avenue.

Paul stond in zijn eentje in een vergaderruimte en staarde naar de tv aan de muur. Hij stond met zijn armen over elkaar en zijn vingers trommelden gespannen op zijn biceps.

Dit gaat niet over iemand die ik ken, dacht hij. Dit gaat niet over ons.

Op vrijwel alle zenders was hetzelfde te zien. De straathoek werd live gefilmd en er liepen voetgangers door het beeld. De camera's waren gericht op een van de herenhuizen, op een rode deur met een deurklopper in de vorm van een hertenkop. Aan weerszijden van de deur stonden grote stenen potten met buxussen, nauwkeurig gesnoeid als een soort groene poedels.

Hij kende dat huis. Het was van Morty en Julianne Reis. Op de tv zag het er tegelijk bekend en vreemd uit.

Morty Reis was vanaf de oprichting van Delphic een van de externe beheerders. Voordat Paul bij Delphic kwam, wist hij niet dat een groot deel van het fonds door Morty werd beheerd. Het Frederick Fund, het enige *single-strategy*-fonds van Delphic, had 98 procent geïnvesteerd in Reis Capital Management; de andere fondsen van Delphic veel lagere percentages. Paul wist het niet helemaal precies, maar hij schatte dat ongeveer dertig procent van het kapitaal dat Delphic beheerde bij RCM was ondergebracht.

Morty was een briljant vermogensbeheerder. RCM behaalde jaar in jaar uit hoge rendementen. Het succes van Delphic werd dan ook toegeschreven aan RCM. Cliënten verdrongen zich om te worden toegelaten tot RCM alsof het een exclusieve golfclub was, en het beleggingsfonds van Carter bood ze die ingang. Er was zelfs een tijd geweest dat Delphic kapitaal moest weigeren, maar die hoogtijdagen leken nu sinds lang vervlogen.

In de loop der jaren waren Morty en Carter goed bevriend geraakt. Op Carters bureau stond een foto van Morty die met Ines toostte op haar verjaardag; op een andere stonden beide mannen met lieslaarzen aan en een honkbalpet op te vissen in de stralende herfstzon tijdens een weekend in Jackson Hole. Ze gingen samen uit eten, samen op vakantie, ze vierden belangrijke gebeurtenissen met elkaar. Het echtpaar Reis kwam vaak langs in het zomerhuis van de Darlings in East Hampton. Paul had Morty nog maar een paar weken geleden gezien op een surpriseparty voor Julianne.

Dat feestje werd gehouden in hun huis in New York, dat nu op alle televisiezenders te zien was. Paul wist nog dat hij destijds bij binnenkomst een opmerking had gemaakt over die deurklopper. Merrill, zijn bondgenote, had meestal een nog grotere hekel aan praalzucht, vooral als het de inrichting van huizen betrof. Ze gniffelde even, maar fluisterde toen vermanend: 'Julianne heeft het huis opnieuw ingericht. Denk erom dat je zegt dat je het mooi vindt.' Merrill en Lily gedroegen zich altijd respectvol tegenover Morty, misschien omdat hij een van de weinige mensen was voor wie hun vader veel respect had.

Julianne noemde zichzelf interieurontwerper, waar Morty's goede vrienden nogal wat vraagtekens bij plaatsten. Voor zover Paul wist, had Julianne nog nooit een interieur ontworpen voor een huis dat geen eigendom was van Morty, al had ze alleen daar al haar handen vol aan. Het huis aan 77th Street was het eerste huis dat ze van boven tot onder opnieuw had ingericht. Morty had haar eerder alleen kleinere projecten laten doen, zoals een zwembadhuisje of een gastenkamer. Julianne had een weelderige en opzichtige smaak – veel verguldsels en marmer – die lijnrecht tegenover de nuchtere smaak van Morty stond. Ze smeekte hem al jaren of ze dit huis mocht inrichten. Het project had waarschijnlijk maanden geduurd en Paul vroeg zich af hoeveel geld het had gekost.

Het echtpaar Reis leek op veel andere stellen in New York. Morty had Julianne op een benefietgala ontmoet, kort nadat zijn eerste vrouw hem had verlaten. Julianne was mooi, maar op een ietwat opzichtige manier die het beste vanaf een afstand bewonderd kon worden. Ze had grote ogen die ver uit elkaar stonden en hoge jukbeenderen; haar kastanjebruine haar met highlights was gestyled tot weelderige manen die in lagen over haar schouders vielen. Ze had een fenomenaal lichaam, gebruind, afgetraind, zonder een grammetje vet. Ze was langer dan Morty en omdat ze zo dun was leek ze op een tweederangs filmster of model. Pauls moeder noemde vrouwen als Julianne 'blikvangers', het soort vrouwen waarvan er in Manhattan dertien in een dozijn gingen.

Op het eerste gezicht leken Morty en Julianne niet bij elkaar te passen. Morty was teruggetrokken, kleedde zich schlemielig. Hij hield van geld verdienen, maar niet van geld uitgeven; niet dat hij gierig was, maar hij leek gewoon niet veel plezier te hebben in spullen kopen. Hij was vooral dol op zijn verzameling bijzondere auto's. Hij droeg confectiekleding van Bloomingdale's en overhemden die hij in grote hoeveelheden via internet kocht. Hij had behalve auto's verzamelen geen hobby's en reisde weinig, alleen voor zaken of naar een van zijn vier huizen. Die huizen waren allemaal gebouwd als een fort en hadden de allermodernste beveiliging. Hij ontving er niet vaak gasten, alleen als dat van Julianne moest. Volgens Carter was Sophie, Morty's eerste vrouw, de enige van wie hij hartstochtelijk veel had gehouden. Toen ze hem verliet was hij in een diepe depressie beland die maanden had geduurd. Hij was er eigenlijk de man niet naar om zijn troost te zoeken bij een prijspoes als Julianne, die hem dan ook vooral erg veel hoofdbrekens leek te bezorgen. Nu Sophie weg was, waren er volgens Carter nog maar twee dingen waar Morty echt van hield: werken en met rust gelaten worden.

Paul probeerde zich te herinneren waar Julianne naartoe gegaan was. Morty en zij gingen zo vaak hun eigen gang dat hij ze nauwelijks nog beschouwde als mensen die bij elkaar hoorden.

Aspen? dacht hij. Daar was het een paar uur vroeger. Misschien was ze aan het skiën.

Hij vroeg zich af of ze al wist dat Morty dood was.

Iemand moet het haar vertellen, het liefst iemand die haar na staat. In elk geval moet ze het weten voordat ze het op het nieuws hoort.

Er was geen beweging in of rond het huis. Onder in het scherm stond EAST 77TH STREET 23, WOONHUIS VAN MORTON REIS. Paul luisterde met een half oor naar wat de verslaggeefster over het werk van Morty vertelde: 'Reis Capital Management werd opgericht in 1967 en handelde voornamelijk in pennystocks op de vrije effectenmarkt... Bedrijven als RCM verdienden hun geld aan de "spread", dat is het prijsverschil tussen het aanbod van en de vraag naar die aandelen... Pas in de jaren zeventig, na een wijziging van de reglementen, kon RCM gaan handelen op de aandelenbeurs van New York in de duurdere blue chips...'

Het hoofd van de verslaggeefster deinde onder het praten op en neer en haar haar verwaaide in de wind. Ze hield haar microfoon stevig vast en keek fronsend in de camera, alsof ze duidelijk probeerde te maken dat ze een serieus onderwerp behandelde. Het leek wel een college over de geschiedenis van de beurs; geen nieuwe informatie.

Paul zapte naar een andere zender. Nu hoorde hij: 'Zijn vrouw, Julianne, zou op vakantie zijn in het huis van het echtpaar in Aspen... Het is vooralsnog niet duidelijk hoeveel tijd er is verstreken tussen het moment waarop zijn auto werd gevonden en het moment waarop hij een einde aan zijn leven zou hebben gemaakt...'

De rillingen liepen Paul over de rug. Hij keek door de glazen deur van de vergaderruimte naar de schemerige hal en realiseerde zich opeens dat hij alleen op kantoor was.

Morty Reis heeft zelfmoord gepleegd.

Morty Reis. Zelfmoord gepleegd.

Godallemachtig.

Hij wilde dat er iemand in de buurt was tegen wie hij dit hardop kon zeggen. Als hij het alleen tegen zichzelf zei, in gedachten, klonk het ongeloofwaardig.

Hij keek op een andere zender, maar daar was geen ander nieuws.

'Morton Reis beheerde meer dan veertien miljard dollar... Hij behaalde onveranderlijk hoge resultaten voor een aantal bekende beleggingsfondsen, families en goede doelen... Reis werd geboren in Kew Gardens als zoon van Jacob en Riva Reis... Hij studeerde accountancy aan Queens College en studeerde in 1966 af... Zijn vader was een bekende hoogleraar in de wiskunde aan Queens College en stierf in 1980 aan lymfklierkanker... De heer Reis had geen kinderen en was getrouwd met Julianne Reis uit New York en Aspen... Zijn auto werd vanochtend vroeg gevonden in de buurt van de Tappan Zee Bridge en er zou een leeg potje medicijnen in de auto zijn aangetroffen... Bij zijn bedrijf, Reis Capital Management, was niemand bereikbaar voor commentaar...'

Daarna werd een nieuw onderwerp geïntroduceerd: olieboringen in Alaska. Op het scherm verschenen de kalme paarse en blauwe kleuren van de poollucht en de trage, soepele trek van een kudde rendieren. Paul bleef een paar minuten staan kijken terwijl ze een bevroren rivier overstaken. De kleinste rendieren liepen veilig midden in de kudde. Toen ze aan de overkant waren, zette hij de tv uit. Hij belde Merrill op haar werk, maar ze nam niet op. Terwijl hij luisterde naar de telefoon die overging, keek hij naar zijn weerspiegeling in de ruit. Hij zag er moe uit en magerder dan hij dacht. Hij voelde het leven uit zich wegtrekken en stond met de hoorn tegen zijn oor gedrukt; de telefoon ging vaak over tot hij haar stem op de voicemail hoorde.

Hij sprak geen boodschap in. Hij wist niet wat hij zou moeten zeggen.

Carter nam zijn mobiel ook niet op. Paul was daar wel blij om, want hij wilde liever niet degene zijn die het hem moest vertellen. Morty's dood zou verpletterend nieuws voor hem zijn: Carter kende veel mensen, maar hij had weinig vrienden, en waarschijnlijk was Morty zijn beste vriend. Daarbij kwam nog het vervelende maar onontkoombare feit dat RCM de prestaties van Delphic opkrikte. De meeste andere handelaren stonden elke dag in de min, maar de resultaten van RCM waren dit jaar alleen een klein beetje gezakt. Paul vroeg zich met bonzend hart af of Delphic het zonder RCM eigenlijk wel zou redden.

Terwijl hij terugliep naar zijn kantoor, probeerde Paul zich te herinneren wat hij precies over RCM wist. Was het mogelijk dat het bedrijf in de problemen zat? Hij dacht van niet. Twee externe beheerders van Delphic – Lanworth Capital Management en Parkview Partners – werden beschouwd als de waakhonden van de portefeuille van Delphic. Beide fondsen hadden na ernstige verliezen de verzoeken tot uittreden bevroren. Er werd zelfs beweerd dat Lanworth misschien zou gaan omvallen. Er werd dagelijks door het senior management gemaild over beide fondsen. Zoiets had Paul over RCM niet gehoord. Eigenlijk had hij sowieso heel weinig over RCM gehoord.

Voor zover Paul had begrepen onderhield Alain in zijn eentje de contacten met RCM. Hij had RCM jaren geleden bij Delphic aangebracht en hij liet duidelijk merken dat het zijn contact was. 'RCM is zijn kip met de gouden eieren,' had een van de andere beheerders tegen Paul gezegd toen hij net was begonnen. Dat had behoorlijk geïrriteerd geklonken. 'Niemand behalve Alain werkt met RCM. Oké, RCM laat alles en iedereen ver achter zich en Reis schijnt verschrikkelijk lastig te zijn. Dus als Alain per se met hem wil werken vind ik het best. Zolang ze maar geld voor ons verdienen.'

Nu hij erover nadacht schoot het hem te binnen dat er de laatste weken toch wel wat mailverkeer over RCM was geweest.

Andre Markus, een senior verkoopmanager, had zich zorgen gemaakt omdat investeerders steeds vaker informeerden naar het risicoprofiel van de wederpartijen van RCM. Een paar cliënten van Markus hadden gevraagd naar de liquiditeit van de partijen die handelden in de opties van RCM. Een begrijpelijke zorg gezien het gebrek aan stabiliteit in de financiële sector, maar Alain weigerde om Markus de namen te geven. Markus had geprotesteerd: hoe kon hij de investeerders geruststellen als ze niet wisten met wie RCM zaken deed? Naarmate hij er bij Alain meer op aandrong om de namen van de partijen te geven, werden de mailtjes steeds verhitter.

Omdat Andre geen bevredigend antwoord kreeg, was hij halverwege de dialoog cc's gaan sturen naar Paul en naar Sol, de externe jurist van Delphic. Paul wist niet of Alain wist wie die partijen waren en gewoon koppig was, of dat hij ze niet kende en onverantwoord bezig was. Sol hield zich al veel langer bezig met het risicomanagement van Delphic, dus hij nam aan dat Sol wel van zich zou laten horen als er een probleem was. Maar toen had Andre Paul gevraagd of hij hem wilde steunen en omdat hij niet voor niets de bedrijfsjurist was, vond hij dat hij iets moest doen. Hij besloot om het eerst op te nemen met Carter voordat hij zich mengde in iets wat een chronische machtsstrijd leek.

'Alain en Andre liggen nogal eens met elkaar in de clinch,' verduidelijkte Carter mild. 'Ik zou me er maar niet te veel mee bemoeien. Andre is een beetje het schoothondje van zijn cliënten.'

'Dat begrijp ik. Maar de namen van die wederpartijen... Alain dient toch in elk geval te weten met wie RCM handelt. Als hij de namen niet wil doorgeven aan de cliënten, moeten wij ze toch in elk geval kennen, al is het maar voor onze gemoedsrust.'

Carter aarzelde. 'Tja,' zei hij. Hij wreef over zijn slapen, wat hij altijd deed als hij last kreeg van spanningshoofdpijn. 'Alain werkt al erg lang samen met Morty en Morty kan nogal gesloten zijn. Hij heeft in verschillende opzichten een zwaar leven achter de rug en hij vindt het soms moeilijk om informatie vrij te geven, zelfs aan ons. Het is een beetje iemand met een gebruiksaanwijzing. Als ik jou was, zou ik tegen Andre zeggen dat hij het moet laten rusten. De situatie is de laatste tijd voor iedereen behoorlijk gespannen. Alain krijgt de namen van die wederpartijen nog wel, maar in de tussentijd lijkt het me het beste als de teams aan de investeerders laten weten dat het allemaal gevestigde financiële instellingen zijn met minimaal een A-status of hoger. Of woorden van gelijke strekking. Dat is wat ze graag willen horen.'

Paul vroeg zich af of dit niet een beetje te kort door de bocht was, maar hij had het erbij laten zitten, was te moe en te onvoorbereid om met een alternatief te komen. Op zijn reactie aan Alain en Andre reageerden ze beiden met radiostilte. Paul vond dat eigenlijk wel een opluchting: hij leerde al snel dat zijn functie van bedrijfsjurist veel bemiddeling en diplomatiek navigeren vereiste en dat betrof vaak situaties waarin hij niet helemaal ingewijd was. Hij was de kwestie van de wederpartijen al snel vergeten, stopte die weg onder een lange lijst van andere zaken die om zijn onmiddellijke aandacht vroegen.

Nu leek dit echter wel van belang. Stel dat een van de wederpartijen van RCM failliet dreigde te gaan? Stel dat dat al was gebeurd? Het omvallen van Lehman Brothers had pijnlijk duidelijk gemaakt dat dat zelfs met grote spelers kon gebeuren. Sommige fondsen hadden de bui zien hangen en hadden de handel met Lehman op tijd beperkt, maar dat gold niet voor iedereen. De fondsen waarvoor dat niet gold, werden overspoeld met verzoeken tot uittreding van investeerders die geld terug wilden dat in rook was opgegaan.

Wie kon garanderen dat RCM niet ook zo'n fonds was? Als Morty zich inderdaad niet in de kaart liet kijken, was het onmogelijk te bepalen wat hij voor zijn investeerders verborgen hield. Dan konden ze al op de fles zijn zonder dat iemand het wist, als een vliegtuig waarvan de motor halverwege de vlucht was uitgevallen maar dat nog een tijdje geluidloos verder zweefde.

Ongeveer eenderde van de beleggingen bij Delphic was geïnvesteerd bij RCM. Als RCM in rook opging, zouden zij hoogstwaarschijnlijk volgen. Paul huiverde. Hij kreeg hetzelfde angstige vrije-valgevoel dat hij had gehad toen de fiscale rechercheurs voor het eerst hun opwachting maakten bij Howary. Dat was al eerder gebeurd. Het gebeurde voortdurend op Wall Street. Hij liep een beetje licht in zijn hoofd terug naar zijn kantoor, duizelig van de halogeenlampen in de gang.

Net toen hij de deur opendeed ging de telefoon. Het klonk als een rinkelende alarmbel.

'Merrill?' vroeg hij meteen.

Het bleef even stil. 'Met Alexa,' zei de stem aan de andere kant van de lijn stijfjes. Paul hoorde verkeer op de achtergrond; ze belde op straat met een mobiel. 'Ik hoef zeker niet eens te vragen of ik ongelegen bel.'

'Nee, sorry,' antwoordde hij nerveus. 'Ik had je terug moeten bellen, maar ik zit midden in... een crisis in de familie...'

'Geen probleem, ik weet dat ik stoor. Dus je hebt het gehoord van Morty Reis?'

'Ja. Verschrikkelijk. Hij is een soort oom voor Merrill. Was. Hoe weet jij...?'

'Daar belde ik je vanochtend vroeg over. Ik weet dat je het druk hebt, maar dit is echt heel belangrijk. Ik ben in de stad, vlak bij je kantoor. Kunnen we ergens afspreken?'

Paul gaf niet meteen antwoord. 'Waar gaat dit over, Alexa?' vroeg hij een beetje geërgerd. 'Als het een persoonlijk telefoontje is, dan moet dat even wachten.' Hij haalde diep adem. Hij deed onbeleefd, misschien onterecht, maar hij vond het een vervelend idee dat zij haar baan bij de SEC gebruikte als excuus om met hem af te spreken. Sinds hun laatste ontmoeting was alleen de gedachte aan Alexa Mason al genoeg om hem op scherp te zetten. Dat was een jaar geleden, en sindsdien hadden ze elkaar maar twee keer gesproken. Hij voelde zich er schuldig over dat hij het contact met haar zo bot had verbroken. Maar ze moest snappen dat ze geen vrienden meer konden zijn nu hij getrouwd was. Niet meer zoals vroeger.

'Dit is geen persoonlijk telefoontje,' zei ze korzelig. 'En het is niet mijn gewoonte om je lastig te vallen. Vertrouw me nu maar, het is belangrijk.'

Hij klemde de telefoon tussen oor en schouder en sloot zijn ogen. Ze had gelijk. Ze had hem nooit lastiggevallen. Ze had niet eens een verklaring gevraagd toen hij haar telefoontjes niet meer beantwoordde, terwijl ze daar wel recht op had gehad. Hij had spijt van zijn scherpe toon, van zijn arrogante veronderstelling dat ze nog steeds meer voor hem voelde dan alleen vriendschap.

Hij was de laatste tijd snel geïrriteerd. In het weekend had hij nog een taxichauffeur afgesnauwd. Hij had zelf niet eens gemerkt hoe onbehouwen hij klonk totdat Merrill kalmerend haar hand op zijn onderarm legde. En toen had Katie, zijn zus, hem ook nog gebeld om te vragen of hij haar wilde helpen met haar hypotheek. Hoewel hij normaal gesproken alles voor haar overhad, had hij kortaf gereageerd omdat ze hem tijdens zijn werk stoorde. Hij had haar teruggebeld en zich verontschuldigd, maar hij voelde zich een vreselijke bruut toen hij hoorde hoe benepen ze klonk. En nu deed hij ook al zo onaardig tegen Alexa. Die lieve Alexa, die vanaf zijn veertiende zo dol op hem was geweest. Lieve Alexa, die het nog steeds leuk vond om hem te spreken, zelfs nadat hij haar had verteld dat er in zijn leven geen plaats meer voor haar was.

Hij liet zich op zijn stoel zakken. Hij had gedacht dat het beter zou gaan nu hij bij Delphic werkte. Niets kon stressvoller zijn dan het werk bij Howary, vooral sinds die dagvaarding. Maar hij sliep nu nog slechter dan vroeger. Van slaappillen werd hij suf, dus hij worstelde zich door de nachten heen terwijl de gedachten door zijn hoofd maalden en zijn slaap verstoorden. Dat voortdurende gevecht maakte hem prikkelbaar. Vroeger had hij nooit last van een slecht humeur. Soms leek zijn lichaam een open zenuw die gevoelig was voor zelfs de miniemste irritatie.

'Sorry, Alexa,' zei hij. 'Het is nogal een rotdag vandaag. Ik kan wel iets afspreken, alleen niet zo lang. Hoe dichtbij ben je?'

Hij hoorde door de telefoon de klaaglijke sirene van een ambulance en even later hoorde hij hetzelfde geluid op straat.

'Een paar straten verderop,' zei ze. 'Vlak bij het MoMA. Zullen we daar afspreken?'

'Ik kom eraan,' zei hij. 'Ik zie je in de hal bij de ingang.'

WOENSDAG, 15.06 UUR

Marina Tourneau stond in de deuropening en keek naar haar baas. Duncan stond over de lichtbak in de hoek van zijn kantoor gebogen. De bak, op maat gemaakt in dezelfde stijl als zijn bureau, verlichtte zijn zilvergrijze haar. Haar blik dwaalde meteen af naar zijn geruite wollen sokken. Duncan droeg niet graag schoenen tijdens zijn werk. Hij deed ze altijd uit voordat hij zijn kantoor betrad en liet ze op de gang staan, onder de kapstok. Niemand wist of hij dat comfortabeler vond of dat hij de smetteloze witte vloerbedekking wilde sparen die hij hier had laten leggen. Of misschien was het gewoon een van zijn excentrieke gewoontes. Duncans sokken waren wat dassen voor de meeste andere mannen zijn: een kleuraccent, een uitroepteken. Hij hield het meest van een Schots ruitje.

Die schoenenkwestie had zijn vorige assistente, Corinne, haar baan gekost. Dat was tenminste wat Marina bij de waterkoeler had horen verluiden. Toen Duncan de vloerbedekking had laten leggen, had hij aan Corinne gevraagd of ze haar schoenen wilde uittrekken voordat ze zijn kantoor binnenkwam. Dat was voor haar de druppel en er ontstond een laaiende ruzie. Corinne dreigde met een aanklacht wegens seksuele intimidatie (wat haar kantoorgenoten bijzonder grappig vonden). Duncan ontsloeg haar op staande voet, of hij dreigde daarmee, waarna zij zelf ontslag nam, en zo kwam Marina aan haar baan bij *Press*. Ze werkte er nog geen week toen iemand haar dit verhaal vertelde. Ze was er diep van onder de indruk, kocht onderweg naar huis een bak yoghurtijs, at die als avondeten voor de tv leeg en kreeg een huilbui. Het leek haar vreselijk gênant om zonder schoenen als een of andere geisha door het kantoor van haar baas te moeten lopen. Ze had verdorie op Princeton gezeten... Zou ze nieuwe sokken moeten kopen? Alsof ze dat kon betalen van het hongerloontje dat ze bij *Press* kreeg.

Na anderhalf jaar kon ze zich over dit verhaal niet meer opwinden. Marina was inmiddels gewend geraakt aan Duncans merkwaardige pietluttigheid, aan zijn krankzinnige en in moreel opzicht twijfelachtige verzoeken en aan de driftbuien die hij kreeg als zijn wereldorde verstoord werd. In feite was ze opmerkelijk geduldig geworden, vond ze.

Duncans gezicht hing zó dicht boven de bovenkant van de lichtbak, en zijn armen waren op zo'n vreemde manier uitgespreid, dat Marina heel even dacht dat hij dood was. Ze kwam wat dichterbij. Hij bekeek een paar foto's door een loep. Duncan had het angstaanjagende vermogen om onder het werk minutenlang niet te bewegen, veel langer dan andere mensen. Hij leek dan volledig in beslag genomen door wat hij deed. Marina vond dat soms inspirerend, maar als ze net naar huis wilde gaan was het bijzonder frustrerend. Meestal gebeurde zoiets vlak voor een vrije dag. Marina vroeg zich weleens af of dat kwam doordat hij niemand had om zo'n dag mee door te brengen. Dat vond ze sneu, maar niet zó sneu dat ze zich er niet aan ergerde.

Achter haar op de gang was de schoonmaakster aan het stofzuigen. Marina zuchtte.

Ze had al meer dan een uur geleden de laatste redacteur gedag gezegd en ze begon de hoop op te geven dat ze nog op tijd weg kon gaan om haar haar te doen. Het Thanksgiving-diner dat de ouders van haar vriend elk jaar gaven begon precies om vijf uur en ze zou zich daar een stuk beter op haar gemak voelen als ze haar haar nog even in model kon föhnen. Het feest bij de familie Morgenson was iets heel bijzonders. Ze woonden in een appartement op de hoek van 81st Street en Central Park West, een perfecte locatie om de ballonnen te zien die daar in de optocht op Thanksgiving Day voorbijkwamen. Sinds 1927 stonden New Yorkers en toeristen daar elk jaar weer voor te blauwbekken. Ze verdrongen zich achter de politieafzettingen, met gezichten die rood waren van de kou. Sommigen hadden een klein vierkantje stoep afgezet voor hun kinderen, die op een bepaald moment natuurlijk moesten plassen of hun muts in de auto hadden laten liggen. Al dat gedoe leek nauwelijks de moeite waard totdat de reuzenballonnen werden opgeblazen en als kolossale wolkdieren overdreven. Bij de familie Morgenson zag je dat allemaal vanaf de zeventiende verdieping, bij een knappend haardvuur en met een schaal cocktailgarnalen binnen handbereik. Eén avond per jaar was The Beresford het beste gebouw in Manhattan en Grace Morgenson buitte dat zo goed mogelijk uit. Ze nodigde iedereen uit. Vrienden, neven, zakenrelaties. Elke New Yorker van statuur met wie ze ook maar het geringste contact had: een columnist van de *Times*, een mezzosopraan van de Metropolitan Opera, een danser van het New York City Ballet, een senator, de presentator van een talkshow, de voorzitter van de vakbond voor leraren, een ontwerpster van bruidsmode, een hoteleigenaar die onlangs de kranten had gehaald omdat hij zijn vrouw had verlaten voor een – zij het niet prominent – lid van het Britse koningshuis. Tanner had Marina twee keer gevraagd wat ze van plan was aan te trekken. Ze had hem zenuwachtig drie verschillende outfits laten zien; hij leek vooral ingenomen met een tweedrok en een kabeltrui van Ralph Lauren. Die kleren had ze in een kostuumtas mee naar kantoor genomen zodat ze niet konden kreuken en ze was van plan om zich na het werk op het damestoilet te verkleden. Het was duidelijk dat de familie Morgenson en hun vrienden haar zouden beoordelen als potentiële echtgenote van Tanner. Ze was de hele dag al van slag en kon alleen maar denken aan wat ze allemaal nog moest doen om zich voor het begin van de avond op te knappen. Nu was het hoog tijd. Elke minuut telde.

'Duncan,' zei Marina zo relaxed mogelijk. 'Hoe gaat het?'

Hij keek op van de lichtbak en fronste zijn wenkbrauwen, alsof hij probeerde te bedenken wie ze ook alweer was. 'Die foto's zijn afschuwelijk,' zei hij ten slotte.

'Welke foto's?'

'De fotoreportage van die modellen!' riep hij uit. Hij wenkte haar. 'Die meiden lijken in de verste verten niet op modellen van de Fashion Week. Het lijken wel sletjes. Sletjes of hoeren.'

Marina zuchtte, dit keer hoorbaar, en liep zijn kamer binnen. 'Sletje' was Duncans nieuwe lievelingswoord. Daar zou hij over een paar weken wel weer genoeg van hebben, maar voorlopig was iedereen een sletje. Paris Hilton was een sletje, de receptioniste was een sletje, de tweelingdochters van Bush – en misschien hun moeder ook wel – waren volgens hem sletjes. Misschien was ze er zelf, als ze niet in de buurt was, ook wel een. En de manier waarop hij dit zei, voorspelde niet veel goeds: dat toontje betekende dat niets of niemand op dit moment in zijn ogen deugde. Ze ging naast hem bij de lichtbak staan, maar wilde niet door de loep kijken. Ze had die foto's al tientallen keren bekeken, net als iedereen. En nu zei hij er opeens iets negatiefs over.

'Moet je deze nou zien!' Hij dook weer op de lichtbak, als een dolfijn op een vis. 'Veel te mager! Ze lijkt wel een junk! Je ziet bijna de littekens van de naald in haar arm.'

'Hebben we nog tijd en budget voor een nieuwe fotoshoot?' vroeg Marina, ook al wist ze al wat het antwoord zou zijn.

'Nee, natuurlijk niet, natuurlijk niet!' antwoordde Duncan kortaf. 'Dit is voor het januarinummer. Daar hebben we absoluut geen tijd meer voor. En het budget is al gruwelijk ver overschreden. Nee, deze komen erin. Althans sommige. Er is niets meer aan te doen, maar het gaat me wel aan het hart om zulke troep te moeten publiceren.' Hij sloot zijn ogen en hief zijn gezicht op, alsof hij God verzocht om hem bij te staan.

Marina voelde tot in haar tenen dat ze nu haar gezicht in de plooi en haar mond dicht moest houden. Als ze geërgerd zou kijken, zou hij haar ontslaan. En als ze haar mond zou opendoen, zou ze misschien gaan gillen om lucht te geven aan al haar frustraties over Duncan, het tijdschrift, haar vriendje, de snobistische Morgensons en het feit dat ze nog geen 30.000 dollar verdiende voor meer dan tachtig uur per week en dan nóg als een slaaf werd behandeld, zelfs met Thanksgiving.

Maar ze wist zich te beheersen en vroeg timide: 'Als die reportage er wel in blijft, kun je misschien als tegenwicht dat financiële artikel plaatsen waar je het gisteren over had?'

Duncan keek haar een paar seconden zwijgend aan, deed de lamp van de lichtbak uit en ging achter zijn bureau zitten. Hij gaf geen antwoord. Marina besefte dat ze door iets te zeggen haar vertrek alleen nog maar verder uitstelde en ze Duncan in het ergste geval zelfs tot razernij zou brengen door te suggereren dat het hem geen zak kon schelen wat zij van de inhoud van het tijdschrift vond.

'Wat zei ik gisteren ook alweer, help me eens.' Hij tikte zijn vingertoppen tegen elkaar.

Ze haalde diep adem en probeerde het zich te herinneren. Duncan vond het prettig als ze woordelijk herhaalde wat hij tegen haar had gezegd, maar dan moest dat altijd wel heel precies. 'Gisteren zei je dat we niet de indruk moesten wekken dat we niets aan de financiële crisis doen. Dat we een te oppervlakkige en luchtige indruk maken als we te veel stukken publiceren over fashionista's en celebrity's en dat er om die reden al veel tijdschriften te gronde zijn gegaan. Daarna zei je dat Rachels idee voor een artikel over Lily Darling en haar nieuwe lijn voor hondenaccessoires precies is wat je dus niet wilt.' Marina zweeg even en flapte er toen uit: 'En daar ben ik het eerlijk gezegd wel mee eens. Ik kan me niet voorstellen dat iemand nu designertruitjes voor honden koopt en bovendien is Lily te jong en te weinig serieus om een echt bedrijf te leiden. Maar dat is mijn persoonlijke mening.' Ze hield haar mond weer. Ze had haar commentaar beter voor zich kunnen houden.

De klok aan de muur tikte door. Hoewel ze er vreselijk graag een blik op wilde werpen, deed ze dat niet. Als hij haar erop betrapte dat ze graag weg wilde, kon het weleens helemaal verkeerd aflopen.

'Ga door.'

'In elk geval,' ging ze snel verder, 'zei je dat we in plaats daarvan misschien een artikel over haar vader konden doen, Carter Darling, en dat hij een interessante, belangrijke man is met een echt bedrijf en dat de mensen daar graag iets over willen lezen. En dat vier pagina's met foto's van modellen van twintig jaar in het januarinummer onnozel en oninteressant was.'

Marina keek op. Ze had de neiging om naar de grond te kijken als ze praatte. Ze voelde dat ze een rood hoofd van schaamte had gekregen en ze vroeg zich af hoelang ze aan het woord was geweest. Ze dacht niet dat ze in Duncans kamer ooit eerder zo lang aan het woord was geweest.

Tot haar opluchting keek hij niet boos. Zijn ogen waren gesloten achter zijn montuur van schildpad.

'Ik had gelijk wat dat stuk over die modellen betreft,' zei hij. Hij deed zijn ogen open en knikte bedachtzaam, alsof hij het tegen iemand anders had in plaats van tegen zichzelf. 'Dat is precies waar het nu om draait. Relevantie. Het enige waar de New Yorkers zich op het moment voor interesseren is Wall Street. Niemand interesseert zich ook maar ene fuck voor Fashion Week-modellen van tweeëntwintig met anorexia. We hebben tegenwoordig geen tijd voor dat soort flauwekul. Dat kunnen we ons gewoon niet meer veroorloven.'

'Ik...'

'Helemaal mee eens. Het is te laat om die modellen nu nog te schrappen. Maar als we die reportage in het januarinummer combineren met een artikel over de Raad van Bestuur van Goldman Sachs, of misschien iets over een hedgefondsbeheerder die stout geweest is, dan zitten we gebeiteld. Fantastisch idee. Highbrow en lowbrow, dat is *Press* ten voeten uit. We moeten het meteen op poten zetten, en snel ook.'

Marina knikte, beduusd door de manier waarop ze plotseling als lid van het team werd aangesproken.

Wat er vervolgens over haar lippen kwam, verbaasde hen beiden.

'En als we nu inderdaad eens een stuk over die Darlings doen?' vroeg ze ongekend dapper. 'Vorig jaar hebben we toch die fotoreportage over hun huis in de Hamptons gedaan? Toen zei je dat ze zo gespannen waren. Dat ze ruzie maakten in de keuken terwijl ze dachten dat niemand het hoorde. En dat Ines Darling zo'n bitch was en dat ze de hele middag iedereen zat te commanderen en de hele fotoshoot probeerde te regisseren.'

Duncan leunde naar voren en knikte bemoedigend.

Marina zweeg. Ze keken elkaar aan en wachtten beiden af tot de ander iets ging zeggen.

Tot slot zei ze met een zacht stemmetje: 'Nou, dat was het wel. Ik bedoelde dat je misschien een artikel over die mensen kon schrijven. Maar misschien is dat wel een stom idee. Ik zeg maar wat. Maar volgens mij lezen mensen heel graag over het privéleven van miljardairs. Vooral als die in de problemen zitten.'

Duncan glimlachte en leunde achterover. 'Ja, er is inderdaad wel sprake van enig leedvermaak over die mensen in de financiële sector.' Hij voelde zich opeens heel edelmoedig. Die Marina was hier tenslotte om journalistiek door hem te worden gecoacht. 'Iedereen heeft natuurlijk al jaren stiekem de pest aan die lui. Neem mij bijvoorbeeld: ik ben hoofdredacteur van dit blad en ik verdien waarschijnlijk minder dan Carter Darling uitgeeft aan het onderhoud van zijn gazon in East Hampton. Maar nu is het uit met de pret. Goed, eens even denken. Ik weet niet zeker of die Carter Darling wel de aangewezen persoon is voor zo'n artikel. Hij is te braaf, als je begrijpt wat ik bedoel. Ik zag hem gisteren nog op dat gala van New Yorkers for Animals. Ines had een afgrijselijke jurk aan, van Lorenzo Sanchez volgens mij, zegt jou dat iets? Die vent die overal plooitjes en ruches op naait. Zij is een bitch, maar hij lijkt me een nette ouderwetse conservatieveling. Niet het soort mensen dat feesten op Sardinië organiseert op kosten van de zaak. Ik ga er eens even op broeden.'

Ja, dacht Marina, ga alsjeblieft naar huis om erover na te denken of erop te broeden, of hoe je dat ook maar noemt. Dan kan ik hier eindelijk weg.

Ze draaide zich om. 'Marina,' zei Duncan, op een toon die haar meteen deed verstijven van schrik. 'Zorg dat je dit weekend beschikbaar bent voor het geval ik je nodig heb.' Hij zei het als opdracht, niet als vraag.

Marina sloot haar ogen en slikte haar boosheid in. Ze wachtte even voordat ze zich omdraaide, zodat hij niets van haar aarzeling zou zien. 'Natuurlijk,' zei ze toen. 'Met alle plezier.'

Duncan knikte even. 'Goed dan,' zei hij, en hij draaide zich om naar zijn computer. 'Dan kun je nu gaan. Prettige avond.'

'Ja, ik wens jou en je familie ook een fijne Thanksgiving!' Ze liep zo snel naar de deur dat ze niet zag dat Duncan heel even een treurige blik in zijn ogen kreeg. Toen ze weg was, bleef hij nog een tijdje achter zijn bureau zitten. Haar woorden klonken na in de stilte van het lege kantoor.

Woensdag, 15.45 uur

Paul zag Alexa te midden van een zee van Japanse zakenlieden; ze viel op als een pauw tussen een troep pinguïns. Ze stond onder een draadmobile, onderdeel van het Calder-retrospectief, en ze droeg dezelfde felblauwe jas als de vorige keer. Ze zag hem niet meteen. Ze keek naar de mobile boven haar hoofd: een grote installatie van rode sterren of vliegende vogels. Haar dikke bos zwarte krullen had ze achter haar oren gestreken. Hij vond dat ze kleiner leek dan hij zich herinnerde, meer de Alexa uit hun studietijd dan de Alexa van laatst. Hij herinnerde zich nog goed dat hij met haar tijdens een excursie op de middelbare school door het Ackland Art Museum had gelopen. Ze waren toen zestien jaar en hoewel hij smoorverliefd op haar was, waren ze alleen maar goede vrienden. Een jaar later gingen ze met elkaar naar bed, wat alles veel ingewikkelder maakte.

Ze hadden het soort relatie dat floreert in een kleine stad, maar in de grote boze buitenwereld snel wegkwijnt. Als pubers wilden ze niets liever dan zo snel mogelijk weg zien te komen uit North Carolina. Alexa, de meest wilskrachtige van hen beiden, was de eerste die vertrok. Ze hield zich altijd al op enige afstand van haar leeftijdsgenoten en gedroeg zich met een kalme zelfvoldaanheid, alsof ze wist dat haar al snel iets beters te wachten stond. Paul had gedacht dat ze misschien hoogleraar zou worden, of conservator. Het verbaasde hem niet toen ze een beurs aangeboden kreeg voor Yale. 'Niet slecht voor een meisje uit Charlotte,' zei ze.

Paul bleef achter, hij had een volledige beurs gekregen voor Chapel Hill. Ze namen in tranen afscheid en beloofden elkaar ondanks de afstand bij elkaar te blijven. Dat hielden ze een paar maanden vol; ze zaten uren in treinen en vliegtuigen om elkaar op te zoeken. Maar toen het kouder werd en hun agenda's vol kwamen te staan met feestjes, examens en footballwedstrijden, bezochten ze elkaar minder vaak en minder lang en werden hun telefoongesprekken kort en plichtmatig. Toen Alex thuiskwam voor de vakantie wisten ze allebei dat het voorbij was. Ze bleven vrienden maar hielden respectvol afstand, vooral als het ging om nieuwe vlammen.

Alexa was niet echt mooi, maar wel een prettige verschijning. Ze had een stralende lach en iets moederlijks over zich waar honden van gingen kwispelen. Haar mollige figuur deed het beter in North Carolina dan in Manhattan. Ze was bijna getrouwd geweest, met een man met wie ze waren opgegroeid, maar die Paul alleen van gezicht kende. 'Mijn studie gooide roet in het eten,' zo formuleerde ze het, waar Paul uit opmaakte dat ze haar carrière niet wilde opgeven voor een bestaan als huisvrouw in een buitenwijk van Charlotte. Wat hij haar niet kwalijk kon nemen.

'Wat een serieuze dame,' merkte Merrill zonder omhaal op na hun eerste ontmoeting. 'Zag je die kleren? Is dat een of ander statement of zo?'

Paul kon zich niet herinneren wat Alexa aan had gehad, maar ze neigde wel naar iets te casual. 'Zo is ze gewoon,' zei hij. Hij had onderschat hoe het voor Merrill zou zijn om kennis te maken met Alexa. Hij realiseerde zich dat ze het onder het eten vrijwel voortdurend over hun geboorteplaats hadden gehad, een onderwerp waar Merrill nauwelijks over mee kon praten. Alexa had iemand mee zullen nemen, maar dat had ze niet gedaan; de twee vrouwen hadden ongemakkelijk naast elkaar gezeten als een sollicitatiecommissie en hadden vooral naar hem en nauwelijks naar elkaar gekeken. 'Ze vindt het niet zo belangrijk hoe ze eruitziet.'

Ze komt niet uit New York, dacht Paul. Daarna bedacht hij schuldbewust dat hij zijn ex-vriendin niet moest verdedigen tegenover zijn vrouw, zelfs niet in gedachten.

Het bleef even stil. Toen zei Merrill zacht: 'Ze vindt me vast een kreng.'

Dat was Merrills zwakke plek. Haar warme blik werd ernstig en zorgelijk. Ze was er niet aan gewend dat mensen haar niet mochten en als ze vermoedde dat dat het geval was, raakte haar dat diep.

'Welnee, heus niet,' zei Paul, maar hij vroeg zich af of ze niet toch gelijk had. 'Ze interesseert zich alleen maar voor haar werk.'

'En voor jou.'

'Ja. Maar louter vriendschappelijk. Echt.'

Hij gaf haar een kus boven op haar hoofd en daarmee was het onderwerp afgesloten, althans voor die avond. Hij wist dat het opnieuw aan de orde zou komen, ook al was het alleen met een opgetrokken wenkbrauw of een licht hoofdschudden als hij Alexa's naam noemde. Het was dus gemakkelijker om dat niet te doen. En met haar omgaan was alsof hij van de grote weg ging en een toeristische route nam. Schilderachtig, mooi, maar uiteindelijk verwarrend.

Paul had gehoopt dat dergelijke complicaties na verloop van tijd wel zouden verdwijnen. Maar toen hij haar zag, had hij het ongemakkelijke gevoel dat het tegenovergestelde waar was.

'Goh, dat is lang geleden,' zei Alexa toen ze hem stevig had omhelsd. Ze was blij hem te zien, maar haar ogen en haar strakke mond maakten duidelijk dat ze gespannen was. 'Fijn dat je kon komen.'

'Tuurlijk.' Hij drukte haar even tegen zich aan en schoot toen naar achteren, zo snel als een elastiek. Hij vond het vervelend dat hij zo blij was om haar weer te zien. 'Ik heb niet veel tijd, dus...'

'Nee, dat weet ik. Ik ook niet. Zullen we? Boven is een nieuwe tentoonstelling van Rothko.'

'Oké.'

Ze haalde diep adem en liep naar de roltrap. Terwijl ze naar de vaste collectie op de derde verdieping gingen, keek ze achterom.

Er was niemand binnen gehoorsafstand. Ze maakte een nerveuze indruk, als iemand die wordt achtervolgd. 'Ik begin gewoon maar te vertellen,' zei ze zacht. 'Als ik klaar ben kun je vragen stellen. Oké?'

'Je zegt het maar.'

Op de derde verdieping hielp hij haar van de roltrap. 'Oké, het is als volgt,' zei ze. 'Jij hebt met David Levin gesproken. Dat is technisch gezien mijn baas bij de SEC: ik leg verantwoording af aan hem en hij weer aan Jane Hewitt. En verder...' Ze leek opeens niet helemaal op haar gemak en streek een lok haar achter haar oor. 'We hebben iets met elkaar. Een tijdje al. We wonen samen.'

Paul zei niets. Hij staarde naar het schilderij waar ze voor stonden, een donkerbruin doek met onderbrekingen van dikke strepen zwart en blauw. Bovenaan was een sliert wit als een eenzame, optimistische wolk in een dreigende onweerslucht. Hij voelde dat Alexa naar hem keek en zijn reactie probeerde te peilen.

Toen zei ze, enigszins geïrriteerd: 'Dat is geen staatsgeheim, hoor.'

'Hé!' Hij stak zijn hand op. 'Ik zeg er toch ook niks van.'

'Een paar maanden geleden bleef David steeds langer op kantoor. Hij wilde niet zeggen waar hij mee bezig was, maar het leek alsof hij er volledig door in beslag werd genomen. Hij sliep slecht. Op een zaterdag kwam hij niet opdagen toen we met vrienden uit eten gingen. Hij belde niet eens af. Ik begon me af te vragen of hij misschien iemand anders had. Ik geloof dat dat begin september was, vóór Lehman. Ik begon er niet over, maar hij werd steeds afstandelijker.'

'Mmm,' zei Paul neutraal. Hij had niet verwacht dat Alexa hem vanwege relatieproblemen uit zijn kantoor zou halen, maar met vrouwen wist je het maar nooit.

Alexa bleef staan en zei zacht: 'Dit is allemaal zeer vertrouwelijk, oké? Ik weet dat je dat wel snapt, maar ik wil het nog eens extra benadrukken. Als iemand erachter komt dat wij hierover hebben gesproken, kost me dat zeker mijn baan.'

'Ik begrijp het,' zei Paul, hoewel dat niet helemaal waar was.

'Goed. Bedankt.' Ze liepen naar de volgende zaal. De mouw van haar jas raakte de zijne. 'Afgelopen weekend heeft David me eindelijk verteld wat er aan de hand is. Hij was behoorlijk van de kaart. En eerlijk gezegd maak ik me ook grote zorgen. Daarom heb ik je gebeld. Ik heb je hulp nodig.'

Pauls hart was sinds ze hier waren steeds harder gaan bonzen. Alexa was anders altijd zo rustig, maar vandaag was ze bloednerveus en keek ze bijna paranoïde om zich heen. Zo kende hij haar niet, maar toch kende hij bijna niemand zo goed als haar. Hij wilde het liefst zijn arm om haar heen slaan, maar hij hield zich in.

'Oké,' zei hij langzaam. 'Kun je daar iets meer over zeggen?'

Ze knikte nerveus. 'Het is allemaal begonnen toen David een telefoontje kreeg van ene Claire Schultz, een oud-studiegenoot van Georgetown. Ze is juriste bij Hogan & Hartson. Claire was erachter gekomen dat haar moeder, Harriet, een groot deel van haar pensioengeld had ondergebracht bij een of ander onbekend accountantskantoor in Great Neck genaamd Fogel & Moritz. Totaal onbekend, ik weet zeker dat je nog nooit van ze hebt gehoord. Gary Fogel deed de belastingaangifte van die Harriet, maar hij stelde haar ook voor om een deel van haar spaargeld te beleggen. Hij zei dat hij 12 procent rendement kon garanderen. Harriet is niet rijk en geen gewiekste belegger, maar ze vertrouwde Fogel omdat die al jaren haar belastingen doet. Ze gaf hem tachtigduizend dollar zonder verder veel vragen te stellen en een jaar later krijgt ze inderdaad net iets meer dan 12 procent rente. Als dat een jaar later weer gebeurt, belt ze haar dochter Claire en vertelt trots dat ze haar geld zo slim heeft belegd. Claire is gespecialiseerd in financieel recht, dus zodra ze hoort dat die Fogel & Moritz haar moeder zo'n hoog gegarandeerd rendement bieden, gaan er bij haar allerlei alarmbellen rinkelen. Ze vraagt Harriet om haar de papieren toe te sturen. Intussen gaat Claire zelf ook op onderzoek uit en ontdekt dat Fogel & Moritz geen erkende beleggingsadviseurs zijn. Ze zijn een eenvoudig driemanszaakje in een winkelcentrum in een zijstraat van Sunrise Highway.'

'Shit.'

'Inderdaad. Foute boel. En dus belt ze David omdat die bij de SEC werkt en ze hem toevallig kent. David legt een informeel bezoekje af bij Harriet in Great Neck. Harriet is natuurlijk erg in verlegenheid gebracht door zijn suggestie dat ze misschien is opgelicht. Ze voert ter verdediging aan dat een paar vriendinnen van haar al jaren geld door Gary laten investeren. Dat die Gary een "ingang" heeft bij een hoge pief in New York, een hedgefondsbeheerder die toevallig zijn zwager is. Om een lang verhaal kort te maken: die zwager is Morty Reis.'

'Wát?'

'Harriet laat David een afschrift zien dat van RCM blijkt te zijn. Op het eerste gezicht lijkt het er dus op dat het geld daar inderdaad echt wordt geïnvesteerd en dat het geen oplichters zijn. Maar omdat de rendementen griezelig constant zijn, gaat hij zijn licht opsteken bij die vrienden van haar moeder die ook klant zijn bij Fogel.'

'Maar niemand heeft nog verlies geleden?'

'Nee. Ze krijgen allemaal die 12 procent, jaar in jaar uit. Sommigen zitten daar al zeven of acht jaar. Maar ze gebruiken steeds dezelfde woorden als ze het over Fogel hebben: "gegarandeerd", "kan niet misgaan", dingen die een beleggingsadviseur nooit tegen een cliënt mag zeggen.'

'Die Harriet en haar vriendinnen waren zeker niet al te blij met die twijfels van David.'

'Dat kun je wel zeggen. De meesten herbelegden hun rendementen en iedereen liet het oorspronkelijke bedrag staan. Een paar stapten eruit en waren allemaal zeer tevreden met de winst.'

Paul werd ongeduldig. Hij rammelde met de sleutels in zijn broekzak, een gewoonte waar Merrill zich altijd rot aan ergerde.

'Het gaat er dus om dat die 12 procent per jaar te mooi is om waar te zijn.'

'Dat vond Claire. O, moet je deze eens zien...' Ze zweeg en was even afgeleid door een schilderij. Haar ogen glansden en haar voorhoofd ontspande zich alsof de zorgen van haar af gleden.

Paul keek naar het schilderij, maar voor hem was het niet meer dan een werveling van licht en kleur. 'Handel met voorkennis,' souffleerde hij. 'Bedoel je dat? Fogel heeft voorkennis of maakt daar in elk geval misbruik van.'

'Ja, zoiets,' zei ze. 'Alleen is Fogel een veel te kleine speler om dat zelf goed te kunnen doen. Daarom concentreerde David zich op RCM. En toen werd het pas echt eng.'

'Eng? Hoezo, wat heeft hij dan ontdekt?'

'Niks. Dat is het hem juist. Er is geen enkele informatie over die mensen te vinden. Volgens David lijkt het alsof RCM helemaal niet bestaat.'

Paul fronste zijn wenkbrauwen. 'Dat bestaat niet. RCM is een van de grootste hedgefondsen ter wereld, ze zijn constant in het nieuws.'

'Dat kan wel zo zijn, maar er is geen échte informatie over ze te vinden. Ze zijn inderdaad al veertien jaar een van de grootste hedgefondsen, maar ze zijn geen geregistreerd beleggingskantoor. Wij hebben geen dossier over ze. Wat de SEC betreft bestaat RCM niet.'

Paul schrok zich lam. Het gerammel met zijn sleutels stopte. 'Nee, dat moet een vergissing zijn. Dan zou er wel iemand hebben geklaagd. RCM heeft allerlei belangrijke investeerders. Zoals wij.'

'Er heeft inderdaad iemand geklaagd. Een zekere Sergei Sidorov, financieel adviseur in Waltham, Massachusetts. David heeft er een jaar over gedaan om hem op te sporen; die man leidt nu een zeer teruggetrokken bestaan. Sidorov heeft zelf een tijd geïnvesteerd in RCM, maar hij kreeg bedenkingen door het gebrek aan transparantie en hij heeft al zijn cliënten uit het fonds gehaald. Die waren daar niet onverdeeld gelukkig mee, maar omdat RCM Sidorov geen online toegang wilde verschaffen tot hun rekeningen had hij het gevoel dat hij helemaal niet wist wat ze daar deden. Volgens hem is RCM een zwart gat.'

Paul schudde zijn hoofd. 'Dat weet ik niet, hoor. Alain Duvalier is hoofd van ons beleggingsteam. Hij heeft direct contact met RCM, dus hij controleert hun activiteiten. Ik neem aan dat hij online toegang tot hun rekeningen heeft. Daar ga ik tenminste wel van uit.'

'Paul!' Alexa zei het zo hard dat twee moeders met peuters in hun kielzog naar hen keken. Ze sloeg gegeneerd haar ogen neer en fluisterde: 'Je realiseert je toch wel wat dit zou kunnen betekenen? We hebben het over een fonds dat miljarden in beheer heeft. Een fonds waar Delphic zwaar in heeft geïnvesteerd. Jij bent verdomme hun jurist. Als er inderdaad iets aan de hand is, kun jij niet bij je investeerders aankomen met: "Sorry, dat wist ik niet."'

Ze waren intussen in een verlaten zijzaal gekomen. Alexa ging op een bankje voor een groot drieluik zitten. Ze klopte naast zich op de bank. Toen hij zat, zei ze, nu wat vriendelijker: 'Sorry, maar ik móést het je vertellen. Nu Morty dood is, worden alle schijnwerpers op RCM gericht. Dat weet jij ook. De pers, de autoriteiten: iedereen zal willen weten waarom een succesvol hedgefondsbeheerder met een mooie vrouw en vier huizen op de dag voor Thanksgiving van de Tappan Zee Bridge springt. En daar zullen ze maar al te snel achter komen.'

Paul voelde zich niet goed, hij kreeg het benauwd en de lucht voelde drukkend. Hij trok aan zijn boord. Het kabaal van een schoolklas in de aangrenzende zaal weerkaatste tegen het plafond. Paul had het gevoel dat hij in een enorm aquarium zat en verdronk in het lawaai. 'Zelfmoord is nog geen schuldbekentenis,' zei hij schor. 'Er zijn ook andere mogelijke redenen. Zijn gezondheid. Belastingschuld.'

'Nee, Reis wist dat David hem op de hielen zat. Ze hebben elkaar twee dagen geleden nog gesproken. Hij moet het hebben zien aankomen en in paniek zijn geraakt.' Ze legde haar hand op zijn knie. 'Gaat het wel?' vroeg ze. 'Je ziet er niet zo goed uit.'

Hij schoof een stukje opzij. 'Waarom vertel je me dit eigenlijk, Alexa? Als waarschuwing? "Hé, mijn vriendje staat op het punt om achter jou aan te gaan?" Wat moet ik daar nu mee?'

'Dat weet ik eerlijk gezegd ook niet. Ik weet wel dat de dood van Reis het onderzoek van David in een stroomversnelling heeft gebracht. Hij heeft al gesproken met een officier van justitie over een zaak tegen RCM en de drie grootste *feeder*-fondsen: Weiss Partners, Anthem Capital en jullie. Ze gaan het senior management aanklagen, de mensen die ervan hadden moeten weten. Maar ik ga er niet over, dus ik ken de details niet. En ook niet wanneer het gaat gebeuren.'

'"Ervan hadden moeten weten"? Ik zei net toch dat ik het niet wist? Ik zit daar pas twee maanden. Ik weet nog steeds van niks, afgezien van wat jij me net hebt verteld.' Zijn stem klonk inmiddels licht hysterisch.

'Daarom wil ik ook dat je met David gaat praten. Nu, voordat alles bekend wordt. Als jij hem kunt helpen, kunnen jullie misschien iets doen.'

'Hem kunt hélpen? Wat bedoel je daar in godsnaam mee?'

'Daar gaat het dus om. Het is nogal lastig om erachter te komen wat zich daar precies afspeelt zonder hulp van binnenuit. Ze hebben mails nodig, interne memo's. Mijn voorstel is dat jullie elkaar gaan helpen.'

'Weet je eigenlijk wel wat je van me vraagt?'

'Ga gewoon eens met hem praten, Paul. Dan licht hij je verder in. Als hij niet hard kan maken dat er fraude wordt gepleegd bij RCM en dat dat bij Delphic bekend was, dan is er niks aan de hand. Maar als hij dat wél kan, kun je je hachje redden. Ik zeg niet wat je moet doen. Ik probeer je alleen duidelijk te maken dat je een gemakkelijk doelwit bent. Daar komt nog iets bij...' Ze liet een stilte vallen. 'Hij zei tegen me dat hij jou al gesproken heeft. Wees eens eerlijk: je hebt tegen hem gelogen, hè?'

'Hoezo?' Hij sloeg onwillekeurig zijn ogen neer. Hij wist dat hij haar aan moest kijken, maar zijn lichaam reageerde instinctief met al die zenuwtrekjes op het gesprek.

'David zei dat hij jou rechtstreeks heeft gevraagd om hem de namen te geven van de wederpartijen van RCM. Weet je dat niet meer? En dat jij toen hebt gezegd dat jullie zulke informatie nooit verstrekken. Maar in werkelijkheid wist je niet met wie RCM handelt! Dat kón je ook niet weten, omdat RCM met niemand handelt. Hun investeringen zijn een illusie, het zijn verzonnen transacties die alleen op papier bestaan. Als je de moeite had genomen om Goldman Sachs of Lehman Brothers te bellen, of met wie RCM ook maar beweert zaken te doen, dan was je erachter gekomen dat RCM met niemand zaken doet.'

'Ik moet weg.'

Alexa zuchtte. 'Oké.' Ze ging staan en gaf hem een bruine envelop. 'Kijk hier maar eens naar.'

Paul knikte en nam de envelop aan. Hij overwoog even om hem open te maken, maar hij vouwde hem dubbel en stopte hem in zijn zak. Het werd hem allemaal te veel, het duizelde hem en hij betwijfelde of er wel één letter tot hem zou doordringen. Hij gaf Alexa een snelle kus op haar wang.

'Dit gaat niet alleen over mijn werk,' zei hij.

'Dat weet ik.'

Hij knikte. 'Ik meld me nog wel.' Hij draaide zich om en liet haar alleen achter in de museumzaal.

Buiten was de lucht dreigend en donker. Hij voelde zich schuldig dat hij Alexa alleen had achtergelaten. Ze had geen paraplu bij zich en haar jas was te dun voor dit jaargetijde. Hij vroeg zich af waar ze nu naartoe zou gaan. Misschien zou ze nog een tijdje door het MoMA lopen, in gedachten verzonken, net als hij.

Hij moest Alain erover aanspreken. Hij wist zelf ook wel dat door Morty's dood alle ogen op RCM gericht zouden worden en uiteindelijk ook op Delphic. Dat hoefde Alexa hem niet te vertellen. Als er problemen waren met een externe beheerder van Delphic, dan moest Alain dat nu aan de orde stellen. Paul ging meteen vanuit de lift naar Alains kamer en probeerde met bonzend hart te bedenken hoe hij er het beste over kon beginnen.

Alain had het grootste kantoor bij Delphic, groter dan dat van Carter. Dat had hij bedongen toen hij naar het Seagram Building was verhuisd. De inrichting viel volkomen uit de toon bij de rest van de verdieping. Carter was voorstander van een vrij sobere inrichting en liet spullen alleen vervangen als dat noodzakelijk was. De vergaderruimtes hadden olijfgroene en beige tinten en boven de glanzende tafels hingen smaakvolle foto's. De inrichting was mooi genoeg om te laten zien dat het bedrijf succesvol was, maar niet zó overdreven dat de cliënten zich konden storen aan de manier waarop hun geld werd besteed. Carter had er wel op aangedrongen dat Alain een deur van matglas kreeg, zodat het overdadige interieur niet direct zichtbaar was.

Paul had Alain voor het eerst ontmoet op een etentje bij de Darlings thuis en de indruk die hij toen op hem had gemaakt zou hem altijd bijblijven. Alain was laat, hij kwam pas binnen toen ze al aan tafel gingen, en hij trok meteen de aandacht. Hij stelde de jonge blonde schone aan zijn zijde voor als Beate (niet zijn vriendin Beate, maar gewoon Beate) en liet haar vervolgens aan haar lot over. Ines was geërgerd omdat ze werd gestoord in haar gesprek met een kunsthandelaar die ze nogal fascinerend leek te vinden en een extra plaats aan tafel moest organiseren.

'Het spijt me zó dat we niet voor je hadden gedekt,' zei Ines tegen Beate zonder dat er op haar gezicht een spoor van spijt te zien was, 'maar ik had geen idéé dat hij iemand mee zou nemen.' Daarbij keek ze met toegeknepen ogen naar Alain, die Carter zijn nieuwe horloge liet zien en Ines niet hoorde of zich althans niets van haar aantrok. Toen hij opkeek, lachte hij zijn karakteristieke kwajongensachtige lach naar haar. Hij haalde zijn schouders op, gaf een klein rukje aan de manchetten van zijn kasjmieren jasje en trok met een zwierig gebaar een stoel onder de tafel vandaan voor de vrouw naast hem, die zeer van hem gecharmeerd leek te zijn. Zelfs Ines ontdooide enigszins hoewel ze haar best deed voor het tegenovergestelde.

'Dank u, ik ben u erg dankbaar voor de gastvrijheid,' mompelde Beate, die daar zo te zien niets van meende.

Ines zette haar aan de overkant van de tafel, naast Paul. Beate was een vrouw met een kalme, ijzige schoonheid. Paul wist niet of ze verveeld was of niet erg goed Engels sprak, maar het was vrijwel onmogelijk om een gesprek met haar te voeren. Hij begreep dat Alain in de vakantie naar Genève was gegaan en samen met haar was teruggekomen. Het was niet helemaal duidelijk of die verhuizing van langdurige aard zou zijn, maar uit de manier waarop Beate naar Alain keek kon Paul wel opmaken dat ze smoorverliefd op hem was. De enige keren dat haar gezicht opklaarde was als Alain aan het woord was. Hij sprak geanimeerd, met sierlijke handgebaren, en wist iedereen voor zich in te nemen, zelfs de mannen. Hij had het over de aandelenmarkt, whisky, de World Cup, vrouwen, kinderen van andere mensen, de gezondheidszorg, autoracen, de prijzen van grondstoffen en de inflatie in opkomende economieën. 'Het is net James Bond,' zei Carter een keer over hem. 'Een kruising tussen James Bond en Gordon Gekko.' Carter klonk altijd als een strenge oudere broer als hij het over Alain had. Hij probeerde zich vaak mild afkeurend uit te laten over de flamboyante Alain, maar het was voor iedereen duidelijk dat hij er heimelijk trots op was met hem te worden geassocieerd. Alain was tenslotte de grote man. Een van de beste investeringsbankiers van Wall Street. En al die fratsen ten spijt kon je altijd van hem op aan.

Paul zag Beate nooit meer terug. Een paar weken later kwam hij

Alain in een restaurant tegen in het gezelschap van een andere vrouw. Deze keer was het een weelderige dame met ravenzwart haar, een heel ander type dan Beate. 'Ach, ik weet het niet,' zei Merrill met een nonchalante handbeweging toen Paul erover begon. 'Volgens mij is hij al een paar keer verloofd geweest. Papa zegt dat hij wel nooit zal trouwen. Hij is een eeuwige vrijgezel.' Paul vroeg zich even af of Beate in New York was gebleven en het hier nu in haar eentje probeerde te rooien. Hoeveel Beates zouden er zijn? Waar haalde Alain de tijd vandaan om ze te vinden, ze het hof te maken en te dumpen terwijl hij intussen ook nog een miljardenfonds moest beheren? Hoewel die vent alles vertegenwoordigde wat Paul zo tegenstond in New York, had hij wel ongelofelijk veel stijl, dat moest hij hem nageven.

De deur van Alains kantoor was op slot en er brandde binnen geen licht. Hij was al weg. Door het matglas zag Paul een skyline van hoge stapels papieren.

De boekenkast die tot de standaardinrichting behoorde en die tegen de muur tegenover het bureau stond, had Alain weggehaald om ruimte te maken voor drie grote foto's van industriële gebouwen in Milaan. Zijn dossiers waren opgeborgen in een paar zwarte dossierkasten in de gang. Alain was ouderwets; hij printte alles uit, zelfs mails, en bewaarde alles netjes als back-up.

Paul stond voor de rij met dossierkasten. Op vijf laden stond RCM. Hij probeerde de eerste, maar die zat op slot, evenals de andere laden. Hij wist niet of Alain deze dossiers wel voor algemeen gebruik had bedoeld, maar dit waren bijzondere omstandigheden.

Wat nu? Hij keek om zich heen. De meeste deuren waren al dicht. Op de computerschermen zweefde het leeuwenlogo van Delphic. Een paar stoelen waren naar achteren geschoven, alsof de analisten overhaast waren vertrokken om een vliegtuig te kunnen halen. Paul voelde zich als de laatste man in Pompeii.

'Hé, Paul.'

Hij schrok en draaide zich om. Het was Jean Dupont, de partner die onder Alain werkte. Hij stond achter hem in de gang met een klein rolkoffertje. Hij had een stijlvolle winterjas aan, met de kraag omhoog, en hield een kasjmieren pet in zijn hand. 'Als je Alain zoekt: die is al weg. Ik dacht dat ik de laatste was.'

Paul glimlachte gespannen. 'Ja, dat dacht ik ook.'

Paul mocht Jean niet erg. Hij was de zoon van een Zwitserse zakenman, een vriend van Alain die al jaren cliënt van Delphic was. De andere partners beklaagden zich erover dat Alain hem had aangenomen om de familie Dupont een plezier te doen. Het leed geen twijfel dat hij minder goed gekwalificeerd was dan de anderen op zijn niveau. Hij was knap, maar wel een beetje gladjes en hautain. Door zijn gedrag wekte hij de indruk dat hij een toneelstukje opvoerde, alsof hij diep in zijn hart wel wist dat de regels nooit echt op hem van toepassing zouden zijn, maar het spelletje voorlopig maar meespeelde. Paul vermoedde dat hij pas op zijn dertigste over zijn erfenis kon beschikken. Misschien vond zijn vader het wel goed voor zijn karakterontwikkeling als hij eerst een jaar of twee ging werken. Hoe het ook zij: dat was wat Paul betrof geen goede reden.

Jean was nog laat op kantoor, vond Paul, zeker omdat de anderen allemaal al waren vertrokken.

'Is Alain naar Genève?'

'Ja, hij is vanochtend vertrokken. Hij zal nu wel halverwege zijn. Kan ik je ergens mee helpen?'

Paul aarzelde; hij had geen zin om Jean om hulp te vragen. Maar door de ernst van de situatie zette hij zich daar overheen.

'Eigenlijk wel, ja. Zou je die kasten met de dossiers van RCM voor me kunnen openmaken? Ik wil er even een paar bekijken voordat ik vertrek.'

Jean deed zijn mond open en haalde adem alsof hij iets wilde gaan zeggen, maar hij bedacht zich en vroeg in plaats daarvan: 'Zoek je iets speciaals?'

'Ik kijk zelf wel wat ik nodig heb.'

Jean keek hem weifelend aan.

Paul zuchtte. 'Je zult dit straks wel op het nieuws horen, maar Morty Reis heeft zelfmoord gepleegd.' Jean trok wit weg. 'Daarom wil ik wat spullen verzamelen en meenemen naar Carter in East Hampton. Dit gaat nog wel een staartje krijgen.'

'Wauw, dat is heftig.' Jean floot tussen zijn tanden. 'Hoe heeft hij het gedaan?'

'Volgens mij is hij van de Tappan Zee Bridge gesprongen. Vanochtend vroeg. Of gisteravond laat.'

'Jezus. En nog wel vlak voor Thanksgiving.'

'Inderdaad. Heel vervelend.'

'Zeg dat wel.' Ze keken elkaar aan. Jean legde zijn pet op het koffertje en begon de laden van de dossierkast open te draaien.

'Kijk, alles staat op datum. De orderbevestigingen zitten in de bovenste twee laden. Deze zijn van het afgelopen half jaar, de oudere heeft Alain laten scannen en op cd gezet zodat ze niet te veel ruimte in beslag nemen.'

'Orderbevestigingen? Sturen ze dan nog echte orderbevestigingen? Op papier?' Paul had nog nooit gehoord van iemand die daar nog mee werkte. Dat was iets uit een grijs verleden. Het was al jaren overal de gewoonte bij fondsen zoals RCM om de investeerders online toegang tot hun rekeningen te geven. Beleggers hadden realtime informatie nodig. Het was bizar en hopeloos ouderwets om informatie per post te versturen; een vertraging van enkele minuten kon een verlies van miljoenen of zelfs miljarden tot gevolg hebben. En dat was nog afgezien van de tijd die het kostte om een orderbevestiging bij RCM te printen, te versturen en door iemand bij Delphic te laten bekijken. Paul begreep niet waarom Alain zou willen investeren in een fonds dat hem geen actuele informatie kon geven.

Hij huiverde toen hem te binnen schoot wat Alexa had gezegd over de beleggingsadviseur die zich uit RCM had teruggetrokken vanwege het gebrek aan toegankelijkheid. Sidorov? Sergerov? Fuck.

'Ja, RCM geeft niemand inzicht in hun rekeningen. Ze sturen elke dag orderbevestigingen met de post. Eigenlijk heel raar, want wij krijgen die met een vertraging van wel vijf dagen, maar ze willen het nu eenmaal niet anders.'

'Vijf dágen? Hebben ze geen fax? Ik heb echt nog nooit gehoord van een beleggingsfonds dat geen online toegang geeft. Dat is krankzinnig.'

Jean haalde zijn schouders op. 'Reis is paranoïde, daar staat hij om bekend. Of was, moet ik zeggen. Hij wilde zulke informatie niet faxen, volgens hem waren faxen niet betrouwbaar. Ik weet het ook niet precies, het is een beetje vreemd. RCM lijkt soms wel de geheime dienst of Blackwater of zo. Ze schermen alle informatie af. Misschien speelt Reis wel onder één hoedje met de Russen, je weet maar nooit.' Hij glimlachte zuur, want een grapje over Reis was gezien de omstandigheden nogal pijnlijk. 'Daarom weet ik niet of Alain er erg blij mee zal zijn dat ik die kasten openmaak. Maar goed, ga je gang.' Hij gebaarde naar de dossierkasten alsof hij wilde zeggen: op jouw verantwoording.

Paul knikte. 'Bedankt, het is erg belangrijk. Ga maar vast, als je weg moet, ik sluit wel af.'

'Ja, ik moet mijn vliegtuig halen. Fijne dagen gewenst. Is Alain al ingelicht over Reis?'

'Ik zal hem mailen. Het is natuurlijk ook overal in het nieuws, maar ik wil zeker weten dat hij op de hoogte is. Hou dit weekend wel je mail in de gaten, want dit gaat de boel hier behoorlijk op zijn kop zetten.'

'Ja, dat dacht ik al. Die man heeft dertig procent van ons geld in beheer.' Jean schudde zijn hoofd. 'Als je klaar bent, wil je mij dan een plezier doen en die kasten weer afsluiten?' Paul knikte. Toen hij het belletje van de liftdeur hoorde die achter Jean dichtging, was hij de eerste la al aan het doorspitten.

Hij had geen idee waar hij naar moest zoeken. De meeste dossiers waren niet gelabeld, er stonden alleen data op. Ten einde raad besloot hij zo veel mogelijk mee te nemen en het later te bekijken als hij weer wat kalmer was geworden. De mappen stonden op chronologische volgorde en er zaten allerlei documenten in, van orderbevestigingen en kopieën van mails tot informatie voor investeerders. Hij haalde de mappen van het laatste half jaar eruit en sloot de kasten af.

Toen hij op zijn kamer was, legde hij de stapel mappen op zijn bureau met de envelop van Alexa bovenop. Hij zat er een tijdje naar te staren totdat hij gek werd van de stilte. Hij maakte de envelop open en haalde er een dun stapeltje papieren uit die aan de bovenkant met een paperclip aan elkaar zaten. Op het eerste vel stond een grafiek die op een kleurenprinter was uitgedraaid en afkomstig leek uit een studieboek. Er stond geen beschrijving bij, maar Paul begreep vrijwel meteen wat de grafiek voorstelde. Op de y-as stonden de kwartaalcijfers van de jaren 1998 tot en met 2008. De x-as gaf de netto vermogenswaarde aan. Door de grafiek liep een griezelig constante stijgende lijn – gemarkeerd met de letters RCM – in een hoek van 45 graden.

Pauls oog viel op iets wat in de rechterbovenhoek van het papier geschreven was, zo te zien in het kleine handschrift van Alexa.

Er stond: 'Perfect resultaat'. Ze had het twee keer onderstreept. En daaronder:

1) Ongewoon hoog en constant rendement (< 5 negatieve maanden in 7 jaar)
2) De S&P 500 vertoont geen overeenkomsten met de resultaten van RCM. Als de RCM een afgedekte beleggingsstrategie voert op basis van de S&P-index, dan kan dat niet kloppen. De twee rendementscurves zouden een correlatie moeten hebben. RCM zou theoretisch beter kunnen presteren dan de index, maar dan nog zou RCM

moeten dalen als de index daalt en stijgen als de index stijgt. De RCM-curve lijkt echter nergens mee in verband te staan. Hij is statistisch perfect.

Het leek alsof de grond onder Pauls voeten wegzakte.

Hij duwde zijn stoel naar achteren, alsof hij daardoor afstand kon nemen van wat hij zojuist had gelezen. Zelfs vanaf een meter afstand kon hij de perfecte rode curve zien. Hij las verder niets meer, dat was niet nodig.

Hij begreep wat dit betekende. Alles wees op één ding: RCM pleegde fraude.

Het had de hele dag geduurd voordat dat besef tot hem was doorgedrongen. Misschien zelfs wel langer dan een dag. Hij had het gevoel dat hij in een roeibootje op een meer zat en het water langzaam langs de rand omhoog zag komen. Pas toen iemand hem een reddingsboei toewierp drong het tot hem door dat het water niet steeg, maar dat de boot zonk. En dat hij ook ten onder zou gaan als hij er niet nu meteen uitstapte.

Hij draaide de grafiek om en pakte de telefoon. Hij belde eerst naar Merrill, maar hij kreeg opnieuw de voicemail.

'Met Paul,' zei hij. 'Kun je me even terugbellen zodra je dit hoort?' Hij hing op. Zijn hand bleef weifelend boven de hoorn zweven.

Het leek dagen in plaats van nog maar een paar uur geleden dat ze elkaar hadden gesproken. Paul stelde zich voor dat ze in een steriele vergaderruimte tegenover haar cliënt zat, een beurshandelaar misschien, of een hedgefondsbeheerder, en zwijgend notities maakte terwijl een partner vragen stelde. De cliënt noch de partner zou iets bijzonders aan haar merken. Zelfs vandaag zou Merrill even beheerst zijn als altijd. Maar als Paul erbij was geweest, had hij gezien dat ze haar potlood harder op het papier drukte dan anders, zo hard dat de punt bijna brak, en dat haar ogen vochtiger waren dan normaal.

Het tweede telefoontje was moeilijker. Met bonzend hart toetste Paul het nummer in; hij deed zijn ogen dicht en probeerde zijn hart tot bedaren te brengen door rustig te ademen. Toen David Levin opnam – nadat de telefoon één keer was overgegaan – bedacht Paul dat hij eigenlijk niet wist waar hij moest beginnen.

WOENSDAG, 16.47 UUR

Ze had twee keer gebeld, de eerste keer de vorige avond laat en daarna 's ochtends vroeg, nog voordat hij van huis was gegaan. Toen ze bij de eerste keer de voicemail kreeg, had ze opgehangen. Bij de tweede keer had ze een bericht ingesproken. Dat was voor haar doen ongebruikelijk. Het was maar een kort bericht, zonder details, maar haar stem klonk gespannen en dringend.

De gemiste telefoontjes hoopten zich op zijn BlackBerry op als ongeduldige tikjes op zijn schouder en dat joeg zijn bloeddruk omhoog. Hij besloot haar de volgende dag te bellen en er verder niet meer aan te denken. Maar dat lukte natuurlijk van geen kanten. Hij dacht constant aan haar: op zijn werk, als hij aan het hardlopen was door Central Park, tijdens besprekingen met cliënten. Zelfs nu, thuis bij Ines.

Carter was er altijd trots op geweest dat hij dingen zo goed uit zijn hoofd kon zetten. Maar de laatste tijd borrelden gedachten aan haar onbeheersbaar en op willekeurige momenten omhoog en hinderden hem tijdens zijn werk. Hij sliep slecht, hij had al dagenlang niet meer dan twee uur aaneengesloten geslapen. Hij wilde geen slaappillen innemen omdat hij bang was dat hij dan niet meer helder kon nadenken. In plaats van slaappillen had dokter Stein hem angstremmers voorgeschreven, Xanax. Hij wilde daar eerst niet aan, maar nu nam hij ze in zonder erbij na te denken. Hij kon zich zijn leven zonder die pillen niet meer voorstellen. Hij nam er eentje terwijl hij stond te wachten tot de parkeerhulp zijn stationcar uit de ondergrondse garage had gereden.

Terwijl hij bij de ingang stond te wachten, voelde hij zijn Black-

Berry trillen in zijn jas. Hij haalde hem er met tegenzin uit. Als het niet belangrijk was, zou hij de voicemail laten opnemen. Als zij het was, zou hij wel opnemen, maar alleen om te zeggen dat hij het hele weekend niet met haar kon praten.

Toen hij zag dat het Sol was, nam hij meteen op.

'Zit je?' vroeg Sol geagiteerd, maar Sol was altijd geagiteerd.

'Nee,' antwoordde Carter. 'Ik sta in de parkeergarage, ze halen mijn auto. Wat is er?'

Het bleef even stil. Carter vroeg zich af of hij geen bereik had. Hij keek op het scherm om het signaal te controleren. Toen hij weer luisterde, zei Sol: 'Je hebt het dus nog niet op tv gezien?'

'Wat? Toch geen slecht nieuws over Lanworth?'

'Nee, nee, dat niet.' Sol viel weer even stil, maar zei na een tijdje: 'Er is iets gebeurd, Carter. Met Morty... Morty is dood.'

Carter voelde zijn benen verslappen. Zonder erover na te denken legde hij zijn koffertje neer en ging erop zitten. Zijn knieën staken ver omhoog, als de knieën van een volwassene aan een kindertafeltje. Hij kreeg bijna geen lucht. Hij haalde een paar keer oppervlakkig adem door zijn mond, maar dat was nauwelijks voldoende. Het leek opeens erg benauwd en warm in de garage. Carter wist dat de beheerder in zijn hokje naar hem zat te kijken, maar dat kon hem niet schelen.

'Sorry dat ik je dat zo moet vertellen. Het is op alle zenders. Ze hebben vanochtend zijn auto gevonden. Ze denken dat het zelfmoord was; er lag een briefje in de auto en een leeg potje pillen.' Sols stem klonk hol, alsof hij vanuit de vertrekhal van een vliegveld belde. Toen Carter bleef zwijgen, zei hij: 'Ik vind het verschrikkelijk. Dit moet echt vreselijk moeilijk voor je zijn.'

Carter vroeg zich even af of dit wel een echt telefoontje was. Misschien was het een of andere ingewikkelde practical joke? Wat een wrede, vreemde, zinloze grap, dacht hij. Maar op de een of andere manier was dat plausibeler dan het idee dat Morty Reis, de Morty Reis die hij zo goed kende, vanochtend in alle vroegte toen het nog niet eens licht was, de stad was uit gereden, zijn auto had geparkeerd, pillen had ingenomen en van die klotebrug af was gesprongen.

Morty reed voor zover hij wist nooit zelf ergens naartoe. Hij was een waardeloze chauffeur. Carter wist niet eens dat Morty een auto in de stad hád. Dat was het ironische van zijn autoverzameling. Carter plaagde hem daar weleens mee: Je verzamelt auto's, maar je rijdt er nooit in! Vind je niet dat zo'n auto een echte chauffeur aan het stuur verdient? Het kon Morty geen zak schelen wat iemand van hem vond. Hij was gek op zijn auto's – zijn lievelingsauto was een Aston Martin DB5 uit 1963 – en hij vond het al heerlijk om te weten dat ze van hem waren. Ze stonden in zijn garage in East Hampton vredig te slapen onder een beschermhoes. Op één na, misschien.

'Welke auto was het?'

'Wat?'

'Je zei dat ze zijn auto hebben gevonden. Welke was het?'

'Geen idee. Misschien hebben ze het wel gezegd, maar ik weet het niet meer.'

Dit scenario lag meer voor de hand dan de andere mogelijkheden. Morty was veel te schijterig om zijn polsen door te snijden. Hij kon niet tegen bloed. En hij kon niet met wapens overweg. Carter had hem een keer mee uit jagen genomen, fazantenjacht met een paar vrienden, en toen had Morty het voor elkaar gekregen om zijn schouder te blesseren door de terugslag van een Remington 20 mm-jachtgeweer. De rest van de middag zat hij in de blokhut te telefoneren, cola light te drinken en handenvol jellybeans naar binnen te werken. Vuurwapens waren niks voor hem.

Er ging een minuut voorbij, of misschien een halve, en toen kwam Carters zwarte Mercedes stationcar uit de parkeerkelder gereden en stopte naast hem. De parkeerhulp stapte uit en liet de deur aan de bestuurderskant open. Hij liep naar Carter toe en reikte hem de sleuteltjes aan. Het was een jonge jongen en zijn broek hing te laag waardoor je de rand van zijn boxershort zag. Carter hoorde tot zijn ergernis dat hij de autoradio op een zender met rapmuziek had gezet. Normaal gesproken zou hij daar iets van hebben gezegd. Hij kwam overeind van zijn koffertje en bleef als verstijfd staan. Hij was vergeten dat hij aan de telefoon was.

'Sorry,' zei hij tegen Sol. 'Ik weet niet of ik je helemaal goed heb begrepen.' Hij zweeg en keek boos naar de parkeerhulp. Sodemieter op jij.

Toen de jongen niet in beweging kwam, legde Carter zijn hand op zijn telefoon en beet hem toe: 'Laat me even, oké?' Hij keerde hem de rug toe en zei zacht: 'Dus je zei dat Morty zelfmoord heeft gepleegd. Vandaag, vanochtend. Heb ik dat goed verstaan?'

'Ja, het is op alle televisiezenders. Ze de tv maar aan. Ik heb Julianne ongeveer een uur geleden gesproken. We proberen een vlucht voor haar te boeken vanuit Aspen, maar dat is nogal lastig.'

'Jezus christus. Dit kan niet waar zijn.'

'Ja, ik weet hoe je je voelt. Morty, wie had dat kunnen denken.'

'Godverdómme. En hij zou nog wel met Thanksgiving bij ons komen. Had ik je dat verteld? Ik sta op het punt om naar East Hampton te gaan.' Carter merkte dat hij erg hard praatte en hysterisch begon te worden. De twee parkeerhulpen keken naar hem en zeiden iets tegen elkaar in het Spaans. Ze wezen naar zijn auto, die de ingang van de garage blokkeerde.

'Wil je nu nog wel gaan? Want dit krijgt natuurlijk... consequenties.'

'Ik moet wel, ik kan niet anders. Het is verdomme Thanksgiving, Sol. Als Thanksgiving in de soep draait, krijg ik Ines op mijn dak.' Hij moest ophangen. Hij moest hier weg. Hij stond te schreeuwen en hij zweette als een otter. Hij veegde zijn voorhoofd af met zijn mouw.

'Carter, luister. Ik snap dat je geschrokken bent. We gaan dit spelen zoals jij wilt, waar jij je bij op je gemak voelt. Ik stuur een auto naar je toe, ik stuur Tony. Die brengt je naar East Hampton.

Volgens mij kun je nu beter niet zelf rijden. Oké?'

Carter schudde zijn hoofd tegen de telefoon. Nee, nee, nee. Dit gebeurt niet echt, dit kan verdomme niet waar zijn. En hij ging zijn telefoon niet meer opnemen. Niet voordat hij Ines gesproken had. 'Nee,' zei hij. 'Nee, ik moet gaan. Ik moet Ines ophalen. Over drie uur bel ik je terug vanuit East Hampton. Bel jij Julianne op, zeg dat we haar zo snel mogelijk hierheen zullen halen. En bel de Marshalls of de Petersons; als die niet in Aspen zijn, kennen ze wel iemand die daar zit. Zeg dat we een vliegtuig voor haar moeten hebben, zo snel mogelijk.'

'Oké. Goed. Maar rij voorzichtig,' zei Sol. 'Maak je geen zorgen over Julianne, dat regel ik allemaal wel.'

'Hoe kan ik me geen zorgen om Julianne maken? Dat doet verder niemand.'

'Weet ik. Je bent een goeie vent. Wij rijden vanavond naar East Hampton. Ik heb mijn mobiel aan. Marion rijdt, dus ik kan de hele weg bellen. Oké? En Carter?' Sols stem kreeg een zachte klank die Carter niet van zijn advocaat gewend was. 'Ik leef erg met je mee. Ik weet dat jullie erg close waren. Ik denk aan je.'

'Bedankt,' zei Carter. 'Dat doet me goed.' Zijn stem brak. Hij merkte dat zijn gezicht nat was; hij huilde niet echt, maar zijn ogen traanden wel en zijn keel werd dichtgeknepen door een vreemde mengeling van woede en diepe affectie voor Sol. Hij schraapte zijn keel. 'Ga jij maar naar Marion, alsjeblieft. Geef me drie uur, dan zien we daarna wel hoe het verder moet. Pas goed op jezelf.'

'Jij ook,' zei Sol nog, maar Carter had al opgehangen.

Carter reed tot het volgende blok en zette toen de auto langs de kant van de weg. Hij zette de motor uit en keek naar de klok op het dashboard: 16.59. Hij lag twee uur achter op schema. Dat zou Ines erg vervelend vinden. Ze had de pest aan de spits. Als ze op de Long Island Expressway vast kwamen te zitten, zou dat natuurlijk weer zijn schuld zijn. Wat niet redelijk was, want het was Thanksgiving en dan stond er daar geheid een file. Bovendien was zijn za-kenpartner van de Tappan Zee Bridge gedoken zonder hem zelfs maar even te bellen. Redelijkheid legde echter bij Ines nauwelijks gewicht in de schaal. Vooral de laatste tijd niet.

Toch kon hij met die trillende handen niet doorrijden. Dat was nu het eerste aandachtspunt. Carter viste het potje Xanax uit zijn zak en slikte een tabletje zonder water door. Hij sloot zijn ogen, drukte zijn vingertoppen tegen elkaar en wachtte tot hij rustig werd. Hij wilde nog een tabletje pakken, maar het potje was leeg.

Terwijl hij daar op de hoek van 71st Street en Lexington achter het stuur zat, ging Carter de gebeurtenissen van de afgelopen da-gen na. Hij had Morty afgelopen vrijdag nog gesproken. Of was het donderdag geweest? Morty had hem gebeld over de verzoeken tot uittreden, wat niets voor hem was. Hij leek daar – zoals ieder-een – gespannen over, maar aan het eind van het gesprek hadden ze het over het Thanksgiving-diner in de Hamptons gehad.

Daarna dat etentje in het Café Boulud – dat was zaterdagavond – met Leonard Rosen, een grote investeerder. Morty had niet ge-beld. Vrijdag de ontbijtbespreking van het Frederick Fund. Ze hadden het gehad over de verzoeken tot uittreding bij RCM. Na die bespreking de afspraak met zijn psychiater. Zondagavond een borrel bij Roger Sinclair thuis. Dat was alles. Alles wat hij nog wist. Wat was er in godsnaam sinds donderdag gebeurd? Waarom had Morty hem niet gebeld? Dan hadden ze er iets op kunnen ver-zinnen. Een prachtoplossing.

Van alle manieren om dood te gaan was de zelfgekozen dood de onnatuurlijkste en de onbehoorlijkste. Carters vader had die keu-ze gemaakt, zij het indirect. Charles Darling junior had zich op zijn vijfenveertigste doodgedronken. Hij was dood aangetroffen in bed, in zijn kamerjas en met een leesbril op. Er stond een long-drinkglas whisky op zijn nachtkastje en daaronder lag een brief. Die brief was gericht aan ene Sheldon Summers, Christopher Street 1 in de West Village. En die meneer, werd Carter later verteld, was al meer dan tien jaar de minnaar van zijn vader.

Carter had het hem nooit vergeven. Nog jaren daarna loog hij over de omstandigheden waaronder zijn vader was gestorven en vertelde hij aan zijn leraren, vrienden en collega's dat het maagkanker was geweest. Maagkanker klonk minder alsof het zijn eigen schuld was dan levercirrose. De Darlings waren een gegoede familie uit New England, goed opgeleid en keurig opgevoed, geen botte Ierse boeren die zich doodzopen. Het kwam niet in Carters hoofd op dat Eleanor, zijn moeder, iets anders beweerde, en ook niet dat iedereen allang wist dat Charlie Darling homoseksueel en aan de drank was. Iedereen die ertoe deed, tenminste. Carter hield zo lang vol dat het maagkanker was geweest dat hij dat zelf geloofde toen hij Ines ontmoette. Ines wist alleen dat Charles jarenlang ziek was geweest voordat hij stierf en dat hij door die ziekte niet kon werken, waardoor het familiekapitaal was opgesoupeerd. Carter was een selfmade man. Ines gaf daar een prettige draai aan door bijvoorbeeld te zeggen: 'Je vader heeft je in elk geval geleerd dat je elke dag zo goed mogelijk moet benutten.' Dat was typisch Ines, met haar koppige optimisme, altijd in staat om de wereld naar haar hand te zetten.

Charles Darling was midden in de winter gestorven, vier dagen voor Kerstmis. De cadeaus bleven onder de boom liggen, vergeten in hun gouden cadeaupapier. Carter durfde er niet naar te vragen. Eleanors zussen, Hilary en Cathy, kwamen voor de begrafenis over uit Massachusetts en bleven zo lang logeren dat het hem als een eeuwigheid voorkwam. Om Hilary en Cathy meer privacy te geven moest Carter zijn kamer afstaan. Er werd niet gevraagd of hij dat wel wilde. Er werd hem nooit iets gevraagd. Hij sliep op een stretcher in de zitkamer, een stretcher met harde, geborduurde kussens. Verder kreeg hij te horen dat hij niet meer naar de Buckley School in Manhattan kon, maar voortaan naar Eaglebrook moest, een kostschool in Deerfield, Massachusetts.

Cathy had hem ernaartoe gebracht. Volgens haar was zijn moeder nog te moe om de reis te ondernemen. De andere leerlingen hadden nog vakantie en de slaapzalen waren verlaten afgezien van een paar buitenlandse kinderen wier ouders niet genoeg om hen gaven om ze te laten overkomen. Voordat ze wegging zei Cathy dat hij maar bofte om halverwege het jaar te worden toegelaten. Er was een uitzondering voor hem gemaakt omdat hij een Darling was. Cathy gaf hem een knuffel en keek op haar horloge. Carter vroeg zich af of ze steen-papier-schaar met Hilary had gespeeld en dat degene die verloor hem hiernaartoe moest brengen. Ze hadden allebei blonde krullen, maar Hilary was knapper, spontaner, en had meer overwicht. Cathy was er echt het type voor om altijd te verliezen met steen-papier-schaar.

Na een tijdje kwam de mentor van zijn afdeling hem met zijn koffers helpen. Carter had helemaal niet het gevoel dat hij maar bofte. Toen Cathy wegreed, was hij misselijk van eenzaamheid.

Door de voorruit zag hij dat het al begon te schemeren. De avond viel. Rechts van hem reden een paar auto's voorbij, maar er was niet veel verkeer en de stad maakte een lege indruk. Carter startte de motor. Hij zou Ines gaan ophalen. Daarna naar Long Island rijden. Daar moest hij maar verder zien. Minuut voor minuut, zoals zijn roeicoach placht te zeggen. Probeer het per minuut te bekijken.

Carter wist zonder kleerscheuren 64th Street te bereiken. Vlak voor zijn appartement was een plekje vrij. Normaal gesproken zou hij dat als een goed voorteken hebben beschouwd. Toen de portier naar hem toe kwam om het autoportier voor hem open te maken, deed Carter het raampje omlaag en vroeg: 'Wil je mijn vrouw laten weten dat ik er ben?'

De portier knikte. 'Ze wacht al op u,' zei hij neutraal, zonder hem te veroordelen. Carter voelde toch de behoefte om zich te verdedigen, want wie liet zijn vrouw op de avond voor Thanksgiving nu zo lang in de lobby wachten? Hij had net de motor uitgezet toen Ines met twee koffers naar buiten kwam. Bacall draafde achter haar aan in een antracietgrijs kabeldekje. Zijn riem hing losjes om Ines' onderarm. Ines had een jas van schapenvacht en rijlaarzen van Hermes aan, laarzen met een glimmende zilveren gesp op de kuit.

Hoewel ze er zoals altijd onberispelijk uitzag, zag Carter meteen dat ze het had gehoord. Haar gezicht stond strak van de zorgen. Als Ines bezorgd keek, zag ze er tien jaar ouder uit en verschenen er rimpels in haar voorhoofd die zelfs met Botox niet meer weg te werken waren. Jezus, eet toch eens wat, dacht hij toen ze dichterbij kwam. De pezen van haar hals tekenden zich af, wat je nu niet zag omdat ze een sjaal om had. Haar dijen waren ongenadig dun. Ze liep doelgericht, zonder te wuiven of te glimlachen.

Terwijl hij zijn vrouw uit de lobby zag komen, had Carter het verlammende gevoel dat alles afgelopen was. Hij ging op zijn handen zitten en probeerde rustig te blijven ademen terwijl Ines en de portier de koffers in de kofferbak zetten, *bonk, bonk, bonk*, waarna ze instapte. Het was niets voor hem om haar niet te helpen, maar hij kon met geen mogelijkheid in beweging komen. Ines zei niets tegen hem, maar boog zich naar hem toe en gaf hem een harde kus op zijn wang. De sfeer in de auto was verkrampt en kil. Ze bleven lange tijd in de geparkeerde auto zitten met de stoelverwarming aan en de cd-speler met daarin een opera-cd zacht en op repeat. Terwijl ze zaten te praten besloeg de voorruit. Na bijna een uur startte Carter de motor weer en begonnen ze aan de lange rit de stad uit.

Die nacht droomde hij over de eerste keer dat hij het met haar had gedaan. Hij voelde haar onder zijn ribbenkast, haar borst drukte tegen de zijne, haar benen klemden strak om hem heen alsof geen enkele aanraking ooit genoeg kon zijn. De rok van haar tweed mantelpakje was over haar heupen geschoven. Zijn handen gleden omhoog over haar hele lichaam, daarna weer omlaag. Hij vond geen enkel gebrek, niet één onvolkomenheid. Ze drukte haar hand op haar mond toen ze klaarkwam en smoorde haar schreeuw.

God, het was echt ongelofelijk.

Hoewel hij altijd van haar had genoten – en jezus, wat had hij van haar genoten – was het nooit meer zoals die eerste keer geweest. Jarenlang flirten, eerst onschuldig, daarna terloops, toen openlijk en tot slot wanhopig, had de spanning zich tot het uiterste opgebouwd. Ze hadden een paar valse starts gehad: hij had zich een keer dronken naar haar toe gebogen om haar te zoenen, maar ze had zich op het laatste moment afgewend, waardoor zijn lippen alleen langs haar wang streken. Een andere keer hadden ze afgesproken om iets te gaan drinken in een hotelbar (hij wist wel dat ze daar nooit mee zou hebben ingestemd als ze hem niet wilde, maar hij werd zo zenuwachtig van haar dat hij daar toch niet helemaal van overtuigd was) maar na een minuut of tien was daar een kennis van haar binnengekomen en was ze in paniek geraakt: ze was weggegaan met de doorzichtige smoes dat ze dringend iemand moest bellen en had hem het verpletterende gevoel gegeven dat hij een rotzak was dat hij het zo ver had laten komen. Maar hij kon het niet helpen... Als hij bij haar was, voelde hij zich begrepen. Ze interesseerde zich werkelijk voor zijn werk, ze vroeg hem zijn mening over dingen die ertoe deden. Ze gaf hem het gevoel dat hij even belangrijk en machtig en interessant en dynamisch was als op kantoor. Maar als hij dan weer thuiskwam, zat Ines te zeiken over iets wat zo onnozel en triviaal was dat hij het bijna lachwekkend vond. Dus toen hij haar eindelijk had, en zweette en hijgde en met zijn tanden aan haar oorlel trok, en zij op weg naar het bed haar hoge hakken uittrok en ze met die ongelofelijke stem kreunde dat ze zo ontzettend naar hem verlangde en dat ze hem al die tijd zo vreselijk graag had gewild, toen hield hij het bijna niet meer.

Dat was nu al negen jaar geleden, maar hij droomde er nog steeds over. En daarom had hij nog steeds die stomme hotelasbak op zijn bureau, al zei hij dat tegen niemand (zelfs niet tegen haar).

Die asbak had hij meegenomen van de hotelkamer, niet als een soort kinderachtige trofee, maar als tastbaar bewijs dat hij zich die fantastische, ruige nacht niet had verbeeld.

'Zo,' had ze na afloop gezegd. 'Dát was wat je noemt seks.'

'Méér dan seks.'

'O ja, wat dan?' vroeg ze plagerig. Ze vroeg het voor de grap, maar hij was niet in de stemming voor grapjes. Ze draaide zich om op haar buik zodat ze hem aan kon kijken. 'Ach nee,' zei ze fronsend, 'je bent toch niet aan het huilen?'

'Volgens mij ben ik verliefd op je.'

'Niet doen.'

'Ik meen het. Je bent zo'n schitterende, prachtige, geestige en zelfverzekerde vrouw... maar dat is niet alles. Ik heb dit nog nooit gevoeld. Jezus, ik heb net mijn vrouw bedrogen, dat doe ik echt niet zomaar, echt, ik heb nog nooit eerder...'

'Dat hoef je niet te zeggen.'

'Dat weet ik wel, maar ik wil dat je het begrijpt.' Hij kwam overeind en droogde zijn tranen met de rug van zijn hand. Hij vond het vernederend om dit allemaal te zeggen, vernederend, maar gek genoeg ook louterend, bevrijdend, schokkend... Hij kon er niet meer mee ophouden. 'Echt, ik geloof dat ik alles voor jou zou willen doen.'

Ze knikte langzaam. Hij werd overmand door de angst dat ze in lachen uit zou barsten – dat zou ze zomaar kunnen doen – maar in plaats daarvan legde ze haar hoofd zacht op zijn dij.

'Ik vraag niets van je.'

'Dat weet ik wel. Maar toch is het zo. Ik wil dat je dat weet.'

'Als we elkaar maar blijven zien,' zei ze. 'Als het kan. Laten we het niet te ingewikkeld maken.'

Altijd hield zijn droom hier op. En vervolgens lag hij te piekeren. Het ondraaglijke gevoel dat hij met de verkeerde vrouw getrouwd was gebleven, bedrukte hem vooral 's avonds laat. Soms dacht hij zelfs dat het zijn dood zou worden. Maar steeds weer vervaagde zijn spijt als de zon opkwam en er een nieuwe dag aanbrak. In de loop der tijd had hij geleerd om rustig te blijven liggen en te wachten tot dat gebeurde.

WOENSDAG, 17.03 UUR

Bij Champion & Gilmore, het gevestigde advocatenkantoor waar Merrill werkte, was alles altijd perfect in orde. C&G, zoals het kantoor op Wall Street werd genoemd, was in 1884 opgericht door Lorillard Champion en Harrison Gilmore IV, en stond sinds jaar en dag bekend als een kantoor voor de rijke conservatieve elite; tot hun cliënten behoorden rijke, conservatieve investeringsbanken als JPMorgan, Lazard Freres en Rothschild, en ze hadden voornamelijk rijke conservatieve advocaten in dienst zoals Merrill Darling, met een fraaie academische achtergrond en een indrukwekkende achternaam.

Hoewel het werk voor C&G – zoals voor elk advocatenkantoor – vaak stressvol, agressief en emotioneel uitputtend was, heerste er op het kantoor altijd een diepe rust. De cliënten kwamen uit de lift in een kalmerende, zonnige ontvangsthal met witte tapijten en witte muren. De maagdelijke spreekkamers boden een fantastisch uitzicht op Manhattan. Vooral bij helder weer kon Merrill zich vaak moeilijk concentreren als ze in een van de spreekkamers met haar gezicht naar het raam zat. De stad strekte zich voor haar uit, onwaarschijnlijk dichtbebouwd, stil en van een indrukwekkende grootsheid. Alleen het verkeer in de straten in de diepte en de wolken in de lucht wezen erop dat het echt was wat ze zag.

Merrill zat de laatste tijd vaak in vergaderruimte C, die tijdelijk was ingericht als werkruimte voor de advocaten die aan de zaak-Gerard werkten. Elsa Gerard, cliënt van het kantoor, was portefeuillebeheerder bij Vonn Capital. Elsa was in de hedgefondswereld een beroemdheid. Ze was in 1985 bij Vonn begonnen als directieassistente van Mark Vonn, de CEO van het fonds. Ze was toen tweeëntwintig en pas afgestudeerd aan de St. John's University in Queens, New York. In de avonduren studeerde ze bedrijfskunde en daarna kreeg ze Vonn zover om haar aan te nemen als analist. Ze werkte zich gestaag op en werd een van de topportefeuillebeheerders van Vonn. Maar hoe succesvol ze ook was: ze schaamde zich niet voor haar bescheiden start en ze deed geen pogingen om toe te treden tot het establishment van de financiële wereld. Ze leek het zelfs wel leuk te vinden om daar buiten te staan. Ze droeg inmiddels dure merkkleding (het liefst Versace en Dolce & Gabbana), maar net zo strak, net zo kort en net zo opvallend als toen ze pas bij Vonn in dienst kwam. Haar haar was nog steeds geblondeerd. ('Een lekker wijf', zo omschreef een beheerder van een ander kantoor haar nogal grof in een mailtje dat 'per ongeluk' in handen van de pers was gevallen.) Elsa was ooit absoluut een spetter geweest. Nu, op haar zevenenveertigste, zag ze er enigszins ordinair en afgeleefd uit, maar ze was nog steeds aantrekkelijk.

Zoals te verwachten viel liet Elsa Gerard niemand onberoerd. Ze wekte bij iedereen respect of haat (soms tegelijk) en het kwam bijna niet voor dat iemand kennismaakte met Elsa en geen mening over haar had. De gebruikelijke adjectieven en omschrijvingen voldeden blijkbaar niet, want Merrill had kwalificaties gehoord als genie, slet, mediageil, popster, beroemdheid in spe, prima donna, rolmodel, leugenaar en een belofte voor Wall Street. Helaas werd ze ook een crimineel genoemd. Elsa werd ervan beschuldigd lid te zijn van wat in de pers 'de Ring' werd genoemd: een groep vooraanstaande hedgefondsbeheerders, consultants, advocaten en managers in de farmaceutische industrie die zouden hebben samengespannen om te handelen met voorkennis. Er waren zes aanklachten ingediend en iedereen wist dat er nog meer zouden volgen. Elsa, die nog niet was gedagvaard, ontkende met klem elke betrokkenheid bij de Ring, maar weigerde om er verder iets over te zeggen.

Tegenover haar advocaten was Elsa echter openhartiger. Ze had een relatie met Mark Vonn, hoewel hij getrouwd was. Zo af en toe had hij haar opdracht gegeven om bepaalde aandelen te kopen of te verkopen, en dat had ze gedaan zonder vragen te stellen omdat hij haar baas was en ook omdat ze verliefd op hem was. Het was niet bij haar opgekomen dat Mark haar die opdrachten gaf op basis van onwettig verkregen informatie. En al helemaal niet dat hij haar zou laten barsten als dit aan het licht zou komen.

Misdadiger of slachtoffer: zelfs Elsa's advocaten waren verdeeld. Binnen C&G werd hevig gediscussieerd of Elsa's verhaal steekhoudend was. De helft van het team vond dat ze moest bekennen en een deal moest sluiten, dat ze te slim was om zich door Mark Vonn te laten gebruiken, hoe hun verhouding verder ook was. De andere helft geloofde haar wel, of dacht althans dat een jury haar zou geloven. Tot nu toe was er geen enkel bewijs gevonden van een verband tussen Elsa en de Ring. Mark Vonn had echter wel connecties met een hoge manager van OctMedical, het farmaceutische bedrijf waarvan Elsa enkele dagen voor de onthulling van een revolutionair nieuw medicijn tegen diabetes aandelen had gekocht.

Merrill was belast met de leiding van het dossieronderzoek in deze zaak. Het dossieronderzoek was een noodzakelijk maar vervelend karwei waarbij alle mails moesten worden gelezen die in de loop van zeven jaar door een bepaalde groep hedgefondsmedewerkers waren verstuurd of ontvangen. Dit onderzoek maakte deel uit van de voorbereidingen op de rechtszaak. Voordat C&G ook maar iets aan de sec overdroeg, werd alles uitentreuren onderzocht. Twaalf uur per dag en zeven dagen per week werkten de advocaten bij toerbeurt cd's vol mails door. Als een mailtje was gelezen, werd daar het juiste label aan gehangen. Ze konden 'ontvankelijk' zijn, dat wil zeggen dat ze voldeden aan het verzoek in de dagvaarding van de SEC en dus moesten worden overgedragen; ze konden 'privé' zijn, als ze informatie bevatten die op grond van de privacy van de cliënt kon worden achtergehouden voor de SEC; ze konden 'heet' zijn, als er informatie in stond die mogelijk schadelijk voor de cliënt was, en moesten worden 'herbezien' als de jurist niet precies wist hoe de mail moest worden aangemerkt en er nog naar moest worden gekeken. Merrill moest alle mailtjes bekijken die waren aangemerkt als 'heet' en 'herbezien'. Dat was vreselijk eentonig maar ontzettend belangrijk werk. Als er een belastende (of ontlastende) mail tussendoor glipte, kon C&G de zaak verliezen.

In deze zaak was het dossieronderzoek zó omvangrijk dat er een team van tijdelijk aangestelde juristen was ingeschakeld om het te voltooien. Het waren geen vaste krachten van C&G, maar ze werden op uurbasis betaald om te werken aan bepaalde zaken of transacties. Ze werden door de vaste werknemers beschouwd als goedkope hulptroepen, een beetje zoals de reservisten in het leger. Er waren heel ervaren krachten bij, maar iedereen die aan de zaak-Gerard werkte werd op het hart gedrukt om bij elk spoor van twijfel over een bepaalde mail die meteen voor te leggen aan een van de andere juristen. Maar die waren vaak erg druk met hun eigen werkzaamheden en de meesten wilden liever helemaal niet worden lastiggevallen. Merrill was echter altijd bereid om te helpen. In tegenstelling tot de andere partners, die zich vaak wat hautain en soms zelfs ronduit vijandig gedroegen jegens de tijdelijke juristen, bleef Merrill altijd beleefd, uitte haar waardering voor hun werk en respecteerde hun werktijden. Ze werkte vaak over om bij te springen als ze achter waren geraakt, ook al had ze daar zelf nauwelijks tijd voor. Iedereen die zich met de zaak-Gerard bezighield was overspannen en zat tot over de oren in het werk. De medewerkers sliepen bijna niet meer en de partners liepen op hun tandvlees en werden steeds geïrriteerder. Ten grondslag aan dat alles lag de onuitgesproken wanhoop die steeds groter werd naarmate de zaak vorderde.

Toevallig mocht Merrill Elsa wel en ze stortte zich met een bijna fanatieke ijver op de zaak. Oké, Elsa was onbehouwen; Ines zou een hartgrondige hekel aan haar hebben. Maar ze had zonder hulp van wie dan ook de top weten te bereiken. En ze leek haar eerlijk, misschien zelfs een beetje te eerlijk: ze was rechtdoorzee en deed zich niet beter voor dan ze was. Merrill vond dat haar mannelijke teamgenoten een te snel en oppervlakkig oordeel over Elsa velden op grond van haar uiterlijk. Dat ergerde Merrill enorm: was Elsa Gerard niet net zoals iedereen onschuldig totdat het tegendeel bewezen was? Verdiende zij het niet om te worden geloofd, vooral door haar advocaten?

Vandaag was een belangrijke dag voor het Gerard-team geweest. Elsa's voormalige assistent had een gunstige getuigenverklaring afgelegd en het team leek hernieuwde energie te hebben gekregen. Merrill probeerde enig enthousiasme op te brengen, maar van binnen was ze gevoelloos. Sinds ze het nieuws over Morty had gehoord, was alles in een waas aan haar voorbijgegaan. Om vier uur 's middags besloot ze dat ze maar beter naar huis kon gaan. Ze trok haar jas aan, maar kon de moed niet opbrengen om in beweging te komen.

'Merrill, wil je misschien even ergens naar kijken?' Ze werd opgeschrikt uit haar gepeins door een timide stem. Ze zat uit het raam te staren naar de lucht die al donkerder werd. Ze had geen idee hoelang ze daar al zo zat. 'O, sorry,' zei de stem. 'Ga je net weg?'

Merrill draaide in haar bureaustoel om. In de deuropening stond Amy, een kleine jonge vrouw met rood haar die altijd erg nerveus leek als ze iets moest zeggen. Van de tijdelijk gecontracteerde juristen van het Gerard-team werkte Amy misschien nog wel het hardst en Merrill deed altijd haar best om haar te helpen of aan te moedigen.

Merrill dwong zichzelf te glimlachen. 'Hé, Amy, kom binnen.'

Amy aarzelde. 'Nou... Wilde je niet net weggaan? Ik kan het ook wel aan John of Mike vragen.'

Merrill schudde haar hoofd. 'Nee hoor. Ik wilde wel weggaan, maar dit is belangrijker.' Ze gebaarde dat Amy binnen moest komen. 'Wat is er?'

'Volgens mij heb ik iets gevonden in Elsa's prullenbak.'

'In haar prullenbak?'

'Haar gewiste mailtjes. Die hebben we van de server gehaald. Ik ben ze al sinds gisteren aan het bekijken.'

Merrill voelde dat haar maag zich samentrok. 'Oké... Slecht nieuws?' Ze zag aan Amy's gezicht dat het dat inderdaad was.

'Eh...'

'Laat maar kijken.'

Amy gaf haar een stapeltje papier met een klem erom. Zo te zien was het een lange mailwisseling tussen Elsa en Mark Vonn. 'Als je achteraan begint... Ik heb de stukjes gemarkeerd die volgens mij eh... relevant zijn.' Merrill was al aan het lezen. Terwijl haar ogen over de pagina gleden werd de knoop in haar maag erger totdat ook haar keel dichtgeknepen werd. Ze was zelfs even bang dat ze moest overgeven. Ze kneep haar ogen dicht en drukte haar handpalmen tegen het koude bureaublad. Haar handen zweetten, hoewel de temperatuur op kantoor altijd op twintig graden gehouden werd.

'Gaat het?' Amy's stem klonk van ver weg. Merrill had het gevoel dat ze op de bodem van een zwembad lag en Amy boven het wateroppervlak tegen haar schreeuwde. Alles klonk vervormd.

'Merrill?' vroeg Amy. Nu klonk ze opeens weer heel helder. Merrill keek op. Amy stond voor het bureau en boog zich naar haar toe. Haar waterige blauwe ogen stonden bezorgd.

Merrill ging weer rechtop zitten. 'O, het spijt me,' zei ze, blozend van schaamte. 'Ik ben... ik voel me vandaag niet zo lekker.' Ze legde haar hand op haar voorhoofd en voelde dat ze transpireerde.

'Je eh... je ziet er ook niet zo goed uit. Kun je niet beter naar huis gaan?'

Merrill beet hard op haar onderlip. Ze had zich nog nooit ziek gemeld, nog niet één keer. Maar uitgerekend nu... 'Ja, dat kan ik maar beter doen.' Ze gaf Amy de uitdraai terug. 'Je hebt het goed gezien, hier moet meteen naar gekeken worden. Geef ze maar aan Phil. Mocht hij zeggen dat het wel kan wachten, zeg dan tegen hem dat het dringend is. Ik zal hem een mailtje sturen, of zelfs een aan alle partners, om te zeggen wat je hebt gevonden.'

Amy knikte gespannen. Haar rode krullen dansten op haar schouders. 'Oké. Maak je maar geen zorgen, Merrill, ik zal ervoor zorgen. Ga jij nu alsjeblieft maar naar huis, je ziet er niet goed uit. Alles komt echt helemaal goed.'

Merrill glimlachte zwakjes. 'Bedankt, Amy. Goed werk van je.'

'Nou, ik weet niet... Ik vraag me af of ze hier wel zo blij mee zullen zijn.'

'Maak je daar maar niet druk om. Geef die mails maar aan Phil.'

Bij de deur draaide Amy zich opeens om. Ze aarzelde even. Toen zei ze: 'Het is wel een beetje een teleurstelling, vind je niet?'

'Hoe bedoel je?'

'Nou... ik mocht Elsa wel. Ik weet niet, ik wilde haar graag geloven.' Amy haalde haar schouders op en ze lachte gegeneerd.

'Ja, ik snap wat je bedoelt,' zei Merrill vriendelijk. 'Dat had ik ook.'

'Denk je dat ze voor moet komen?'

'Geen idee. Misschien wel. Ik weet het echt niet.'

'Ze had dit nooit in een mail moeten zetten.' Amy schudde ongelovig haar hoofd. 'Je kunt ook echt niemand vertrouwen, hè?'

'Nou, niet zo pessimistisch.' Merrill glimlachte, maar het was niet van harte. 'Ga maar vragen wat Phil ervan denkt.'

'Oké. Ga jij dan gauw naar huis en ga even liggen. Ik hou je op de hoogte.'

Toen Amy de deur achter zich dicht had gedaan, ging Merrill

staan. Allerlei gedachten schoten door haar hoofd. Ze stopte een paar dossiers in haar tas en liep naar de deur. Ze stak haar hand uit naar de kapstok, maar die was leeg. Ze had haar jas de hele tijd aangehad.

WOENSDAG, 17.27 UUR

Toen Yvonne thuiskwam was Patrick in de keuken de tafel aan het dekken. Ze rook dat er knoflookbrood in de oven stond. In de kamer hoorde ze het nieuws van vijf uur; ze had geen idee dat het al zo laat was.

'Sorry, het spijt me,' zei ze nog voordat ze haar jas had uitgetrokken. Haar wangen waren rood van de opwinding en de kou. 'Waar zijn de jongens?'

Patrick glimlachte, maar hij keek vermoeid. Hij legde de laatste placemat neer en sloeg zijn armen om haar heen. Hij was niet boos, maar daardoor voelde ze zich nog schuldiger.

'Die heb ik naar hun kamer gestuurd. Pat is geschorst.'

'O, shit.'

'Ja. Het ziet er niet best uit.' Hij schudde zijn hoofd. 'Ik moet wel zeggen dat hij volgens mij gelijk had. Maar ik weet niet wat we nu moeten doen.'

Yvonne liet zich op een keukenstoel zakken, haar tas viel naast haar op de grond. 'Wat is er dan gebeurd?'

'Pat en Chris hadden afgesproken om na school samen naar huis te lopen, maar Pat was een beetje laat. Toen hij er aankwam, zat die jongen van hiernaast, Joe Dunn, Chris te jennen. Hij pest hem al een tijdje. Joe noemde Chris een mietje en toen heeft Pat hem een mep verkocht. De leraren gingen net naar huis, dus vrij veel mensen hebben gezien wat er gebeurde.'

Yvonne zuchtte diep. 'Voor hoelang is hij geschorst?'

'Drie dagen. Met ingang van maandag. Het is echt een stomme straf, nu heeft hij dus gewoon zeven dagen vakantie.' Patrick ging bij haar aan de kleine ronde keukentafel zitten, die voor vier personen was gedekt. Hij zat nooit tegenover haar, maar altijd naast haar, wat ze heerlijk vond. Ook in restaurants. Hij deed dat al op hun eerste afspraakje (omdat het daar zo lawaaiig was, zei hij) en hij had nooit meer anders gedaan.

Patrick had zoals elke dag werkschoenen en een werkbroek met opgenaaide zakken aan. Een jaar geleden droeg hij nog elke dag een nette broek en een overhemd, dat was hij als hoofd bedrijfsvoering bij Bear Stearns verplicht. Het was een goede baan, met een zorgverzekering en aandelenopties, hoewel die nu natuurlijk niets meer waard waren. Nog een half jaar na sluiting van de bank had Pat gezocht naar een andere, vergelijkbare baan bij een financiële instelling. Hij had de kwalificaties, dat zei iedereen, maar hij werd nergens aangenomen. In augustus was hij radeloos. Hij nam een parttimebaantje als bewaker bij een bank 'tot hij iets beters zou vinden'. Hij zei nog steeds dat het tijdelijk was, maar dat klonk niet meer zo overtuigd. Voor zover Yvonne wist, probeerde hij het niet meer in de financiële sector. Hij kon meer uren draaien bij de bank – vier dagen in plaats van drie – maar ook daarmee verdiende hij niet genoeg. En hoe hard Yvonne ook werkte, hun bootje begon te zinken in een hoger tempo dan ze ooit had kunnen denken.

'En hoe is het met Chris?'

'Ja, gaat wel.' Patrick sloeg zijn ogen neer en krabde zich peinzend op zijn hoofd. Dit was een ongemakkelijk onderwerp. Als ze het hierover hadden, deden ze dat met afgewend hoofd, als onbekenden die samen in een lift stonden. 'Ik weet het niet. Volgens mij schaamt hij zich. Toen ik daar aankwam, trilde hij als een espenblad.'

'We moeten er iets aan doen.'

Dat had ze al eens eerder gezegd.

Meestal reageerde Patrick dan door te vragen: 'Ja, maar wat?' Daar wist ze nooit een antwoord op, dus dan hield het gesprek weer op. 'Ik weet het,' zei hij nu. Hij keek haar aan.

'Bedankt dat je de jongens bent gaan halen. Ik had het zelf willen doen, maar...'

'Geen probleem. Ik wist wat er aan de hand was. Het zal wel een gekkenhuis zijn geweest op kantoor.'

Ze fronste haar wenkbrauwen. 'Dat viel eigenlijk wel mee. Sol wilde alleen een paar overboekingen doen. Dat kwam nogal slecht uit, want hij belde vlak nadat ik door de school was opgebeld.'

Patrick knikte. Hij leunde achterover en strekte zijn benen uit onder de tafel. 'Ja, ik dacht al dat je het wel druk zou hebben door die toestand met Morton Reis. En ik had toch wel tijd om de jongens van school te halen.'

Yvonne zei niets. In de kamer stond de televisie nog aan met het nieuws. 'Welke toestand met Morton Reis?' vroeg ze verbaasd.

Hij keek haar met opgetrokken wenkbrauwen aan. 'Die... dat weet je toch wel? Ik zag het op het nieuws. Daarom belde ik je eigenlijk ook, ik maakte me zorgen om je.' Hij keek over haar schouders naar de kamer. 'Kijk!' Hij wees op het beeldscherm. 'Daar heb je hem!'

Yvonne draaide zich om en keek. Het beeld was vaag, maar Morty was goed te herkennen. Hij droeg een smoking en stond naast Carter Darling.

'En dat is...'

'Carter Darling.' Yvonne maakte soms de zinnen van andere mensen af, dat was een nerveuze tic van haar. Ze zei een tijdje niets, maar toen het tot haar doordrong wat er onder aan het scherm te lezen stond zei ze: 'God, nee toch... Wanneer heb je dat gehoord?'

'Toen ik je belde. Rond lunchtijd.' Patrick begreep er niets van. 'Het is al de hele dag op het nieuws.'

'Ik heb geen televisie op mijn bureau.' Ze voelde zich verdoofd, alsof iemand een glas ijswater langs haar ruggengraat had gegooid. Is Morty dood? Ze staarde naar het scherm. Waarom heeft Sol daar niks over gezegd?

'Heeft Sol dat niet tegen je gezegd?'

'Nee, hij belde alleen omdat ik een paar overboekingen moest doen.'

'Gaat het wel?' Hij zette de tv uit.

De plotselinge stilte in de kamer was ondraaglijk. Boven hoorden ze een bons die hen eraan herinnerde dat de jongens thuis waren en niet van hun gezamenlijke kamer mochten.

'Volgens mij...' zei ze, maar ze maakte haar zin niet af. Ze trok haar jas weer aan en knoopte die dicht. Het was inmiddels avond geworden en ze rilde bij het idee om helemaal terug te moeten lopen naar de metro. De trein zou verlaten zijn en in de verkeerde richting rijden: weg van de huiskamers en de eettafels naar de donkere kantoorgebouwen. 'Ik moet geloof ik nog even naar kantoor.'

Patrick zette grote ogen op. 'Wat, nu? Maar het is al zes uur, Yvonne! We gaan zo eten.'

'Weet ik.' Ze knikte. 'Maar er is iets mis met die overboekingen.'

Ze stond op en pakte haar tas. 'Ga jij maar eten met de jongens, oké? Ik ben zo snel mogelijk terug.'

Patrick haalde diep adem en blies langzaam uit. Hij telde tot vijf. Yvonne was bang dat hij tegen haar zou uitvallen, wat terecht zou zijn, maar ze had geen tijd te verliezen.

'Doe alsjeblieft voorzichtig,' zei Patrick berustend. Hij gaf haar een kus. 'Het is al donker.'

Terwijl de metro terugraasde naar Manhattan, sloot Yvonne haar ogen. Er spookten allerlei dingen door haar hoofd. Dingen die ze wist, maar eigenlijk niet mocht weten; dingen die ze had moeten vergeten. Ze was slim genoeg om daar in haar eentje wijs uit te worden en ze met elkaar in verband te brengen. In die zin vormde ze een gevaar. Maar de dingen die ze niet wist, waren het gevaarlijkst.

Toen ze weer bovengronds kwam, sloeg de kou haar in het gezicht. Ze versnelde haar pas, liep haastig langs de glanzende deuren van de kantoorgebouwen, langs een café dat al was gesloten, langs winkels met rolluiken voor de ramen. Toen ze bij het kantoor van Penzell & Rubicam kwam, glimlachte ze naar de nachtportier en liet haar gelamineerde id-kaart zien die aan een kettinkje om haar hals hing. Ze meende even dat hij haar achterdochtig aankeek, maar toen gaapte hij. Ik verbeeld het me, dacht ze. Hij weet nergens van.

Ze dacht niet meer aan de nachtwaker, maar stelde zichzelf opnieuw de twee vragen die al de hele middag door haar hoofd spookten. De vragen die Yvonne de komende paar uur in het kantoor zouden bezighouden.

Waar waren die overboekingen voor?

En waarom had Sol haar gevraagd om ze te antidateren?

Nadat Duncan Marina naar huis had gestuurd, bleef hij nog even aan zijn bureau zitten. Hij wist dat hij naar huis moest; er stonden boodschappen op hem te wachten bij de dienstingang en het ijs was waarschijnlijk al half gesmolten. Maar op sommige avonden zag hij er ontzettend tegen op om naar zijn lege appartement te gaan. Hij had zichzelf bezworen dat hij niet meer alleen zou drinken, maar hij wist al dat hij dat vanavond toch zou doen. Avonden voor feestdagen waren het ergst. De jongere werknemers waren de hele dag opgewonden, bruisend van nieuwe energie, met hun koffer onder hun bureau. Ze vertrokken stilletjes, glipten een voor een weg. Waar gingen ze heen? Hadden ze allemaal een feestmaal om naar uit te kijken, een lange tafel vol ooms, tantes en kinderen? Hoe was dat mogelijk? Zelfs als kind had Duncan dat nooit meegemaakt. Eerst waren er de Thanksgivings met twee dronken ouders geweest en daarna de Thanksgivings met alleen een dronken moeder. Van zijn studietijd herinnerde hij zich niets. Als volwassene was hij van huis naar huis gehopt en had hij de familie van zijn wederhelften als een parasiet in zich opgezogen. En de laatste drie jaar bracht hij de feestdagen in zijn eentje door en was hij al om vier uur 's middags zwaar beneveld van de whisky.

Maar morgen zou het anders zijn. Een week geleden was hij gebeld door zijn lievelingsnichtje; ze woonde in de stad en had te veel werk om met de vrije dagen naar haar moeder te gaan. En problemen met haar vriendje, had ze gezegd. Ze wist niet of hij in de stemming zou zijn om feest te vieren. 'Kom maar bij mij,' had hij gezegd. 'Dan maken we er een gezellige boel van.' Zo te horen was ze wel aan een verzetje toe.

Binnen een dag had Duncan zes vrienden opgetrommeld, zodat ze niet het idee zou hebben dat het Thanksgiving-etentje speciaal voor haar was georganiseerd. Hij verzocht iedereen iets mee te nemen, wijn, een bijgerecht of appeltaart. Alsof dat traditie is, dacht hij. Dat zou zijn nichtje leuk vinden.

Het nieuws werd beheerst door reportages over ballonnen voor de Thanksgiving-optocht, recepten voor kalkoenvulling en sneeuwvoorspellingen. Er was één item dat Duncans aandacht trok: de zelfmoord van de miljardair Morton Reis. Duncan had Reis één keer ontmoet, op een *Vanity Fair*-feestje in de Hamptons. Hij had hem een rare ouwe vent gevonden, beminnelijk maar niet op zijn plaats daar. Hij zag er niet uit met zijn slecht zittende katoenen broek en zijn plastic horloge. Hij vormde een vreemde combinatie met zijn flamboyante vrouw, die hem, herinnerde hij zich, aan de bar had geparkeerd zodat zij ongestoord kon circuleren. Duncan had Reis intrigerend gevonden. Zijn ervaring was dat de minst luidruchtige aanwezige over het algemeen het interessantst was. Nadat hij bij een paar mensen had geïnformeerd hoorde hij van iemand dat Reis miljardair en autoliefhebber was, en dat, weinig verrassend, Julianne zijn tweede vrouw was.

Zou zij hem hebben vermoord? vroeg Duncan zich af terwijl hij door een serie foto's van Reis op cnn.com bladerde. Doodgeschoten en zijn lijk van de brug gegooid, zodat het leek of hij eraf was gesprongen. Zou niet de eerste keer zijn. Ze zeggen altijd dat de partner het heeft gedaan.

Er was maar één foto met zijn vrouw: het echtpaar op een benefietgala ten bate van de Metropolitan Opera. Ze stonden van elkaar afgewend en praatten met verschillende feestgangers. Bij Reis' rechterschouder stond de vlotte Carter Darling. Carter boog zich naar hem toe, alsof hij iets in Reis' oor fluisterde. Ze hadden allebei een glas champagne in de hand. Carter Darling lijkt op

Cary Grant, mijmerde Duncan. Jammer dat-ie niet gay is.

Terwijl Duncan naar huis liep, probeerde hij zich zo veel mogelijk details over Morton Reis en Carter Darling te herinneren. Er klopte iets niet, dat voelde hij aan zijn water. Na vijfentwintig jaar in dit vak had hij een neus voor een goed verhaal ontwikkeld. Hij zat er weleens naast, maar hij was door dat zesde zintuig ook een aantal ongelooflijk stinkende zaakjes op het spoor gekomen. Het begon altijd met een achteloze opmerking, een steeds terugkerende gedachte die de journalist in hem niet ter zijde kon schuiven. Hij beende steeds sneller over 6th Avenue, langs de hoek waar hij meestal een taxi nam. Er zat iets aan te komen, iets heftigs, met hoge snelheid. Hij moest zich schrap zetten voor het moment dat het zover was.

Woensdag, 20.45 uur

De wandeling naar huis was snijdend koud. Windvlagen striemden over Park Avenue. Paul dook weg in zijn opgezette kraag en duwde zijn handen diep in zijn zakken. Hij rilde hevig en vervloekte zijn besluit om de Barbour aan te trekken. Tegen de tijd dat hij bij de voordeur was prikten er tranen in zijn ogen. Merrill deed open, vloog om zijn hals en drukte haar kleine, warme lijf tegen hem aan. Hij merkte dat ze op hem had zitten wachten. Ze had een joggingbroek aangetrokken en droeg haar rode kasjmieren sokken, die te dik waren voor schoenen. Haar glimlach was vluchtig en ze zag er dodelijk vermoeid uit.

Ze knuffelden elkaar. 'Hoe is het met je?' vroeg Paul teder.

'Ik ben verdrietig,' zei ze met gesmoorde stem, haar gezicht tegen zijn revers gedrukt. Ze klonk als een kind. 'Ik kan het niet geloven. Ik ken hem al mijn hele leven.'

'Ja, weet ik.'

Ze liepen naar de bank. De kussens waren ingedeukt; ze had daar al een poos gelegen, dacht hij. Ze gingen liggen, haar lijf dicht tegen het zijne aan. Haar hoofd rustte op zijn ribbenkast. Paul schopte zijn schoenen uit en liet ze naast de bank op de grond ploffen. Zijn lichaam deed pijn van vermoeidheid.

'Hoe is het met je ouders?'

'Mam is van streek. Vreemd genoeg lijkt ze vooral kwaad. Geen spoor van medeleven met Julianne. Ik weet niet. Hun huwelijk was denk ik nooit zo goed.'

'Dat maakt niet uit. Dit moet heel zwaar voor haar zijn.'

'Dat heb ik ook gezegd. Heb je mijn vader al gesproken?'

'Nee. Ik heb hem op zijn mobiel gebeld maar hij nam niet op.'

'Hij probeert Julianne vanuit Aspen hiernaartoe te krijgen. Maar het is natuurlijk Thanksgiving, dus er is geen ticket meer te krijgen. Hij probeert een vriend te overreden haar met zijn privé-vliegtuig op te halen of zoiets, maar nu heeft ze gezegd dat ze daar nog wil blijven, in ieder geval met de feestdagen. Ze zijn van plan begin volgende week een herdenkingsdienst te houden. Volgens mijn vader moet het sneller, maar er zijn zo veel mensen weg met het lange weekend.' Ze zuchtte, besefte dat ze maar doorratelde omdat ze moe was.

'We gaan er in ieder geval heen, wanneer het ook is.'

'Uiteraard.'

'Paul?' Merrill tilde haar hoofd op. 'Wat gaat er nu op het werk gebeuren?'

Paul staarde naar het lege witte plafond. Het was een aangenaam rustpunt in vergelijking met de muren, die donkergroen geschilderd waren als een Britse raceauto en vol hingen met schilderijen en foto's. De volheid van de kamer, de combinatie van al die hangende voorwerpen kwam hem plechtstatig voor; soms werd hij er licht claustrofobisch van. De muur aan de andere kant werd gedomineerd door twee antieke kaarten, die ze als verlovingsgeschenk van Carter en Ines hadden gekregen. De ene was een vroege plattegrond van New York uit de tijd dat de Upper East Side nog helemaal uit bouwland bestond. De andere was een zeekaart van Cape Lookout in North Carolina uit 1866. Cape Lookout lag ver van de plek waar hij vandaan kwam, maar volgens Ines was het de enige antieke kaart van North Carolina die verkrijgbaar was.

Onder de kaarten stond een smal mahoniehouten tafeltje dat door Elena en Ramon, de binnenhuisarchitecten van de Darlings, was uitgezocht om 'het plaatje te completeren'. Merrill had Paul niet verteld hoeveel het had gekost en hoewel hij zich dat steeds weer afvroeg als hij binnenkwam, wilde hij het eigenlijk niet weten. Op sommige dagen voelde het appartement desoriënterend barok, alsof het rechtstreeks uit *Architectural Digest* kwam. Vandaag was zo'n dag.

Paul keek zijn vrouw aan. Haar haar was slordig opgestoken, haar gezicht onopgemaakt en ietwat bleek. Desondanks was ze mooi met haar helderblauwe ogen met gouden puntjes erin. Haar haar rook net zo als anders en haar lichaam voelde vertrouwd naast het zijne. Hij woonde hier uitsluitend vanwege haar. Soms vroeg hij zich af of hij überhaupt in New York zou zijn gebleven als zij er niet was geweest.

'Raakt papa de zaak nu kwijt?'

Ze keek hem aan op die speciale manier die zei dat ze van hem hield en hem tegelijkertijd nodig had. Hij voelde een golf van droefenis door zich heen gaan; hij wilde alles zo ontzettend graag weer goed maken.

'Kom eens hier,' zei hij, en hij sloeg zijn armen stevig om haar heen. Zijn lichaam begon net weer warm te worden. 'Het komt helemaal goed met je vader. Daar zorgen we wel voor.'

'Ik hou van je,' zei ze eenvoudig. 'Door dit soort dingen besef ik weer hoe ontzettend veel ik van je hou.'

Paul besloot nu nog niet te beginnen over zijn gesprek met Alexa. Misschien straks in de auto, als ze onderweg waren naar East Hampton. Dat besluit kwam voornamelijk voort uit lafheid, maar aan de andere kant zou het in de auto rustig zijn, zonder afleiding. En Merrill zou een paar uur lang niet kunnen opstaan en weglopen, wat ze soms deed als ze kwaad, verdrietig of gefrustreerd was. Paul achtte het waarschijnlijk dat ze dat nu alle drie zou zijn. Hij verwachtte niet dat ze zich tegen hem zou keren, al viel dat niet uit te sluiten.

Voorlopig lag hij nog op de bank met haar in zijn armen en liet hij haar praten. Dat had ze nodig, praten tegen iemand die naar haar luisterde. Wat ze zei deed er niet veel toe en ze was zo moe dat er sowieso weinig samenhang in zat, maar Paul merkte dat het haar goed deed dat ze haar hart kon luchten. Ze ratelde maar door:

dat Morty een echte oom voor haar en Lily was geweest, dat hij hun na een paar drankjes altijd verhalen over haar vader als jongeman vertelde die eigenlijk niet voor hun oren bestemd waren en dat hij hen een keer na school had meegenomen om gaatjes in hun oren te laten prikken hoewel Ines dat niet wilde hebben. Dat hij nooit nieuwe kleren voor zichzelf kocht maar de meisjes Darling op feestdagen altijd met cadeaus overlaadde. Dat ze het gevoel had dat de wereld langzaam instortte.

Merrill begon heftig te huilen; het snot droop over haar gezicht. Paul hield haar trillende lijf stevig vast. Toen ze weer rustig was, bestelden ze eten bij de Chinees verderop in de straat.

'Ik heb sinds het ontbijt niks meer gegeten,' zei ze tegen de bezorger die zwijgend dollarbiljetten van een dikke stapel af pelde voor het wisselgeld. Alsof ze zich bij iedereen wilde verontschuldigen.

Ze schrokte het eten naar binnen, zo uit de dozen. Anders zou hij hebben genoten van dit ongedwongen, knusse samenzijn. Maar ze zag er zo bleek en mager uit in zijn oversized T-shirt van de UNC... Ze werkte keihard, ze cijferde zichzelf weg voor haar collega's en haar familie. De laatste tijd leek dat een lichamelijke tol van haar te eisen. Ze was vermagerd. Ze sliep slecht. Ze had last van een hoest die maar niet over leek te gaan.

'Heb je zin in een potje scrabble?' vroeg ze toen ze klaar was met eten. Ze scrabbelden altijd als ze Chinees hadden gegeten.

'Volgens mij moet jij naar bed,' zei hij.

'Nou ja, jij wint toch altijd,' zei ze glimlachend.

'Jij laat me winnen. Ga je tanden maar poetsen.'

Paul stopte haar in. Ze gleed onder het dekbed en haar ogen vielen dicht zodra haar hoofd op het kussen lag. Hij deed het licht uit en bleef nog een poosje naar haar staan kijken in het geelbruine schemerdonker van de onverlichte kamer, totdat haar ademhaling oppervlakkig en regelmatig werd. Toen hij haar kuste, bewoog ze zich even. Ze fronste haar voorhoofd, alsof ze helemaal in een droom opging.

Paul zette de restjes in de ijskast, bracht het vuilnis naar buiten en boende zijn gezicht schoon boven de wasbak in de badkamer, en daarna ging hij naar zijn werkkamer om oude mails door te kijken. Er was er met name één die hij wilde lezen. Hij las de tekst telkens opnieuw, totdat de woorden vervaagden voor zijn ogen en hij niet meer echt las, maar de inhoud uit zijn geheugen citeerde. Ten slotte printte hij hem uit en stopte de print in een map. Hoewel hij moe was, begonnen de scherven van de verbrijzelde dag op hun plaats te vallen als de vlakjes van een Rubik-kubus.

Na een hele tijd werd de wereld achter het half transparante rolgordijn lichter en leek het vertrek op te leven in het roze ochtendgloren. Het was Thanksgiving. Hij had wekenlang op deze dag gewacht, maar nu die was aangebroken voelde het niet als een feestdag. Hij hoorde dat Merrill zich omdraaide in de slaapkamer. Hij ging koffie zetten.

De koffie stond zachtjes te pruttelen op het aanrecht en vulde de keuken met een vertrouwd, rijk aroma. Paul deed het kastje open om een mok te pakken. Hij moest achter de porseleinen koffiekopjes reiken die ze bij hun bruiloft hadden gekregen om de grote, afgeschilferde mok van de Harvard Law School te pakken te krijgen waaruit hij het liefst dronk. Als Merrill wakker was, zou zij hem proberen te bemachtigen. Het was de grootste mok die ze hadden en zij was een nog grotere cafeïnejunk dan hij. Hij glimlachte. Hij zette de mok voor haar op het aanrecht en pakte de iets kleinere Dean & Deluca-mok voor zichzelf.

Soms vroeg hij zich af hoeveel spullen ze uit het appartement mee zouden nemen als ze ooit verhuisden. Hadden ze wel zestien eierschaaldunne koffiekopjes met bijpassende schoteltjes nodig? En die voorbeeldige gordijnen met draperieën voor de ramen en de bijpassende kussens die Ines met zo veel zorg had uitgekozen en waar Merrill stiekem een hekel aan had? De porseleinen vaas, de kristallen ijsemmer en de tafelzilvercassette die in de opslag in de kelder van het gebouw stonden? Ze gebruikten ze nooit. Zou Merrill het überhaupt merken als het er op een dag allemaal niet meer was?

Ze moesten een plan maken. Tegen de tijd dat ze in East Hampton aankwamen, zouden ze er een hebben, hield hij zichzelf voor. Het zou niet voorbij zijn – sterker nog, het begon nog maar pas. Maar hij hoopte in ieder geval dat ze er samen hun schouders onder zouden zetten.

DONDERDAG, 5.06 UUR

Carter was vroeg op. Hij trok stilletjes een joggingbroek en een Harvard-trui aan en liep met zijn gymschoenen in de hand naar de badkamer om Ines niet wakker te maken. Terwijl hij zijn tanden poetste, streek hij over zijn baard van een dag. Er zat inmiddels meer zilver in dan zwart. Onder zijn vingers voelde hij de losse halshuid van een oude man. Hij herinnerde zich niet meer wanneer zijn halskwabben hun strijd met de zwaartekracht hadden opgegeven, maar ze hadden het bijltje erbij neergegooid. Hij besloot zich later te scheren. Het was tenslotte een vrije dag.

Hij liep zachtjes de trap af naar de keuken, waar Bacall met zijn staart op de tegels sloeg, blij dat er iemand wakker was. Carter voelde de koude stenen vloer door zijn sokken heen; de temperatuur was in de loop van de nacht gedaald tot een paar graden onder het vriespunt. Carter dronk een kop koffie, strooide brokken in Bacalls etensbak en ging naar buiten om een rondje te joggen. Er was nog geen sneeuw gevallen, maar de ijskoude, natte lucht leek ervan verzadigd. Er was al meer dan een maand niemand in het huis in East Hampton geweest, maar de huisbewaarders hadden jute om de heggen gedaan om ze tegen de vorst te beschermen.

Joggen was een van Carters lievelingsbezigheden. Hij liep het liefst via Apaquogue Road naar Georgica Beach en vandaar via Lily Pond Lane terug naar huis. Hoewel hij die route al talloze malen had gelopen, bracht de schoonheid van de omgeving hem altijd in een goed humeur. Apaquogue Road was een aardige straat met goed onderhouden heggen en traditionele huizen met houten dakspanen. Voor het strand was een stuk grond onbebouwd gelaten, zodat de bewoners een weids uitzicht hadden. De kleuren in East Hampton waren gedekt – olijfgroen, bruin en blauw – maar op de een of andere manier voller dan de kleuren in Manhattan. In de herfst werden de bomen herschapen in een symfonie van vuurrood en diep oranje. De lucht leek ook frisser, een welkome afwisseling na de stadse smog.

De hoek naar Lily Pond Lane was het crescendo van zijn route. Een aantal van de welvarendste inwoners van East Hampton woonde aan Lily Pond Lane; de huizen behoorden tot de duurste van de toch al dure plaats. Ze hielden zich voor het grootste deel discreet schuil achter hoge heggen. Af en toe werd de voorbijgangers door een ijzeren hek een blik gegund op de glooiende gazons en de statige buitenhuizen. Carter vertraagde zijn pas altijd om die aanblik in zich op te nemen. Hij stond zichzelf niet dikwijls het gevoel toe dat hij iets bereikt had in het leven, maar als hij over Lily Pond Lane jogde kwam dat gevoel wel heel dichtbij. Nog meer dan het appartement aan 64th Street verschafte Carters huis in East Hampton hem een enorm plezier, en het gevoel dat dit zijn beloning was voor jarenlang hard werken.

Het huis van de Darlings lag aan de noordkant van Lily Pond Lane. De minder chique kant; je had niet zoals aan de zuidkant uitzicht over de oceaan en toegang tot het strand. Maar ondanks het feit dat het huis dus nét niet aan de kust lag, had Ines erop gestaan het 'Beech House' te noemen. Ze vond dat zelf een bijzonder ingenieuze woordspeling: de naam verwees naar de inheemse beuken waardoor Lily Pond Lane werd omzoomd.

Al als jongeman had Carter zich erbij neergelegd dat er altijd grotere huizen en rijkere buren zouden zijn. De Darlings waren een eerbiedwaardige familie uit New England, maar na een paar onverantwoordelijke generaties was het familiekapitaal verdampt. Desondanks had Carters vader met zijn gezin op grote voet geleefd, een levensstijl die hun middelen verre te boven ging. Carter was als enig kind opgevoed in een zeskamerappartement aan Park

Avenue. Het gezin had een kindermeisje (Gloria), een kokkin (Mary) en een telkens wisselend bestand aan huishoudsters en ander personeel. Carters vroegste herinneringen waren die aan zomers in een huis met een puntgevel in Quogue, een ouderwetse kustplaats iets ten zuiden van East Hampton.

'Als kind dacht ik dat iedereen zijn zomers aan de zuidkust van Long Island doorbracht,' had hij een keer tegen Paul gezegd. 'Ik dacht echt dat Kerstmis iets van Palm Beach was. Niet dat we het daar vierden, maar dat het zich daar áfspeelde. Het jaar dat mijn vader stierf kreeg ik te horen dat hij te ziek was om naar Florida te reizen. Ik was helemaal van streek. Ik dacht dat dat betekende dat er dat jaar geen Kerstmis zou zijn.'

Carter had gelijk. Na het overlijden van zijn vader veranderde alles.

Eleanor hield het appartement aan Park Avenue zo lang mogelijk aan, maar ze was uiteindelijk gedwongen naar een deprimerende flat aan 2nd Avenue te verhuizen. Het huis in Quogue werd zonder enige toelichting verkocht. 's Zomers waren Eleanor en Carter overgeleverd aan de genade van rijkere vrienden. Juli en augustus waren een lappendeken van uitnodigingen: een bezoek aan neven en nichten in Nantucket, een verblijf in een huisje in Sag Harbor, een zeiltochtje in Newport met Eleanors nieuwste vriendje. Carter genoot maar zelden van die jaarlijks terugkerende tripjes. Hij sliep meestal in een achteraf-logeerkamertje met een krakkemikkig lits-jumeaux, een prullenmand met knipselversieringen en verbleekte bloemetjesgordijnen. Nog erger was het als hij een kamer moest delen met het kind des huizes, dat hem deze invasie altijd kwalijk nam.

Elke zomer waren ze minstens één weekend bij de Salms in Southampton. Eleanor en Lydia Salm waren kamergenotes geweest op Vassar College. Lydia was tijdens haar eerste jaar met de studie gestopt om met de zakenpartner van haar vader te trouwen, die destijds zevenendertig was en volgens Eleanor 'heel energiek'.

Carter nam aan dat er in de tussenliggende jaren iets betreurenswaardigs was gebeurd, want Russell Salm was enorm dik en hoestte de hele tijd, alsof zijn keel geheel uit slijm bestond. Hij rookte sigaren bij het zwembad en droeg een ring met het familiewapen van de Salms aan zijn pink. Het echtpaar had maar één kind, wat Carter ook maar het beste leek.

Russell Salm junior was drie jaar ouder dan Carter en onnatuurlijk groot voor zijn leeftijd. 's Middags nodigde hij altijd zijn vrienden uit om chips te eten en stiekem sigaretten te roken achter het kleedhok. Ze maakten wapens van natte handdoeken, waarmee je gemene rode striemen kon maken als je er op de juiste manier mee sloeg. 's Nachts moest Carter in een onderschuifbed slapen dat als een la uit Russells bed kon worden getrokken.

Aan het eind van het weekend deed mevrouw Salm afdankertjes van Russell in een papieren zak en dwong Carter die in haar aanwezigheid allemaal te bekijken. Dat was de grootste vernedering van zijn jonge leven geweest, besefte Carter later. Russell stond tijdens deze ceremonie mokkend achter zijn moeder en protesteerde af en toe dat iets 'nog goed paste'. Weer thuis schreef Carter mevrouw Salm dan een bedankbriefje op zijn briefpapier met zeilboten. Hij lette erop dat hij de brief alleen aan haar richtte en niet aan Russell, want hij had het gevoel dat die geen enkele erkentelijkheid verdiende.

Hoe erg Carter jongens als Russell ook haatte, zijn ergste vitriool bewaarde hij voor hun moeders. Aan medelijden had hij een nog grotere hekel dan aan wreedheid of minachting. Het medelijden achtervolgde hem zijn hele jeugd. Hij kreeg vaak de rol toebedeeld van de serieuze jongen die het thuis niet breed had. De Darlings waren weliswaar objectief bezien niet arm, maar wel naar de maatstaven van degenen met wie ze omgingen. Carter vermoedde dat Eleanor ervan overtuigd was dat haar plaats tussen de zeer rijken der aarde was. De Darlings waren bevoorrecht, en dat zouden ze blijven, wat het ook mocht kosten.

Vandaar de bij elkaar geïmproviseerde zomers, de eindeloze opeenvolging van weekendjes op de juiste plekken. En uiteraard de scholen. Carter hoefde nooit de vernedering te ondergaan om een beurs aan te vragen. Hij kwam er nooit achter hoe zijn moeder zijn opleiding bekostigde, maar kon er alleen maar naar gissen wat ze zich daarvoor allemaal had ontzegd. Hij vroeg zich dat vaak af, maar hij vroeg er maar één keer naar, toen hij tot Harvard College was toegelaten.

Carter begon in 1966 op Harvard, maar zonder financiële hulp of beurs. Het enige wat Eleanor daarover zei, was: 'Alle mannen uit de familie Darling gaan naar Eaglebrook en naar Groton. Maar ze zijn niet allemaal zo slim dat ze naar Harvard kunnen. Ik ben ontzettend trots op je.'

'Maar moeder, kunnen we dat wel betalen?' vroeg Carter. Hij was net achttien geworden en was in een zeer zelfbewuste bui. Hij was tenslotte nu de man in huis. 'Zo niet, dan ga ik wel met een beurs naar Williams of Bowdoin. Ik heb van allebei een aanbieding gekregen, en ik wil graag bij een van de twee in het roeiteam.'

Eleanors gezicht werd strak en uitdrukkingsloos. 'Carter,' zei ze op scherpe, afgemeten toon, 'Harvard is niet iets wat je afwijst. Daarna zul je je eigen weg wel vinden, maar de komende vier jaar zorg ik nog voor je. Daar sta ik op.' Carter voelde zich even overbluft, maar ook intens opgelucht.

Eleanor had uiteraard gelijk. Harvard College was de plek waar Carter thuishoorde, die altijd al zijn bestemming was geweest. Hij was een Darling, en nog een hardwerkende Darling ook. Anders dan zijn vader, die zijn jaren op Cambridge had doorgebracht met literatuur studeren en feestvieren, concentreerde Carter zich op economie. Hij bracht het grootste deel van zijn tijd door tussen de boekenkasten van de Widener Library, vastbesloten als beste van zijn jaar te eindigen. Als hij met anderen omging, beschouwde hij dat als een vorm van netwerken. Anders dan zijn vader werd Carter geen lid van de Porcellian Club, waar de meesten van zijn klasgenoten van Groton bij zaten. Hij sloot zich aan bij de Delphic Club, een chic, zij het iets minder exclusief dispuut.

Zelfs op zijn achttiende wist Carter al dat de jongens van Groton nooit zijn vrienden zouden worden. Ze hadden op school altijd een zekere afstand tot hem bewaard. Ze accepteerden hem uit respect voor zijn familie, maar zagen in, sommigen op een beleefdere manier dan anderen, dat hij niet over de middelen beschikte om tot hun intieme kring te behoren. Hij had het huis in Palm Beach niet meer en werd daarom niet op hun nieuwjaarsfeestjes uitgenodigd. Hij kon in het voorjaar niet naar Gstaad vliegen om te gaan skiën. 'Jaloers zijn op geld is zo saai,' zei Eleanor met een wegwuivend handgebaar. 'Je kunt alleen jaloers zijn op iemand die iets heeft wat jij nooit kunt krijgen. Meer stijl bijvoorbeeld, of meer esprit. Geld kun je heel makkelijk verdienen.'

Een van die jongens van Groton was nu Carters buurman aan Lily Pond Lane. Nikos Kasper (Kas voor zijn vrienden) woonde recht tegenover de Darlings op een landgoed van duizend vierkante meter met de discrete, maar ietwat misleidende naam 'Endicott Farms'. Carter vond de verwantschap met dominee Endicott Peabody, de stichter van Groton School, waarmee Nikos pronkte nogal twijfelachtig. Er werd al lang gefluisterd dat Nikos' grootvader, aan wie de familie haar fortuin dankte, feitelijk een selfmade zakenman van Grieks-orthodoxe afkomst was die was opgegroeid in een arbeiderswijk ergens diep in de Bronx. Nikos leidde nu, samen met zijn ontzagwekkende tweelingzus Althea, het onroerendgoedbedrijf van de familie, een miljardenonderneming. Nikos was vooral trots op de investeringen van het bedrijf in luxeprojecten in Californië en Florida, al werd het meeste geld verdiend met de ontwikkeling van woningen voor de lage-inkomensgroepen in Mexico. Als Nikos en Althea er niet bij waren, noemde Ines hen altijd 'die veredelde huisjesmelkers'.

Net als de meeste andere onroerendgoedondernemingen had de Kasper Group de laatste tijd de nodige tegenslagen moeten incasseren. In het weekend voor Labor Day had de *Wall Street Journal* een voorpagina-artikel over het bedrijf gepubliceerd onder de kop KRAP BIJ KAS? KASPER GROUP ZOEKT WANHOPIG NAAR FINANCIERS. Het artikel had een golf van negatieve publiciteit veroorzaakt, waardoor de aandelenkoers in een neerwaartse spiraal was geraakt. Ook privé ging het slecht met Nikos. Het grootste deel van zijn kapitaal zat in het familiebedrijf, en in 2007 had hij de stommiteit begaan zich persoonlijk garant te stellen voor een zeer riskant bouwproject in Mexico-Stad. Hij werd al jaren achtervolgd door geruchten over een faillissement, maar Carter wist dat het ditmaal menens was. Tot overmaat van ramp had Nikos' vrouw Medora onlangs echtscheiding aangevraagd.

Aan de buitenkant van Endicott Farms was niets bijzonders te zien. In alle vensterbanken stonden witte geraniums. Carter ging wat langzamer lopen toen hij het begin van Nikos' landgoed bereikte en bleef voor het hek staan. Na slechts acht kilometer joggen ging zijn ademhaling stotend en moeizaam.

Ik word oud, dacht hij terwijl hij op de stopwatch op zijn sporthorloge keek. Dit is belachelijk.

Hij liep naar het ijzeren hek van de Kaspers, pakte het vast en strekte zijn ene been. Achter het hek lag een gigantisch gazon. Zelfs nu, in november, was het gras zo strak bijgehouden als dat van een golfbaan. Het enige boerderij-achtige aan het landgoed was een kleine, overdreven precies bijgehouden appelboomgaard.

Endicott Farms was niet één huis, maar een hele verzameling huizen. Nikos en Medora hadden twee achttiende-eeuwse houten puntdakhuisjes uit Vermont, een schuur uit New Hampshire en een stenen schoolgebouw uit het noorden van de staat New York gekocht, die steen voor steen en plank voor plank uit elkaar gehaald en ze op hun stuk grond op de hoek van Lily Pond Lane en Ocean Avenue weer in elkaar gezet. Samen vormden die gebouwen een soort minidorpje dat nog maar weinig gelijkenis vertoonde met de oorspronkelijke bouwsels. In Carters ogen leek het geheel meer op een internaat dan op een woonhuis. Endicott Farms had iets van een campus: er waren een indoor-squashbaan, een tennisbaan, een zwembad en een croquetbaan, en hoewel er in het hoofdgebouw acht slaapkamers waren, stonden er ook nog twee kleine gastenverblijven op het gazon. 'Voor het personeel... én voor Medora's ouders,' zei Nikos altijd met een knipoog op feestjes.

Carter kon het bij het hek niet zien, maar achter het huis was een groot leistenen terras met uitzicht op zee. Elke zomer op Onafhankelijkheidsdag hielden de Kaspers op dat terras een cocktailparty voor driehonderd van hun beste vrienden. Carter en Ines gingen er altijd heen. De Kaspers gaven heel vaak feestjes, maar dit feest werd steevast 'het Kasper-feest' genoemd. Ines beweerde dat het Kasper-feest voor haar een van de hoogtepunten van de zomer was, maar Carter had er stiekem een hekel aan. Hoewel ze elkaar al vijftig jaar kenden, stelde Nikos Carter nog steeds voor als 'mijn bankier'. Meestal liet hij dat volgen door een of ander compliment, maar Carter nam hem de toon kwalijk waarop hij het zei. Die leek een aansporing te behelzen om achter de bar te gaan staan en samen met de ingehuurde barkeepers martini's te gaan mixen.

Als puntje bij paaltje kwam, beseften de mannen allebei dat een goede bankier meer waard was dan een goede vriend. Als Nikos nog niet failliet was, had hij dat aan Carter te danken. Carter beheerde Nikos' vermogen al sinds zijn tijd bij JPMorgan. Aanvankelijk was hun zakelijke relatie even ongemakkelijk geweest als die op Harvard. Het was een onaangenaam toeval geweest dat Carter als beginnend bankier bij JPMorgan het beheer over de portefeuille van Kasper had gekregen. Op dat moment was die portefeuille te groot en Carter nog te laag in rang om tegen de toewijzing te protesteren. Carter had datgene gedaan waar hij het best in was: zijn trots opzij zetten en de handen uit de mouwen steken.

Carter had al lang geleden geaccepteerd dat hij slechts een bezoekerspasje voor de wereld van de zeer rijken had en dat hij, anders dan mannen zoals Nikos, zelf de kost zou moeten verdienen om te mogen blijven. Maar dat veranderde toen hij zaken ging doen met Alain Duvalier. Alain was een groot investeerder, maar moeilijk om mee te werken, heetgebakerd en gelijkhebberig. Hij hield van te snelle auto's en te jonge vrouwen, hij was in alles een beetje té – zoals Ines altijd zei, waarbij ze met haar ogen rolde – voor zo'n net bedrijf als JPMorgan Private Banking. Hij had verscheidene vijanden in de hogere echelons van het bedrijf.

Carter benaderde hem zodra hij hoorde dat Alain was gepasseerd voor de functie van hoofd vermogensbeheer. Iedereen had het erover. Carter wist precies hoe hij het moest spelen. Alain had een dure smaak en een flink uit de kluiten gewassen ego; hij zou het best functioneren in een omgeving waar hij eigen baas was. Bij Delphic kon Alain alles krijgen wat hij wilde: een kantoor in Genève, een groot deel van de aandelen in het bedrijf en, het allermooiste, volledige vrijheid om zaken te doen zoals hij het wilde. Carter zou voor de klanten zorgen en zich verder niet met hem bemoeien. Ze zouden perfecte zakenpartners zijn.

Alain was duur, maar hij was iedere cent waard. Zo was het bijvoorbeeld aan hem te danken dat Delphic zaken deed met Morty Reis. Carter wist nooit precies wat de link was, maar het had er iets mee te maken dat hun zussen met elkaar bevriend waren. Hoe het ook zat, Carter was er dankbaar voor. Zelfs al zou Alain nooit iets anders hebben gedaan dan Morty binnenhalen, dan nog was het genoeg. De eerste vijf jaar dat ze bestonden deed RCM het verpletterend goed. Gemiddeld had het fonds een jaarrendement van 14 procent, een onaantastbaar record. De kranten begonnen te bellen. Er klopten klanten aan Carters deur. Veel van Carters oude JPMorgan-klanten die aanvankelijk te kopschuw waren geweest om geld in een nieuwe risicovolle onderneming te stoppen, kwamen nu met de hoed in de hand weer bij hem.

Nikos en Althea Kasper kwamen niet, maar ze wilden wel met

hem gaan lunchen. Ze troffen elkaar bij de Four Seasons. Destijds kon Carter zelfs de rekening voor die lunch nauwelijks betalen, laat staan dat het bij hem opkwam het Delphic-hoofdkwartier te verhuizen naar de chique kantoren boven het restaurant. Carter herinnerde zich nog levendig hoe gereserveerd Nikos tijdens die eerste lunch was geweest. Althea was enthousiast over de performance van het fonds (het enige wat überhaupt Althea's enthousiasme wist te wekken, was het vooruitzicht van nog meer geld), maar Nikos liep naar de lobby om een telefoontje aan te nemen. Toen hij aan tafel terugkwam complimenteerde hij Carter halfslachtig, alsof hij het tegen een zesdeklasser had die een natuurkundeprijs had gewonnen. Hij zat wat met zijn steak tartare te spelen alsof hij zich verveelde. Hij had hem maar half opgegeten toen Carter afrekende.

Maar het maakte niet uit. Na die lunch was Carter twee miljoen dollar rijker. In de loop van de tien jaar daarna verhuisden Nikos en Althea 60 procent van hun gezamenlijke nettovermogen naar Delphic. Ze brachten ook hun vaders en een aantal vrienden aan. Ze nodigden Carter uit voor etentjes, partijtjes golf en het Kasperfeest op Onafhankelijkheidsdag.

Terwijl Carter voor het hek van de Kaspers stond te stretchen, voelde hij pijn uitstralen in zijn linkerzij. Hij voelde niet precies waar de pijn vandaan kwam. Eerst dacht hij aan kramp, maar toen hij zich rekte, sloeg de pijn als een golf door zijn lijf. Weldra vulde de pijn zijn hele romp en kreeg hij haast geen adem meer. Zijn hoofd tolde door het gebrek aan lucht en hij voelde tranen in zijn ooghoeken opwellen.

Ik heb een hartaanval, dacht hij, en hij ging in het gras aan de kant van de weg liggen.

Hij deed zijn ogen dicht en voelde de grassprieten in zijn nek prikken. De grond was nat en hard. Hij vroeg zich af hoelang het zou duren voor er een auto voorbijkwam. Iemand die hem zo zag liggen, zou zeker stoppen.

Er vloog een vliegtuig over. Carter dacht aan Julianne, vroeg zich af of ze inmiddels thuis was. Hij moest Sol even bellen om ernaar te vragen. Ines was de vorige avond vernietigend geweest over Julianne. Carter kromp in elkaar toen hij aan hun gesprek terugdacht. Ines was ontwapenend direct. Ze zei wat anderen dachten maar niet hardop durfden te zeggen. (Onlangs nog: 'Kom op zeg, Althea Kasper is niet alleen een mannenhaatster, ze is gewoon een pot'; 'Ik heb niet bereikt wat ik heb bereikt door aardig te zijn.') Ines kon gevoelloos zijn, wreed zelfs, maar ze had bijna nooit ongelijk.

Over Julianne had Ines gezegd: 'Je maakt mij niet wijs dat dat ook niet het eerste was wat jij dacht.'

Ze had gelijk. De mogelijkheid dat Julianne Morty had vermoord, was onmiddellijk bij Carter opgekomen. Hij had die mogelijkheid verworpen, zichzelf terechtgewezen omdat hij die zelfs maar had overwogen. Julianne was daar niet toe in staat en leek bovendien op haar eigen manier veel om Morty te geven. Carter wilde zichzelf niet toestaan iets anders te denken. Maar er zat een zekere kille logica in, ook al zou Carter dat nooit hardop zeggen.

'En als hij het wel zelf heeft gedaan, dan heeft zij hem ertoe gedreven,' had Ines gezegd. 'Hun huwelijk stelde niks voor. Dat weet jij beter dan wie ook.'

Ook daar had ze gelijk in gehad.

Na een poosje ebde de pijn in zijn zij weg en voelde Carter alleen nog de snijdende kou van de lucht. Toen hij het geluid van autobanden op grind hoorde, sprong hij overeind. Hij veegde stof van zijn been. Dertig meter verderop reed een auto een oprit uit. De bestuurder sloeg linksaf en verdween over Lily Pond Lane zonder de man op te merken die de afgelopen tien minuten langs de kant van de weg had gelegen. Vervuld van gêne sprintte hij weg, en hij bleef pas weer staan toen hij veilig op de veranda voor zijn eigen huis was.

Carters BlackBerry lag op het aanrecht te trillen toen hij de hordeur opendeed. Bacall jankte en stormde op zijn knieën af; de hondennagels tikten op de tegels. Carter maande hem halfhartig tot kalmte, aaide over zijn kop, vlak achter de oren, en probeerde ondertussen door zijn mails te bladeren.

'Iedereen slaapt nog, ouwe jongen,' zei hij. Hij was dol op zijn hond. Hun trouw aan elkaar was onvoorwaardelijk. Ines zou nooit van Bacall houden zoals Carter dat deed; diep van binnen was ze geen hondenmens. En Bacall wist bij wie hij moest zijn. Zijn poot bonsde op de vloer terwijl Carter hem precies op dat ene plekje kroelde dat hem in een woeste hondenextase bracht.

Carter liep naar zijn werkkamer, wachtte tot Bacall ook binnen was en deed de deur toen dicht. Bacall nestelde zich op zijn geruite hondendeken terwijl Carter zijn computer aanzette en zijn Black-Berry er via het dockingstation op aansloot. Hij keek op de klok: op de kop af half acht. Hij had nog bijna een half uur voordat Ines in de keuken nadrukkelijk allerlei lawaai zou gaan maken. Ze had er een hekel aan als hij de deur van zijn werkkamer dichtdeed.

Toen ze opnam, vroeg hij: 'Bel ik te vroeg?'

'Waar heb je in godsnaam gezeten?' viel ze uit. 'Ik heb je de hele tijd gebeld.' Toen grinnikte ze en gaf ze zichzelf een standje. 'Sorry,' zei ze, veel zachter nu. 'Neem me niet kwalijk. Het is nog vroeg.'

Hij was van plan geweest koel tegen haar te doen. Dat zou ze ook kunnen verwachten; hij had er een hekel aan als ze hem herhaaldelijk belde. En dat terwijl het gisteren een chaos was geweest. Als ze ook maar twintig seconden had nagedacht, had ze wel honderd redenen kunnen bedenken om niet te bellen. Ines zou bij hem zijn. En de kinderen. Hij zou naar East Hampton gaan. Het was een gekkenhuis met al het geregel voor de vakantie. Hij werd voortdurend gebeld, door Sol, de media, portefeuillebeheerders, Merrill, Lily, Ines, klanten, vrouwen van klanten, zijn secretaresse, Sols secretaresse, Morty's secretaresse. Hij riep spoedvergaderingen bijeen, regelde vliegtickets en maakte telefonisch geld over.

Of hij zou alleen op de wc kunnen zitten, stilletjes huilend om zijn vriend.

Maar toen hij haar stem hoorde, verdween zijn woede als sneeuw voor de zon. Die uitwerking had ze altijd op hem, en daarom kwam hij steeds bij haar terug – hij kon er geen genoeg van krijgen.

'Hoe gaat het met je?' vroeg ze. Ze was de eerste die hem dat vroeg en het echt wilde weten. Alle anderen, ook zijn vrouw, bedoelden: 'Hoe gaat het met het fonds?'

'Nou, niet zo goed. Ik zou niet weten waar ik moet beginnen, alles is even erg. Hoe gaat het met jou?'

'Beroerd,' zei ze. 'Maar dat is logisch. Het moeilijkste vind ik dat ik nu niet bij je kan zijn.'

'Ja. Dat vind ik ook afschuwelijk.'

'Oké, zullen we de clichés verder overslaan? Ik snap wel dat jij het waarschijnlijk ook niet weet, maar hoe moet het nu verder?'

Carter leunde achterover in zijn stoel en ademde diep in. Hij deed zijn ogen dicht en hield op met ademhalen; de wereld werd aangenaam leeg. Even vroeg hij zich af of hij zichzelf met pure wilskracht dood zou kunnen denken.

Toen jankte Bacall even en Carters ogen gingen weer open. Nee, dacht hij, ik ben er nog. Nog net.

'We weten nog steeds niet waarom hij het heeft gedaan,' zei hij. 'Ik kan alleen steeds maar denken: waarom zou hij mij zoiets in godsnaam aandoen? Niet zichzelf, maar mij. Ik weet het, ik ben een egoïstische klootzak.'

'Iedereen is een egoïstische klootzak. En, God vergeve me dat ik het zeg, maar Morty is de meest egoïstische klootzak van allemaal. Zelfmoord plegen is zo ontzettend egocentrisch.'

Het drong plotseling tot Carter door dat hij kwaad was. Hij had het gevoel eerder niet kunnen thuisbrengen, maar de golf furieuze energie die sinds gisteren door zijn lijf kolkte, was woede. Niet op de hele toestand, maar op Morty zelf. Hoe kón Morty zoiets doen?

Morty deed nooit iets zonder eerst een kosten-batenanalyse te maken. Hij zou exact hebben berekend wat voor schade deze beslissing zou aanrichten. De gevolgen voor Julianne, voor Carter en Alain, voor talloze anderen die Carter niet eens allemaal zou kunnen opnoemen. Dat zou hij hebben afgewogen tegen de demonen die hem belaagden, wie of wat die ook waren. En toen zag Carter het ineens: Morty op de ene kant van de weegschaal, alle anderen op de andere. Hij had in zijn eigen voordeel beslist. *Godverdomme, egoïstische klootzak. We waren toch vrienden?*

Hij rechtte zijn rug, plotseling verlangend het gesprek snel af te ronden. 'Weet je,' zei hij, 'ik heb het gevoel dat de hele wereld is ingestort. Zo voel jij het waarschijnlijk ook, maar ik moet de komende tijd van minuut tot minuut leven en mijn beslissingen stap voor stap nemen, zodat ik niks stoms doe. Het zal een poosje heel heftig zijn allemaal. Hoelang? Geen idee. In ieder geval in de nabije toekomst. En ik denk dat het beter is dat wij voorlopig niet meer met elkaar praten. Laat staan elkaar zien – daar kan geen sprake van zijn.'

Hij zweeg en haalde diep adem. Er viel een stilte. Zijn woorden waren er achter elkaar uit gerold, emotioneel, onbeheerst. Die uitwerking had ze op hem. Hij praatte tegen niemand zo vrijuit als tegen haar. Soms was dat fantastisch. Hij hield van de bevrijding, de hevige roes van het samenzijn met haar. Nu kwam elk contact met haar hem gevaarlijk en dom voor.

'Hoeveel weet Ines?' vroeg ze. Ze klonk zakelijk.

'Ines weet niets. Nou ja, ik weet niet, volgens mij heeft ze wel haar vermoedens. Maar van mij weet ze niets. En dat blijft ook zo. Ik heb haar steun nu nodig, om eerlijk te zijn. Door Morty staan het fonds en ik nu opeens in de schijnwerpers. Iedereen staat voor mijn deur, van de *Wall Street Journal* tot justitie, en dat op Thanksgiving, godverdomme. Ik kan me nu geen slordigheden veroorloven.'

'Misschien steunt ze je wel meer als je eerlijk tegen haar bent. Ik ben het met je eens dat je het haar nu beter niet kunt vertellen. Als ze kwaad wordt en door gaat vragen, wil je haar misschien wel alles opbiechten. Het is een verstandige vrouw.'

Ze was zoals altijd hoffelijk en evenwichtig. Hij merkte dat hij ondanks de situatie opgewonden was.

'Heeft de pers je al gebeld?' vroeg hij.

'Ja, maar ik heb met niemand gepraat. Ze kunnen de pot op. Ik leg wel een verklaring af als ik zover ben.'

'Zou je dan eerst met Sol willen praten? Ik bedoel, hij kan je helpen de boel in de hand te houden. Hij weet hoe je met publiciteit moet omgaan.'

'Weet ik. Ik ben niet achterlijk. Maar op dit moment is het nergens voor nodig dat ik wat zeg, en daarom kan ik maar het best mijn mond houden.'

'Je hebt gelijk. Ik ben paranoïde. Sorry. Ik zou nu zo vreselijk graag bij je willen zijn. Ik weet dat dat verkeerd is, maar ik kan het niet helpen.'

Ze reageerde niet direct. Hij vroeg zich af waar ze was. Als ze belden was het altijd via haar mobieltje, dus hij wist het nooit precies. Het viel hem zwaar zich niet te kunnen voorstellen hoe ze erbij zat. Hij vond het vreselijk dat ze Thanksgiving misschien wel in haar eentje doorbracht. De gedachte daaraan deed hem zo'n pijn dat hij het niet durfde te vragen. Ik ben een egoïstische klootzak, dacht hij.

'Ik weet het niet,' zei ze na een poos. 'Ik weet alleen dat iets goed is als je je na afloop goed voelt en verkeerd als je je na afloop slecht voelt.'

Hij glimlachte. 'Fitzgerald?'

'Nee, Hemingway.'

'Knappe meid,' zei hij. 'Laat niemand jou ooit onderschatten.'

'Doet niemand.'

'Knappe, mooie meid.'

'Ik moet nu ophangen, Carter.'

'Weet ik. Ik hou van je,' zei hij, en hij hing op. Dat was, bedacht hij, een van de zeer weinige ware dingen die hij in tijden had gezegd. En het was al jaren waar. Hij keek naar Bacall, die op zijn deken lag te slapen. Boven hem tikte een antieke scheepsklok met maritieme precisie. Het huis werd wakker en weldra zouden de kinderen komen.

De volgende die hij belde, was Sol.

Donderdag, 7.50 uur

Ze hing op en liet haar hoofd op haar handpalm zakken.

Nou alsjeblieft even geen telefoon meer, dacht ze.

Een paar minuten lang zweeg het apparaat. Het was verrukkelijk stil in het kantoor. Ze bleef zo lang mogelijk roerloos en met gesloten ogen zitten. Onder het bureau lagen haar voeten slap op de grond, netjes gekruist bij de enkels. Ze had haar oude mocassins aan, de kameelkleurige die rond de hakken versleten waren en waarvan de zolen aan de randen loslieten. Ze waren van suède, zo zacht als sokken, en ze droeg ze alleen onder een spijkerbroek, om 's ochtends de honden uit te laten of koffie te halen bij de broodjeszaak, en nooit naar kantoor.

Maar vanochtend was ze te verpletterd geweest om iets anders aan te trekken. En wat maakte het ook uit? Er zou toch niemand anders komen. Het was Thanksgiving. De wazig uit zijn ogen kijkende bewaker was verbaasd geweest haar te zien. Hij had met tegenzin zijn koffie neergezet om de tassenscanner in te schakelen. Hij had haar aangekeken met zo'n blik van *Jij bent de reden dat ik op Thanksgiving moet werken*. Jane bedankte hem met een kort knikje en voelde haar ogen even prikken van de kou.

Boven was de hele verdieping in duisternis gehuld. De printers bromden zachtjes in hun slaap. Toen ze de tl-buizen aanknipte, knipperden die even en vulden de gang toen met een zoemend geluid en een vuilgeel schijnsel.

In haar kamer was alles precies zoals ze het had achtergelaten; hoge stapels papier in de plastic bak voor inkomende post in de linkerhoek van haar bureau, gele plakbriefjes kriskras verspreid over de rand van haar beeldscherm. Ze moest van alles doen: iemand terugbellen, de afdelingsbudgetten herzien, het speciale hondenvoer kopen dat de dierenarts had aangeraden. Ze kon er nu niet tegen. Ze zat met één hand onder haar hoofd en het mobieltje nog in de andere, alsof de kleinste beweging de stilte zou verbreken en het kantoor abrupt weer tot leven zou wekken. Het enige wat bewoog was haar bonzende, door adrenaline en cafeïne opgezweepte hart.

Toen de telefoon weer ging, voelde ze zich opgelucht.

Er was maar één ding erger dan met Thanksgiving op kantoor zitten, en dat was op kantoor zitten en niets te doen hebben. Ze was gewend aan de koorddans van het werk. Eén voet voor de andere zetten, weloverwogen, afgemeten bewegen onder druk. Ze mocht alleen niet naar beneden kijken. Want als ze dat deed, zou ze de gapende afgrond onder zich zien, leeg en eenzaam, die haar met huid en haar dreigde te verslinden. Ze kon maar beter in beweging blijven.

'Wat een klotezooi,' baste een stem toen ze opnam.

'Jij ook een fijne Thanksgiving, Ellis,' zei ze.

'Alsjeblieft, Jane. Een fijne Thanksgiving.'

Ellis Stuart. Haar tegenhanger in Washington. Officieel was hij haar superieur, maar ze werkten meestal zij aan zij. Het machtsevenwicht tussen hen, dat altijd al delicaat was, lag nu gevoeliger dan ooit. In januari zou er een nieuwe voorzitter van de Security and Exchange Commission worden benoemd, en Jane had de beste papieren. Ellis was bijna aan zijn pensioen toe. Aangezien hij dus onpartijdig was, was hem gevraagd om de aanstaande president te adviseren bij de benoeming.

Het was Ellis' zwanenzang. Hij had zijn hele carrière bij de sec gezeten, van zijn afstuderen als jurist tot zijn pensioen, of, zoals hij het zelf graag formuleerde, 'van de wieg tot het graf'. Hoewel hij uiteindelijk was beloond met een hoge positie, werd hij door zijn collega's al jarenlang als een fossiel gezien dat je niet meer echt serieus kon nemen. Hoe langer hij bleef, hoe minder geduld het kantoor met hem had. De jongere advocaten begroetten hem als een stuk brood van een dag oud dat niet echt lekker meer was maar dat je ook nog niet met goed fatsoen kon weggooien. Mailen had hij nooit echt onder de knie gekregen; hij stuurde soms epistels rond met spelfouten of helemaal in hoofdletters. Hij maakte af en toe foute grappen. En hij deed al jarenlang geen eigen zaken meer, zodat hij de dagelijkse praktijk van de onderzoeken en rechtszittingen was ontwend. Ooit was Ellis een rijzende ster geweest, gretig en alert en met de mooiste staat van dienst van alle juristen bij de sec. Maar die tijd lag ver achter hem. Alleen de alleroudste collega's herinnerden zich dat nog vaag, en er werd over gesproken als over de oude triomfen van iemand die als student in sport uitblonk.

En nu, in zijn laatste maanden in functie, was Ellis ineens adviseur van de aanstaande president en in staat de toekomst van het kantoor vorm te geven. Iedereen die ook maar een flintertje kans had op promotie kroop voor hem door het stof, en de rest behandelde hem met een grote eerbied. Die veranderde toonzetting ontging hem niet – hij genoot ervan. Hij praatte harder, eiste snellere reacties en deed op vergaderingen van zich spreken. Hij beende zelfverzekerder door de gangen. Vooral tegen Jane sloeg hij een autoritaire toon aan. Hij liet geen gelegenheid voorbijgaan om haar eraan te herinneren dat hij haar prestaties zou evalueren en dat hij het voor het zeggen had tot de dag dat de naam van de nieuwe voorzitter bekend werd gemaakt. Er stond nog niets vast.

Recentelijk was Ellis de koning van de updates geworden. 'Ik wil graag even een update van je,' zei hij dan aan de telefoon, of, nog irritanter: 'Schrik niet, alleen een updatetje!'

'Ik probeer er het beste van te maken,' zei ze. 'Wat moet ik anders?'

'Vertel eens wat er allemaal speelt. Geef me een update.'

Jane haalde diep adem en vocht tegen de aandrang om met de telefoon op haar bureau te gaan timmeren.

'Ellis,' zei ze, 'het is half negen 's ochtends en het is Thanksgiving.'

'Je hebt me zelf gevraagd of ik je wilde bellen. Je hebt gisteravond een bericht ingesproken. Toch?'

Jane zuchtte. Ze had hem inderdaad gebeld, maar ze had niet gevraagd of hij terug wilde bellen. Haar telefoontje was bedoeld geweest om hem vóór te zijn, hem op de hoogte te brengen op een manier die hem het gevoel gaf dat hij helemaal bij was. Ze had gehoopt dat hij dan wel even tevreden zou zijn, althans tot na het weekend.

Maar zo makkelijk liet hij zich niet afschepen.

'Goed,' zei ze. 'Dit weten we tot nu toe: we denken dat Reis een soort piramidespel speelde. We weten niet hoelang al, en ook niet of RCM er ooit wel legale praktijken op na heeft gehouden. We hebben er in 2006 even onderzoek naar gedaan, maar daar is niks uit gekomen. David Levin is een paar maanden geleden aan een informeel onderzoek begonnen, maar dat is niet goed aangepakt. Iedereen in de groep concentreerde zich op de beleggingen van het fonds en heeft het er verder bij laten zitten. Dus nu hebben we echt een probleem, ja.' Ze herhaalde letterlijk wat ze op de voicemail had gezegd, maar dat zou ze de komende dagen nog heel vaak moeten doen. Iedereen zou haar visie op het onderzoek van RCM willen horen: de pers, justitie, haar superieuren, haar medewerkers, haar vrienden. Als ze telkens ieder woord op een goudschaaltje moest wegen, zou dat doodvermoeiend worden. Ze zou het steeds opnieuw vertellen en uiteindelijk zouden de woorden niets meer betekenen. Ze kon de riedel net zo goed nu meteen van buiten leren.

'Je zegt dat ze het erbij hebben laten zitten, maar wie precies? Levin?'

'Ik geloof inderdaad dat David de situatie niet goed heeft ingeschat,' zei ze behoedzaam. 'Hij heeft de urgentie van het onderzoek niet benadrukt, althans niet tegenover mij. Daarom leek het mij het beste hem op de beleggingsafdeling te houden. Wat hij in zijn eigen tijd met RCM deed viel niet onder zijn werkopdracht, en nogmaals, er is onvoldoende gecommuniceerd met de directie.' Ze hoopte dat dat berouwvol maar niet verdedigend klonk.

'Zou hij zelf zeggen dat hij het erbij heeft laten zitten?'

'Hoe bedoel je?'

'David Levin. Als ik het hem vroeg, zou hij dan zeggen dat hij het erbij heeft laten zitten?'

Jane kneep haar ogen dicht. Ze had hoofdpijn. Telkens wanneer ze zich Ellis voor de geest haalde had hij nog die bespottelijke witte snor, hoewel hij die al meer dan een jaar geleden had afgeschoren. Ergens had ze met hem te doen. Hun wegen hadden elkaar hoog in de lucht even gekruist, waarna haar ster bliksemsnel verder was gestegen terwijl de zijne wegleed in kosmische vergetelheid. Hij deed Jane aan een supernova denken, aan de korte, heftige explosie van straling die optreedt vlak voordat de ster helemaal uitdooft.

Maar zijn steun was onmisbaar voor haar promotie en dat wisten ze allebei. Voorlopig was ze nog aan zijn genade overgeleverd.

'Ik weet niet wat hij zou zeggen. Ik weet niet waarom hij er niet meer druk achter heeft gezet. Ik had het gevoel dat hij liever niet wilde dat anderen zich met dat onderzoek bemoeiden. Dat hoort niet, maar je ziet het wel vaker, vooral bij zo'n prestigieuze zaak. Het kan ook zijn dat hij de reikwijdte gewoon heeft onderschat. Hij heeft op dit moment erg veel op zijn bord.'

'Zo te horen zijn jullie nogal onderbezet.'

'Zijn we ook,' zei ze kortaf. 'Maar we proberen er het beste van te maken.'

Ellis gromde. Ze meende te horen dat hij zijn voeten op zijn bureau legde. Ze had hem weleens zo zien zitten, voeten op het bureau, headset op en handen achter zijn hoofd, als een telefonische verkoper.

'Ik denk alleen,' zei hij, 'dat het een hele knullige indruk maakt als iemand van ons die zaak in onderzoek had en alles in een of ander bureaucratisch zwart gat is verdwenen.'

Ze wist wat er nu kwam.

Haar blik stuiterde langs de onderdelen van haar kantoorinrichting: de zakelijke zwarte planken vol mappen met dossiers, de troosteloze stopverfkleurige vloerbedekking, de depressieve ficus in een mand in de hoek. Haar Harvard-rechtenbul hing een beetje scheef, geflankeerd door haar diploma van Harvard College en een foto van een jonge, naïeve Jane naast rechter O'Connor, bij wie ze in 1986 griffier was geweest. De bovenkant van de lijsten was stoffig, net als die van alle andere voorwerpen in het kantoor. De computer stond op haar bureau te zoemen. Outlook haalde gretig ongelezen mails binnen. Het lichtje van haar tweede lijn was al tweemaal aangegaan en naar de voicemail omgeleid. Haar vaste ontbijt – een grote beker zwarte koffie en een kaasbroodje van de broodjeszaak die 24 uur per dag open was – kolkte woest in haar maag.

'Ik weet dat jullie omkomen in het werk,' zei Ellis toeschietelijk. 'Ik zeg niet dat het jouw schuld is. Ik zeg alleen wat voor indruk het maakt.'

'Namelijk dat het mijn schuld is.'

Ellis maakte een sputterend geluid, als de uitlaat van een auto. 'Nee, dat er iemand heeft zitten slapen. Ik denk dat we precies moeten weten wat er is gebeurd voordat de pers op de stoep staat.'

'De pers stáát al op de stoep. Volgens mij hoeven we pas maandag met een officiële verklaring te komen. Ik dacht dat we het daarover eens waren. Ik zal dit weekend een tekst opstellen.'

'Prima. Ik denk alleen... ik denk dat iedereen heel graag iemand de schuld wil geven. Ik heb veel waardering voor je werk, dat is altijd zo geweest. Ik zou niet graag zien dat jij hier het slachtoffer van wordt.'

'Waarom zeg je niet gewoon wat je te zeggen hebt?' snauwde ze. De haartjes op haar armen stonden recht overeind.

'Ho, rustig, Jane. Ik zeg alleen dat je jezelf moet indekken. Wat je de komende paar dagen gaat doen – wat je zegt en wat je doet als reactie op deze hele toestand – is van groot belang. Er zijn een heleboel mensen die het je gunnen dat je hier goed uit komt. We hebben behoefte aan een echte leider. Iemand die de commissie vertrouwen inboezemt. Ik denk dat jij het fantastisch zou doen. Maar je zult er heel duidelijk over moeten zijn dat het niet jouw schuld was dat het RCM-onderzoek zo is verlopen.'

Toen ze had opgehangen, ging Jane naar de toiletruimte en liet koud water over haar polsen stromen. Ze stond met haar ogen dicht en haar handpalmen naar boven, de blauwe adertjes vlak onder de ijskoude straal.

Kom op, even flink zijn, dacht ze.

Die toestand met David Levin greep haar meer aan dan ze had gedacht. Ze had David nooit erg gemogen. Hij had iets met iemand van kantoor en dat zat haar niet lekker. Ze gedroegen zich discreet, dat wel, maar het leidde toch af, henzelf én anderen op kantoor. Bovendien kleedde hij zich te casual. Jane had hem op de gang weleens in spijkerbroek of op versleten Converse-gympen gezien, niet alleen in het weekend maar ook door de week. Hij leek zich daar totaal niet druk om te maken. Jane vond hem te oud voor een reprimande over relaties op het werk of passende kantoorkleding. Hij leek haar slim genoeg om haar stilzwijgende afkeuring op te merken.

Ze dacht aan zijn Converse-gympen terwijl de kou van het water door haar heen trok. Ze dacht aan zijn relatie met Alexa Mason, en aan de keer dat ze hen hand in hand in een bioscoop in de Upper West Side was tegengekomen. Dat was gênant en onaangenaam geweest, vooral voor Jane, omdat zij alleen was.

Toen dacht ze: dit slaat nergens op. David is een goeie advocaat, een van onze beste.

Je hoeft hem niet sympathiek of onsympathiek te vinden om hem te ontslaan.

Je moet hem ontslaan omdat dat nou eenmaal moet.

Ze had al zo veel voor haar carrière opgeofferd. Jaren vol schitterende cijfers, werkweken van negentig uur, gemiste afspraakjes, gemiste etentjes. Jaren van afwerend reageren op vragen wanneer ze nu eens ging trouwen en kinderen krijgen. En, nog erger, de jaren daarna, toen die vragen ophielden omdat het antwoord altijd hetzelfde was. Ze had het voorzitterschap van de sec verdiend. Eindelijk was dat dan binnen handbereik. Ze was bereid alles te doen wat daarvoor nodig was, hoe onaangenaam ook.

David Levin zou hetzelfde doen als de rollen waren omgedraaid, dacht ze. Iedere man zou dat doen. David Levin zou geen moment aarzelen en haar huid verkopen als hij daarmee zijn eigen hachje kon redden.

Ze achtte het niet uitgesloten dat hij dat alsnog zou proberen, als hij het niet al gedaan had. Maar voor hem was het te laat.

Ze draaide de kraan dicht. Ze sloeg de waterdruppels van haar polsen, duwde haar schouders naar achteren en rechtte haar rug. Ze zag haar gezicht in de spiegel. Haar zwarte haar eindigde onder haar oren in een praktische, rechte lijn. Haar jukbeenderen, ooit geprononceerd en elegant, oogden nu vooral broodmager.

Je hebt het verdiend, hield ze zichzelf voor.

Ze glimlachte geforceerd tegen haar spiegelbeeld en dacht aan het telefoontje van de president dat ze zou krijgen als alles was beslist.

Ze had haar zenuwen weer onder controle en liep terug naar haar kamer om David Levin te ontslaan.

DONDERDAG, 9.30 UUR

'Waar denk je aan?' vroeg Merrill terwijl ze de achterklep van de auto dichtgooide. Dat gaf een bevredigende doffe klap, het geluid van een vrij weekend buiten de stad. Ze keek Paul onderzoekend aan met haar handen diep in de zakken van haar anorak. Het was ijskoud in de garage, bijna net zo koud als buiten.

Hij had haar de tassen laten inladen zonder echt te helpen. Dat was niks voor hem. 'Sorry,' zei hij nerveus. Hij gebaarde naar de tassen achterin. 'Ik was ergens anders met mijn gedachten. De koffie slaat nog niet aan.'

Ze glimlachte halfslachtig. Ook zij was moe. 'Geeft niet. Zal ik rijden?'

'Nee,' zei hij, en hij hield het portier aan de bijrijderskant voor haar open. 'Het gaat wel.'

Hij schoof achter het stuur en merkte dat zijn linkerhand trilde. Hij zette de achteruitkijkspiegel goed, controleerde die zoals altijd twee keer en reed toen de garage uit en de straat op. 'Er is iets wat ik met je wil bespreken,' zei hij terwijl hij richting aangaf. Hij draaide 3rd Avenue op. De straat was breed en leeg. 'Er is iets aan de hand op de zaak van je vader.'

Merrill had zich al geïnstalleerd met haar voeten in kleermakerszit onder zich gevouwen. Ze had aan de afstemknop van de radio zitten prutsen, maar hield daar nu mee op. King voelde de stemmingsverandering, ging overeind zitten en spitste zijn oren.

'Kom maar hier, lieverd,' zei ze, en ze tilde de hond van de achterbank op haar schoot.

Paul haalde diep adem. 'Ik heb gisteren ontdekt dat de sec een onderzoek had ingesteld naar Morty. Op het moment dat hij stierf, stond hij op het punt om in staat van beschuldiging te worden gesteld. Het lijkt erop dat wij allemaal – of althans de directie – ook onderwerp van dat onderzoek zijn.'

Merrills ogen werden groter. Ze legde haar hand op zijn hand en haar vingers verstrengelden zich vertrouwelijk met de zijne.

'Oké. Vertel alles maar.'

Terwijl hij praatte, ontvouwde de stad zich als een bordkartonnen decor tegen de witte winterlucht. Ze reden langs 96th Street, en de flats met portierswoningen maakten plaats voor kruideniers en tankstations, en daarna voor huurkazernes. Ze stopten voor een rood stoplicht. Drie puberjongens liepen voor de auto langs en Paul viel stil. Er gingen de laatste tijd verhalen over auto-overvallen en berovingen aan de randen van de stad. De criminaliteit nam toe. Een van de jongens had een basketbal onder zijn arm. Hij was de grootste van de drie. Hij maakte door de voorruit oogcontact met Paul en streek met zijn hand over de voorkant van hun auto. Het duurde maar een seconde, maar Merrill haalde haar hand stilletjes van Pauls knie om te controleren of het portier wel op slot zat.

Toen het licht op groen sprong, gaf Paul gas en had verder tot de Franklin D. Roosevelt Drive een groene golf. Zodra ze weer reden, ging Paul door met zijn verhaal. Hij praatte snel, vertelde Merrill van de ontmoeting met Alexa en het telefoongesprek met David Levin. Hij voelde dat haar hand er niet meer lag, maar hij wist dat hij door moest gaan als hij zijn verhaal wilde afmaken zonder de draad helemaal kwijt te raken. Ze vergaten allebei de jongen met de basketbal. Na een poos werd de toonhoogte van het geluid van de banden hoger toen de auto van de betonnen snelweg de hangbrug over de rivier op reed.

Ze passeerden het naambord van Long Island. Vroeger betekende dat altijd een weekend op het strand, appels plukken of golfen op een frisse zondagmorgen. Paul was voor zijn gevoel een hele tijd aan het woord en Merrill luisterde. Hij sprak kalm en efficiënt en probeerde niets te verbloemen. Ze was tenslotte juriste. Ze zou alleen de feiten willen horen. Maar toen hij aan de gesprekken met David Levin toe was, aarzelde hij. Hij wilde vergoelijken wat hij had gedaan.

'Het was niet mijn bedoeling hem voor te liegen,' zei hij, en hij beet hard op zijn onderlip. 'Ik wilde gewoon dat hij erover ophield. Niet omdat ik dacht dat er iets te verbergen viel. Maar iedereen had het zo druk...' Zijn stem stierf weg.

Merrill sloeg haar hand voor haar mond en begon te huilen. King legde zijn poten op haar schouders en probeerde de tranen van haar wangen te likken.

'Niet doen, King,' zei ze. Haar stem klonk schor. Ze duwde de hond ruw terug op de achterbank. 'Ophouden.'

Ze maakte de veiligheidsgordel los en trok haar voeten onder zich. Haar schoenen lagen op de grond en sloegen tegen elkaar toen ze door een kuil in de weg reden.

'Vraag wat je wilt weten,' zei hij. 'Alsjeblieft.'

'Gisteren heb je Alexa gesproken zonder iets tegen mij te zeggen.' Ze hoestte hevig.

'Ja. Ik weet dat dat gecompliceerd ligt. Maar ze wil alleen maar helpen.' Paul tastte naar haar hand, maar vond die niet.

'Wie wil ze helpen?' vroeg Merrill. Ze praatte hard en Paul kromp in elkaar. King blafte; hij vond het naar als ze ruzie maakten. 'Jou? Ze komt bij je met dat gelul over handel met voorkennis of wat het ook maar is, wat ze trouwens niet eens zeker weet omdat zij niet degene is die dat kutonderzoek uitvoert, en wat zegt ze nu helemaal? Dat mijn vader niet deugt en dat jij als informant voor de sec moet gaan werken? Dat zíj je wel zullen redden? En jij gelooft dat zij je wil helpen?'

King liep zenuwachtig heen en weer over de achterbank. Paul hoorde het geluid van zijn poten op het leer in een poging om op eigen kracht de sprong naar voren te wagen. Merrill negeerde de hond, die nu begon te blaffen. Even dacht Paul dat hij maar beter ergens kon stoppen. Het idee om dit gesprek in de auto te voeren kwam hem ineens bespottelijk voor. Hij kon haar niet eens recht aankijken. Het zou nog een uur duren voordat ze in East Hampton waren. Maar het verkeer op de rechterrijstrook was druk en er was niet echt een berm. De enige mogelijkheid was doorrijden, rechtuit en zo hard als hij kon.

'Ik weet dat het wel wat veel is allemaal,' zei hij zo kalm mogelijk. 'Voor mij ook.'

'Ja, nogal.' Merrill zweeg en staarde uit het raam. Ze zei niets meer, maar er stroomden nog steeds tranen over haar wangen. Ze veegde ze af en maakte een snuffend geluid. Ze rommelde in haar tas en zei: 'Verdomme, geen zakdoekjes meer. Oké, vergeet wat Alexa heeft gezegd. Heb jij redenen om aan te nemen dat Morty iets verkeerds heeft gedaan?'

Paul aarzelde. 'Het is allemaal heel verdacht. De performance is statistisch perfect. En er is nog meer, onweerlegbare dingen die niet te rijmen zijn. We mogen bijvoorbeeld niet online naar hun boekhouding kijken. Ze sturen transactieoverzichten per post, van die uitgeprinte overzichten waar niks uit af te leiden valt.'

'Hoe bedoel je, uitgeprinte overzichten?'

'Lijsten met alles waar ze in hebben gehandeld. Maar het komt rechtstreeks van hen. En ze hebben geen externe effectenmakelaar, dus we kunnen de transacties niet controleren aan de hand van de boeken van een derde. Het komt erop neer dat we helemaal afhankelijk zijn van de informatie die zij verstrekken, en die heeft niet veel om het lijf.'

'Zoiets heb ik nog nooit gehoord.'

'Ik ook niet. Niemand anders werkt zo. Eerlijk gezegd denk ik ook dat we dat van niemand anders zouden accepteren, maar RCM heeft bij Delphic altijd een soort bevoorrechte positie gehad.'

'Dus je hebt geen idee waar ze in handelen, op welke manier en met wie.'

'Daar lijkt het op, ja.'

Ze deed haar ogen dicht en schudde haar hoofd. 'De jurist in mij vindt het gruwelijk om dit soort dingen te horen.'

'Geloof me, de jurist in mij is er ook niet bepaald blij mee. Ik bedoel, jezus. Het is onze taak om die fondsen grondig door te lichten voordat we het geld van onze klanten erin stoppen. We horen alles te weten van alle fondsen waarin we beleggen.'

Paul vond het een vreselijk gesprek, maar Merrill leek wat te kalmeren nu ze het over de technische details hadden en dat gaf hem moed. In een crisissituatie was ze altijd heel nuchter, ze richtte zich op wat op een logische manier kon worden opgelost en liet zich niet meeslepen door haar emoties. Paul had al tijdens de studie geweten dat ze een geweldige juriste zou worden. Ze zou op den duur zeker partner kunnen worden als ze dat wilde.

'Je zei dat de performance statistisch perfect was – wat betekent dat?'

Paul wees naar de achterbank zonder zijn blik van de weg af te wenden. 'Pak die mappen maar even, en kijk in de bovenste. Daar zie je de performance. Zie je wat ik bedoel? Het is een perfecte curve.'

Het werd stil in de auto. De afritten lagen steeds verder uit elkaar. Ze waren de voorsteden voorbij, Glen Cove, Jericho, Syosset en Huntington, aan elkaar geregen als aan een laaghangende waslijn. Het lokale verkeer op de snelweg werd minder. Ze waren bijna bij afrit 70, waar ze anders altijd tankten en frisdrank kochten bij de 7-Eleven. Paul omklemde het stuur en reed door.

Merrill bestudeerde de inhoud van de mappen aandachtig, met een rimpel in haar voorhoofd. Paul weerstond de neiging haar vragen te stellen. De enige geluiden waren het pulserende *doeng-ka-doeng-kadoeng* van het wegdek van de snelweg onder de wielen en het zachte gezoem van de verwarming.

Na een poos keek ze op en zei: 'Het is geen handel met voorkennis, hè? Of wel?'

Slimme meid, dacht hij. 'Dat denk ik niet, nee.'

'Juist. Met voorkennis zou hun performance verbeteren, maar er zou nog steeds variatie in de resultaten zitten. Niemand maakt elk kwartaal precies evenveel winst.' Ze schudde haar hoofd en dacht aan Elsa Gerard. 'Ik snap alleen niet hoe ze dit voor elkaar hebben gekregen.'

'Volgens mij hébben ze het helemaal niet voor elkaar gekregen. Het is nep. Snap je dat niet? Dat moet wel. Ze investeerden het geld helemaal niet. En ik denk dat ik een manier weet om dat te bewijzen. De sec heeft nog niet alles op een rijtje, maar daar beschikken ze ook niet over alle informatie die ik heb.'

'Je denkt dat het een piramidespel is?'

'Ik weet dat het krankzinnig klinkt. Het is een fonds waarin miljarden omgaan. Fraude op zo'n gigantische schaal lijkt onvoorstelbaar. Dat dacht ik gisteren ook de hele dag.'

'En die transactieoverzichten? Je zei toch dat Alain daar stapels van heeft liggen? Hebben ze die allemaal uit hun duim gezogen? Dat is waanzinnig.'

'Kijk eens in de tweede map. Daar zit één transactieoverzicht in, helemaal onderop. Pak dat eens. Zie je het?'

'Ja, hier heb ik het. Oké, ik heb nog nooit zo'n overzicht gezien, dus ik weet niet waar ik op moet letten. Het is gewoon een lijst met transacties... o! Eenentwintig maart. Mijn verjaardag.'

'Precies, jouw verjaardag, afgelopen voorjaar. Die viel op Goede Vrijdag, weet je nog? We zijn een lang weekend naar dat hotelletje in Connecticut geweest om het te vieren. En we hadden een dag vrij genomen omdat de beurzen gesloten waren en we dachten dat er toch niet veel te doen zou zijn; ik weet het nog precies. Ik werkte nog bij Howary. We zijn die vrijdagmorgen vertrokken, dat weet ik zeker.'

'Juist, dus...' begon ze. Toen viel het kwartje. 'O god, je hebt gelijk. De beurs was gesloten.'

'Juist. Dus deze transacties kunnen onmogelijk op die dag hebben plaatsgevonden.'

'Denk je dat het een vergissing is? Dat het per ongeluk verkeerd gedateerd is of zo?'

'Denk jij dat?'

Merrill dacht even na. 'Nee,' zei ze. 'Nee, dat lijkt me niet waarschijnlijk.'

Ze zwegen een poosje. Toen ze weer wat zei, haperde haar stem. 'Ze denken dat papa ervan wist. Of dat hij hier op de een of andere manier bij betrokken is.'

'Volgens mij denken ze dat, ja. En van mij denken ze dat ook.'

'Denk jij dat hij het wist? Papa, bedoel ik. Alain moet het haast wel geweten hebben.'

'Nee,' zei Paul. Even was hij dankbaar dat hij die vraag eerlijk kon beantwoorden.

Hij had er uiteraard over nagedacht. Carter en Morty waren zo goed bevriend geweest en hadden zo veel jaar samengewerkt dat hij had gedacht: hij móést het toch haast wel hebben geweten? Maar Paul kende Carter. Hij had zijn leven lang voor zijn gezin gezorgd. Het spel dat Morty had gespeeld was zo onberekenbaar en risicovol dat geen verstandige belegger erin zou meegaan. De risico's waren simpelweg groter dan de winst. Waarom zou Carter zijn hele leven op zulke slappe grond bouwen? Dat sloeg nergens op.

'Jouw vader is een tussenpersoon, Merrill. Hij is al heel lang niet meer betrokken bij de beleggingskant van het bedrijf. Alain is degene die het had moeten zien. Eerlijk gezegd lijkt het me uitgesloten dat hij het níét heeft gezien. De enige fout van je vader is dat hij de verkeerde mensen heeft vertrouwd.'

'Hij zou zoiets niet eens kunnen. Heb je dat tegen ze gezegd? Mijn vader is zo fatsoenlijk. Hij werkt nu alleen nog omdat hij het leuk vindt, niet omdat het moet. Hij zou zijn vingers nooit aan zoiets branden.'

'Weet ik. Maar het is mogelijk dat zij er anders tegenaan kijken. Of misschien doet het er helemaal niet toe. Feit is dat áls er onoorbare dingen zijn gebeurd bij RCM, Delphic dat had moeten signaleren. Dat zijn we aan onze klanten verplicht. Als het een piramidespel is, hebben we het over verliezen van miljoenen dollars, van andermans geld.' Terwijl hij het zei, trok hij in een reflex een grimmig gezicht. 'Hónderden miljoenen.'

'En als je met hen samenwerkt, wat dan?' Merrills kaaklijn verstrakte. Het was een vraag, begreep hij, geen mogelijkheid die ze wilde opperen.

'Dat weet ik niet. Ik denk dat ik hun dan interne documenten moet bezorgen – memo's, e-mails, voicemails, dat soort dingen. Om hen te helpen bewijsmateriaal tegen RCM te verzamelen, maar ook tegen Alain en andere leden van het Delphic-team, wegens falende controle.' Paul zweeg even en overwoog wat ze zou vinden van het idee van een verborgen microfoon. Het had geen enkele zin haar dat te vertellen, besloot hij. Dat mocht trouwens ook niet. Levin had hem ervoor gewaarschuwd; Merrill zou het aan haar vader kunnen doorvertellen om hem te beschermen.

Over dat deel van de deal voelde Paul zich het ongemakkelijkst. Het doorspelen van mails en documenten was passieve medewerking. Maar het dragen van een verborgen microfoon voelde als een vertrouwensbreuk. Het had iets geniepigs, vergelijkbaar met hulp van binnenuit bij een bankoverval. Paul wist niet zeker of hij daartoe in staat was, zelfs niet bij iemand als Alain, die de rest van het bedrijf had verraden, daar was hij van overtuigd. Bovendien was er de verontrustende mogelijkheid dat iemand anders dan Alain onbedoeld bij de zaak betrokken zou kunnen raken. Een achteloze opmerking die was vastgelegd kon, uit zijn verband gerukt, fataal zijn. 'Als ze niks te verbergen hebben, maakt het toch niks uit?' zei Levin. Maar ze wisten allebei dat het niet zo simpel lag.

'Het is mogelijk dat ze hem ook strafrechtelijk zullen vervolgen. Dat zijn ze wel van plan.'

Haar gezicht verkreukelde als een gebruikte tissue. 'Waarvoor dan?' jammerde ze. 'Waarom overkomt dit ons?'

'Dat weet ik niet, Mer. Echt niet.'

'Je mag niet met ze samenwerken. Absoluut niet. Alles wat je ze geeft, zullen ze tegen papa gebruiken. Ze willen hem te grazen nemen, snap je dat niet? Ze hebben het op hem voorzien.'

Hij haalde opgelucht adem toen hij voelde dat ze haar kleine hand met de zijne verstrengelde. Ze trok zijn hand van het stuur en kuste hem, drukte haar zachte lippen stevig tegen zijn handpalm. 'Je moet je verzetten,' zei ze met ferme, vastberaden stem. 'Je mag hen niet helpen. Wij als familie moeten een gesloten front vormen. Als je hun iets toespeelt, maken ze ons kapot.'

Hij wist dat ze gelijk had. Als hij meewerkte, zou dat het einde van de Darlings betekenen. Dat stond vast. De vraag, de afschuwelijke en ondoorzichtige vraag, was wat er zou gebeuren als hij het niet deed.

Donderdag, 9.57 uur

Er waren dagen dat Duncans hand al op de telefoon lag om zijn vriend die makelaar was bij Sotheby's te bellen en te zeggen: 'Oké, ik ben er helemaal klaar mee. Gooi mijn appartement maar in de verkoop en zoek een huisje in Connecticut voor me waar ik me kan terugtrekken.' De laatste tijd was een kleine aanleiding vaak al voldoende: een taxirit waarvan hij misselijk werd, een martini van veertien dollar. De dingen die hem vroeger nieuwe energie gaven, maakten hem nu doodmoe. De reclameborden in de buurt van zijn kantoor waren te fel en de gesprekken in restaurants te luid. 5th Avenue was vergeven van de toeristen uit Iowa. En sinds afgelopen zomer was de hele stad verzadigd van het slechte economische nieuws. Vrienden raakten hun baan kwijt, restaurants moesten sluiten en alles, álles was in de uitverkoop.

Zevenentwintig jaar lang was Duncan zijn eiland vol wolkenkrabbers onvoorwaardelijk trouw geweest. Hij had zijn vrienden in Londen, Los Angeles en zelfs Brooklyn talloze malen bezworen dat hij alleen in een vurenhouten kist uit Manhattan weg zou gaan. Maar de laatste tijd kon hij het gevoel niet van zich afzetten dat zijn rotsvaste eiland langzaam onder hem wegzonk.

Sinds afgelopen maandag voelde hij zich nog beroerder dan anders. Hij was wakker geworden met een akelig voorgevoel en het was tot hem doorgedrongen dat het bijna Thanksgiving was. Hij had geen enkele actie ondernomen, waarschijnlijk omdat hij ergens onbewust had gehoopt dat het gewoon niet zover zou komen. Dat was natuurlijk onvolwassen en onverantwoordelijk, en nu zat hij ermee.

Hij belde Marcus, omdat hij niet wist wat hij anders moest doen. Dat had hij de laatste tijd vaak gedaan, Marcus gebeld, over kleine alledaagse kwesties als tafelschikkingen of de vraag of hij een iPhone moest kopen. Marcus was op dit moment zijn stabielste vriend. Dat was in zekere zin bij gebrek aan beter; historisch gezien was Daniel Duncans stabielste vriend. Maar Daniel en zijn vrouw Marcia waren het afgelopen half jaar allebei ontslagen en Marcia was ergens in juli per ongeluk zwanger geraakt. Daarom leek het Duncan, althans voorlopig, het best om maar op Marcus te vertrouwen.

'Je lijkt Chicken Little wel,' riep Marcus boven het geraas van een boor uit. Duncan zag hem voor zich zoals hij daar stond, midden in zijn luxeappartement in Tribeca, met zijn BlackBerry tegen zijn ene oor gedrukt en een hand over het andere om te kunnen verstaan wat Duncan zei. 'Zelfs je column maakt de laatste tijd een vaag alarmistische indruk. Als ik niet beter wist, zou ik denken dat je faillissementsadvocaat was.'

'Was het maar waar,' mompelde Duncan. Hij liep naar zijn werk, want hij had zichzelf beloofd alleen een taxi te nemen als hij bijna te laat was of als het erg guur weer was.

'Wat zei je?' riep Marcus. 'Sorry, de aannemer legt net de laatste hand aan de renovatie van mijn badkamer. We lopen al twee weken achter op het schema. Wat een nachtmerrie is zo'n verbouwing altijd, hè?'

'Neu.'

'Ik versta je niet.'

'Niks.'

Het boren hield op en Marcus zei: 'Hé, maak je nou maar geen zorgen over Thanksgiving. Bestel wat bij Citarella, Pieter en ik zorgen voor de wijn, en Leonard is verdorie patissier, dus ik vraag hem wel of hij voor het toetje wil zorgen. We zullen allemaal vroeg komen en je helpen met tafeldekken. Oké? Het wordt allemaal heel eenvoudig, dat beloof ik je. Net als vroeger bij moeder thuis, alleen nu met uitsluitend goedgeklede mannen.'

'Goedgekleed, jawel. Thanksgiving in Chelsea.' Op de hoek van 23rd Street en 8th Avenue stond een stel van in de twintig verzonken in een omhelzing die hem voor tien uur 's morgens nogal overdreven leek. Hun monden verslonden elkaar tot het licht op groen sprong. Duncan keek woedend hun kant uit en wendde zijn blik toen af; hij proefde een vieze smaak in zijn mond, een mengeling van bitterheid en eenzaamheid. 'Ik wil dat Marcia en Daniel ook komen,' zei hij. 'Heb jij ze nog gesproken?'

'Ze gaan misschien wel de stad uit naar Daniels familie, schat.'

Duncan zuchtte. Hij had geen idee waarom het hem ineens zo stoorde dat al zijn vrienden gay waren. 'Ik wil gewoon niet dat mijn nichtje de enige vrouw aan tafel is. Ik wil niet dat ze zich opgelaten voelt.'

'Ze weet dat je gay bent, Duncan. Het is niet *La cage aux folles*.'

'Ik wéét dat ze weet dat ik gay ben.'

'Waarom maak je je er dan druk om dat ze de enige vrouw is? Dat vindt ze helemaal niet erg. Wij zullen haar allemaal onze onverdeelde aandacht schenken.'

'Dat weet ik. Ik wil al een hele tijd dolgraag dat jij en Pieter haar ontmoeten. Ze is aanbiddelijk, dat zul je zien. Totaal anders dan haar geschifte moeder.'

'Haar moeder is jouw zus.'

'Precies. Heb je nu niet met haar te doen?'

'Heeft ze iemand?'

'Dat weet ik niet. Ik geloof dat ze het net met iemand heeft uitgemaakt; ze klonk een beetje somber toen ik haar sprak. De Sanders zijn allemaal voorbestemd om alleen oud te worden.'

'Hou eens op met Henry zo te missen.'

'Ik kan er niks aan doen.'

'Het wordt heel gezellig donderdag. Pieter en ik zijn er om een uur of elf en we nemen drank mee.'

'Heb je met hem gepraat?'

'Met wie, met Pieter? Of met Henry? Nee, natuurlijk niet. Jij ook niet, hoop ik.'

'Nee. Ik weet niet eens waar hij woont.'

'Des te beter. Ik moet nu ophangen. Bel Citarella en bestel een kalkoen.'

Donderdagochtend, drie minuten voor tien – precies op tijd. Godzijdank, dacht Duncan toen hij tijdens het lezen van de ochtendkrant werd onderbroken door het dringende gezoem van de bel bij de dienstingang. Hoe zwaar de feestdagen in Manhattan ook waren, je kon in ieder geval alles laten bezorgen. Hij had zijn zachte pantoffels nog aan en had nog nauwelijks iets gedaan behalve koffie zetten.

Ooit, lang geleden, had Duncan heel behoorlijk gekookt. Toen hij eind dertig was had hij een tijdlang vaak mensen te eten gehad, en hij had ontdekt dat het veel goedkoper was om zelf te koken dan om alles te laten komen. Hij had een cursus 'De finesses van het koken' gevolgd op het Institute of Culinary Education aan 23rd Street. Dat vond hij zo leuk dat hij even had overwogen aan een echte opleiding te beginnen. In plaats daarvan stelde hij zich tevreden met het volgen van zo veel mogelijk weekend- en avondcursussen: 'De Toscaanse keuken voor beginners', 'Werken met messen' I en II, 'De Franse bistro', 'Ambachtelijk broodbakken'. Bij die laatste cursus had hij Leonard leren kennen, patissier en docent aan het Institute of Culinary Education, en Leonard was degene die hem aan Henry had voorgesteld.

Henry was investeringsbankier bij Morgan Stanley. Hij stamde uit een familie met oud geld en had op Exeter en Princeton gezeten. Hij was bleek en mager en droeg maatpakken en brillen met kleine ronde glazen. Zijn voornaamste interesses waren de valutamarkt en de enigszins obscure sport *real tennis*. Kortom, totaal niet Duncans type. Hun eerste afspraakje was geen succes. Henry was twintig minuten te laat en keek de hele tijd op zijn BlackBerry, en

Duncan was herstellende van een allergische aandoening waardoor zijn wangen als ballonnen waren opgezwollen. Ze hadden afscheid genomen na een snelle maaltijd zonder dessert. Duncan had op weg naar het dichtstbijzijnde metrostation Leonard gebeld om over zijn zwelling te klagen en hem te vragen tegen Henry te zeggen dat die door een allergische reactie kwam en dat hij in zijn gewone doen heel knap was, ook al was hij niet van plan Henry een tweede keer te ontmoeten.

'Ik zal het zeggen, maar wat kan het je in godsnaam schelen?' zei Leonard. 'Je zegt dat je niet in hem geïnteresseerd bent. Jullie komen niet in dezelfde kringen. Je ziet hem waarschijnlijk nooit meer.'

Drie weken later liepen Duncan en Henry elkaar tegen het lijf toen ze allebei hun hand uitstrekten naar de vijgenjam bij Murray's Cheeses aan Bleecker Street. Na een paar minuten ietwat opgelaten te hebben gebabbeld ontdekten ze dat ze onderweg waren naar hetzelfde etentje en allebei opdracht hadden gekregen iets anders mee te nemen dan wijn. Door dat toeval was het ijs tussen hen in één klap gebroken. Plotseling was de sfeer hartelijk en wat flirterig, en ze besloten gezamenlijk manchego, vijgenjam en Marcona-amandelen te kopen. Het viel Henry op hoe aantrekkelijk Duncan was zonder die zwelling, en Duncan vond dat Henry lang niet zo'n stijve hark was als hij eerst had gedacht.

Een jaar later verruilden ze Duncans tweekamerappartementje aan London Terrace Gardens voor een driekamerappartement een verdieping hoger. Duncan werd hoofdredacteur van *Press* en Henry werd gepromoveerd tot bedrijfsleider bij Morgan Stanley. Ze huurden voor de maand augustus een huis in Sag Harbor, adopteerden twee Jack Russell-terriërs, die ze Jack en Russell noemden, en stuurden kerstkaarten met als afzender 'de familie Sander-Smith'. In de loop der jaren volgden ze verscheidene cursussen aan het Institute of Culinary Education ('Romantisch sushi maken', 'Zondagse soupers', 'Kazen en wijnen kiezen') en ter gelegenheid van Duncans vijfenveertigste verjaardag maakten ze een culinaire reis door Toscane. En toen, kort na Duncans zevenenveertigste verjaardag, verhuisde Henry naar Londen – alleen.

Dit was Duncans derde Thanksgiving zonder Henry, maar het was de eerste keer dat hij helemáál alleen was. Na Henry's vertrek was er een stoet steeds jongere mannen voorbijgetrokken, stuk voor stuk aantrekkelijker en minder interessant dan hun voorgangers. Niemand kon Henry vervangen, en dat was ook helemaal niet Duncans bedoeling. Ze zorgden ervoor dat Duncan bleef watertrappen in een periode waarin zijn vrienden zich bezorgd afvroegen of hij niet in zijn eigen ellende zou verdrinken. En een hele tijd was dat genoeg.

Duncan ontdekte al snel dat er geen gebrek was aan jonge schrijvers, kunstenaars en ontwerpers die kwijlden bij de kans om rond te paraderen aan de arm van de hoofdredacteur van *Press*. Hij kon de een zo voor de ander inruilen of zich met meerdere van die jongens tegelijk vermaken, en hoe hufterig hij zich ook gedroeg, hij leek er altijd mee weg te komen, want hij wist dat zij hem net zo goed gebruikten als hij hen. Hij vond die relaties wel iets weg hebben van cocaïne, zijn zelfverkozen jeugdzonde. Eerst voelde hij zich opgetogen en machtig, vervolgens paranoïde en ten slotte misselijkmakend leeg. En daarom stopte hij er ook van de ene dag op de andere mee – cold turkey, net als destijds met de coke.

Terwijl Duncan de tafel voor zeven personen dekte, herinnerde hij zich de toost die hij in mei, op het feestje voor zijn vijftigste verjaardag, had uitgebracht: 'Als je vrienden hebt, ben je nooit alleen.' Op dat moment geloofde hij ook min of meer dat dat waar was. Er waren vijftig gasten geweest op zijn vijftigste verjaardag (een elegante synchroniciteit, vond hij) en ze hadden allemaal het glas geheven en glimlachend geknikt toen hij die uitspraak deed. Hij had voor de gelegenheid Le Bilboquet afgehuurd, een Franse bistro aan de Upper East Side. Al zijn gasten pasten er nauwelijks in. Ze zaten dicht op elkaar, schouder aan schouder, hun onderarmen streken langs elkaar in een aangename intimiteit en het hele restaurant gloeide van het gezelschap en de wijn. Duncan ging die avond naar bed met het gevoel dat de avond een groot succes was geweest.

De volgende ochtend was hij alleen wakker geworden, en hij had de foto's doorgekeken en zich zwaar depressief gevoeld. Het drong tot hem door dat bijna alle gasten collega's van het werk waren geweest, vaak mensen met wie hij direct samenwerkte, mensen wier beroepsleven op de een of andere manier verweven was met het zijne. Duncans werk bracht uiteraard met zich mee dat hij veel mensen kende. Hij kende leden van de high society, modeontwerpers, *social entrepreneurs* en politici. Goed gezelschap bij een etentje. Maar hoewel ze op zijn verjaardag kwamen en hem soms ook op de hunne uitnodigden, werd het hem in het felle, katerige zondagochtendlicht duidelijk dat er bijna geen echte vrienden bij zaten.

Daniel en Marcia waren hem natuurlijk altijd hondstrouw geweest, hoewel ze zich, nu zij zwanger was (eindelijk, op haar eenenveertigste) en hij zijn baan was kwijtgeraakt (behoorlijk ingrijpend op je zesenveertigste), met z'n tweeën een beetje uit de wereld hadden teruggetrokken. Dan was er Marcus, zijn kamergenoot van Duke University, en Pieter, al sinds vele jaren Marcus' partner; van die twee kon je op aan. En Leonard uiteraard, die onvoorwaardelijk Duncans kant had gekozen toen Henry opstapte; hij was het soort vriend dat om vier uur 's nachts op het politiebureau je borgsom kwam betalen zonder vragen te stellen. Duncan sprak zijn moeder eenmaal per jaar met Kerstmis en zijn zus zo weinig mogelijk. Hij wist niet van neven, nichten, ooms en tantes, al vermoedde hij dat er in North Carolina wel een paar rondliepen. Zijn vader was dood, waar hij niet rouwig om was.

Duncan had nooit veel met kinderen opgehad. Hij werd zelfs zenuwachtig van ze. Ieder vaderlijk instinct werd snel de kop ingedrukt door zijn hevige afkeer van rotzooi en zijn schichtigheid voor willekeurige, onvoorspelbare bewegingen. Duncan had al zijn hele leven lang last van angsten en had gemerkt dat hij zich het meest op zijn gemak voelde in een sobere, lichte omgeving. Thuis en op zijn werk was beige de overheersende tint. Het meubilair was minimaal, met strakke lijnen en scherpe randen, en de ramen kwamen uit op een groot balkon met uitzicht over de Hudson. Beslist ongeschikt voor kinderen.

Op de mooiste dagen stroomde het licht zijn appartement binnen en bleef de muziek zacht en troostend, Nina Simone misschien, of Ella Fitzgerald. Iedereen die ooit met Duncan had samengewoond of bij hem thuis te gast was geweest, moest zijn schoenen bij de deur uitdoen, zachtjes spreken en boeken altijd op hun vaste plaats in de kast terugzetten. De honden waren opvallend welopgevoed. Henry had ze uiteraard meegenomen, samen met de stoelen uit Barcelona, de litho van Frank Stella en, het allerergste, de set van zes Le Creuset-pannen die ze samen hadden gekocht aan het slot van hun culinaire avontuur in Italië.

Mensen met kinderen werden zelden of nooit uitgenodigd. Als gevolg daarvan leerde Duncan zijn nichtje pas kennen toen ze al volwassen was. Dat had nog meer redenen, die meer ter zake deden maar lastiger te verteren waren. Zijn zus Roxanne was een moeilijk mens en keurde Duncans seksuele geaardheid al van jongs af aan af. Hij was op de dag na zijn achttiende verjaardag uit North Carolina vertrokken en er nooit meer teruggekeerd. In New York kreeg hij af en toe een telefoontje of verjaardagskaart van zijn zus, en hij bewees haar, en later ook haar dochter, dezelfde attenties.

Die situatie was voor beide partijen werkbaar – tot die kristalheldere dinsdagochtend in september. Duncan zat op zijn balkon te genieten van een kop koffie uit zijn nieuwe Franse cafetière. Henry was de honden aan het uitlaten. Duncan had eigenlijk al op zijn werk moeten zijn, maar hij genoot met volle teugen; de lucht was fris en de hemel fel azuurblauw. Omdat hij in een boek verdiept was – hij wist nog dat het *De vierde hand* van John Irving was, hij vond het niet zo bijzonder maar het stond destijds op de bestsellerlijst – zag hij niet dat het eerste vliegtuig in de noordelijke toren van het World Trade Center vloog. Het daverende, nagalmende geluid sloeg keihard tegen zijn hoofd en weerkaatste door zijn borstholte als een instortende mijn. Hij stond op en zag een muur van zwart stof omhoog warrelen. Pas negentien minuten later, toen Henry de voordeur binnen kwam stormen met de hysterische honden als zakken wasgoed onder zijn armen, besefte Duncan dat ze waarschijnlijk iemand kenden die dood was.

Alexa was inmiddels volwassen. Ze was net als jurist afgestudeerd aan Harvard en reisde door Europa toen haar vader omkwam. Na een paar uur, toen een deel van de telefoonlijnen weer werkte, had Roxanne eindelijk Duncan aan de lijn gekregen. Michael, haar man, had in American Airlines-vlucht 11 van Boston naar Los Angeles gezeten. Michael reisde voor zijn werk, de reis was last minute geboekt en hij had L.A. pas één dag tevoren aan zijn reisschema toegevoegd; er was een kleine kans dat hij niet in het vliegtuig zat, maar nog veilig in Boston was. Ze waren niet in staat over de mogelijke grotere gevolgen te praten en concentreerden zich op de vraag hoe ze Alexa naar huis konden krijgen. Het duurde uren voordat ze haar überhaupt konden bereiken, want de centrales in New York waren overbezet en Alexa zat in Praag en had geen mobieltje waarmee ze internationaal kon bellen. Het lukte Henry als eerste haar te bereiken door zijn secretaresse naar haar hotel te laten bellen via een open lijn bij Morgan Stanley. Alexa kwam opgewekt aan het toestel, nog onwetend van de radicale verandering van de wereld, en zeker ook háár wereld.

Omdat haar moeder niet in staat was iets te zeggen, was Duncan degene die het haar moest vertellen.

'Je vader, Alexa... er is iets gebeurd,' zei hij, en van de rest van het gesprek herinnerde hij zich alleen nog vage flarden.

Duncan wist nog dat hij in de keuken stond, de koffiedrab uit de cafetière door de gootsteen spoelde en dacht: toen ik deze koffie zette, was de wereld nog heel.

In het begin zeiden Duncan en Roxanne tegen Alexa dat haar vader misschien in de kelder van de toren zat. Dat hielden ze zichzelf ook voor. Het was een fabeltje dat de mensen nog bijna een week lang vertelden, als een verhaaltje voor het slapengaan of een sprookje. Niemand wist waar die informatie oorspronkelijk vandaan was gekomen. Die eerste dagen werd er informatie doorgegeven via het nieuws, websites en buren, de woorden stuiterden rond als biljartballen en verloren bij elke keer doorvertellen een beetje snelheid. Maar het voelde als heiligschennis om iets anders te zeggen.

Daarna had Duncan geprobeerd er meer voor Alexa te zijn. Hij ging af en toe iets met haar drinken of ontbeet met haar in een broodjeszaak in de buurt van het advocatenkantoor waar ze werkte. Hij merkte dat hij haar aardig vond, niet als nichtje maar als mens. En al snel besefte hij dat hij net zo naar hun ontmoetingen uitkeek als naar eetafspraken met zijn beste vrienden. Ze was bijzonder slim en altijd opgewekt. Ze hield van pure chocola, ze was gevatter dan enige andere zuiderling die hij ooit had gekend, ze las de *New Yorker* van A tot Z en stuurde haar vrienden naar Griekse restaurants in Astoria en Russische theaterrestaurants in Brighton Beach. En tot overmaat van ramp leek ze op Duncan. Ze had dezelfde ronde, fonkelende ogen als hij en haar haar was zo zwart dat het bijna blauw leek. In restaurants zagen ze haar voor zijn dochter aan.

'Bespaar me alsjeblieft je narcisme!' kreunde Henry als Duncan thuiskwam na een bezoek aan Alexa en ademloos haar deugden opsomde. 'Je houdt alleen maar van haar omdat ze precies op jou lijkt!' Duncan begreep eindelijk hoe het moest voelen om kinderen te willen.

Waar, o waar moest hij haar neerzetten?

Na een innerlijke strijd en diverse herschikkingen van de naamkaartjes met zilveren randjes die hij voor deze gelegenheid had gekocht, besloot Duncan dat Alexa tussen Daniel en Marcus in zou zitten. Hij wilde haar niet het idee geven dat hij haar aan Leonard probeerde te koppelen, die vaak voor een hetero werd aangezien, en hij wilde haar evenmin voor zichzelf opeisen door haar naast hem te laten zitten. Marcus kon met haar over juridische zaken praten, zo redeneerde hij. En Daniel was hetero, had een heleboel heterovrienden in de financiële wereld en kon misschien iemand bedenken met wie ze uit zou kunnen gaan. Duncan plaatste zichzelf aan het hoofd van de tafel, aan weerszijden geflankeerd door vrienden. Het gaf hem een tamelijk vorstelijk gevoel, alsof hij de koning van zijn eigen rijk was.

Toen hij klaar was, deed hij een stap achteruit en bezag de tafel met kritische blik. Het was lang geleden dat hij gasten had ontvangen. Hij had de zilveren servetringen en het mooie servies uit de verhuisdozen boven in de linnenkast moeten opdiepen en afstoffen. Op het allerlaatste moment had hij nog witte orchideeën voor het pièce de milieu gekocht, die dure van L'Olivier in vierkante vazen met zwarte steentjes erin. Er was een tijd geweest dat Henry en hij altijd orchideeën in huis hadden, zelfs als ze geen gasten verwachtten. 'Ze zijn voor onszelf,' zei Henry altijd. 'Waarom zouden we ze alleen voor gasten in huis halen?' Die tijden waren voorbij, de bedwelmende dagen van twee inkomens en een stijgende aandelenmarkt.

Hoewel Duncan ronde eettafels onaangenaam voor het oog vond, nam hij het zichzelf nu toch kwalijk dat hij zo'n grote, rechthoekige tafel had. Rechthoekige tafels waren zo genadeloos als het aantal gasten niet tien, acht of twee was. Er waren altijd twee hoofden van de tafel. Tegenover zijn plaats was een lege plek, een niet-gebruikte stoel. Het was een even onbeholpen gezicht als een kind dat een tand miste. Hij overwoog even om de stoel weg te halen, maar besloot dat het op de een of andere manier minder nadrukkelijk was als die gewoon mocht blijven staan waar hij stond. Toen ging de bel, en terwijl hij naar de deur liep verdampte de gedachte.

Alexa kwam als eerste. Hij merkte onmiddellijk hoe zenuwachtig ze was.

'Ben ik te vroeg?' vroeg ze in de deuropening terwijl ze nieuwsgierig in het stille appartement rondkeek. Nog geen spoor van andere gasten.

Duncan pakte haar jas aan, die ze met lichte tegenzin uit handen gaf. Ze was mager geworden. Ze ging nerveus met haar vingers door haar dikke bos krullen om ze wat in vorm te duwen. 'Ik ben te vroeg,' zei ze. 'Is dat erg?'

'Natuurlijk niet. Ik vind het juist fijn dat ik je nog even voor mezelf heb.'

Het klopte wel dat ze te vroeg was; het was nog maar even over tienen en de anderen zouden niet voor twaalf uur komen. Duncan was daar stiekem blij mee. Hij had haar in geen maanden gezien en hoewel hij haar serie verontschuldigingen en afzeggingen luchtig had weggewuifd met opgewekte dooddoeners als 'Kan gebeuren!' en 'Ik heb het ook razend druk!', had de afstand hem verdriet gedaan.

Duncan zette verse koffie en koos een jazzmuziekje, zodat ze niet het gevoel zou hebben dat ze een huis binnen was gedrongen waar nog niet op gasten was gerekend. Terwijl hij in de keuken bezig was, deed zij de schuifdeur open en stapte zijn balkon op. Hij zag haar door het keukenraam staan met haar gladde witte hand op de balustrade terwijl ze over de Hudson uitkeek.

'Schitterende dag,' riep ze. 'Koud, maar mooi.'

Hij kwam naast haar op het balkon staan en gaf haar een mok koffie. Hij had er een scheutje sojamelk en zoetstof door gedaan, allebei voor haar gekocht, voor deze speciale gelegenheid. Zelf dronk hij zijn koffie zwart. 'Een beetje grijs, hè?' antwoordde hij. 'Zo te zien krijgen we sneeuw.'

Ze knikte. 'Een beetje grijs. Maar ik hou hier ergens wel van. Het is altijd zo vredig voordat het gaat sneeuwen. Alsof de hemel leeg is.' Een felle windvlaag blies over het balkon. Ze stonden naast elkaar, allebei een beetje voorovergebogen tegen de kou. Zijn overhemd voelde dun aan. De wind maakte kleine, scherpe golfjes op de rivier als ribbels op een schuimpje. Eén enkele zeilboot laveerde westwaarts met de neus in de richting van Ground Zero.

'Zullen we weer naar binnen gaan?' zei Duncan na een poosje. 'Het is nogal koud hier.'

De schuifdeur viel met een doffe klap achter hen dicht en sloot de kou buiten. Het leek binnen ineens heel warm.

'Ik vind het nog steeds raar om die lege plek te zien,' zei ze terwijl ze om de eettafel heen liep. Haar stem klonk helemaal niet weemoedig en even dacht hij dat ze het over die ene ongebruikte stoel had. Ze streek met haar slanke vingers lichtjes over de rugleuningen, alsof het pianotoetsen waren.

Duncan knikte. Hij begreep wat ze bedoelde. 'Je voelt ze nog steeds in de skyline, hè? De fantoomledematen van de stad.'

'Mis je hem?'

'Wie, jouw vader?'

'Nee, Henry. Sorry, ik weet dat het een rare vraag is. Je denkt waarschijnlijk niet eens meer aan hem. Het was niet mijn bedoeling om oude wonden open te rijten.'

'Maakt niet uit. Ik mis hem nog steeds, en je rijt geen oude wonden open.'

Ze bestudeerde de namen op de kaartjes. Toen ze haar eigen plaats had gevonden, liet ze zich in haar stoel ploffen. Haar voeten stonden gespreid voor haar, als die van een danseres in de tweede positie. 'Ik mis papa altijd met de feestdagen, al verzet ik me er nog zo tegen. Zo gaat het elk jaar. Gisteravond kon ik niet slapen. Uiteindelijk heb ik de tv aangezet en daar zat ik dan om twee uur 's nachts – lach niet – naar *Sleepless in Seattle* te kijken, en ineens kreeg ik een verschrikkelijke huilbui.' Ze lachte om zichzelf; Duncan zag dat er tranen in haar ogen kwamen. 'Het snot droop langs mijn gezicht. Het werd me even te veel, ik voelde me zo intens eenzaam en mislukt en verdrietig en gekwetst. Net als wanneer een golf je vol tegen je borst raakt en je kopje-onder gaat in de branding. Ik kreeg haast geen lucht meer.'

Er klonk een belletje in de keuken; de oven was opgewarmd tot 200 graden. Duncan liep erheen, maakte aanstalten om de kalkoen erin te zetten en probeerde ondertussen te bedenken wat hij moest zeggen.

'Ze zouden moeten verbieden dat die film uitgezonden wordt,' riep hij vanuit de keuken. 'Dat geldt eigenlijk voor alle films met Meg Ryan. In elk geval tijdens feestdagen. Ik bedoel, godsamme – *You've Got Mail, When Harry Met Sally*? Nee, bedankt. Daar zit ik niet op te wachten. Niemand, volgens mij.'

Alexa lachte en haar schouders trilden. 'Sorry als ik wat melancholiek klink,' zei ze. Ze duwde haar stoel achteruit en kwam bij hem in de keuken staan. Zonder iets te zeggen begonnen ze de kazen uit te pakken en ze op een kaasplank te leggen.

'Verder alles goed met je?'

'Zware tijd op het werk,' zei ze terwijl ze vijgenjam in een schaaltje schepte. 'Ik bedoel, het wordt beroerd betaald, maar dat wist ik toen ik eraan begon. Het is iets anders. Ik denk erover om op te stappen.'

Duncans handen verstarden. Hij legde het kaasmes op de snijplank. 'Vertel.'

'Ik weet niet of ik dat kan.'

'Ontslag nemen is nogal een beslissing, zeker voor jou.'

Ze hield op met toastjes rangschikken en liet zich op een keukenkruk zakken, met één voet nog op de vloer. Ze staarde met nietsziende blik naar het aanrecht en vermeed het hem aan te kijken.

'Beloof me dat je me niet aankijkt alsof ik gek ben, ook al vind je dat wel.'

Duncan zette de muziek met de afstandsbediening uit. Het was opeens stil in huis. 'Ik ben er altijd voor je,' zei hij. 'Wat er ook is. Behalve op mijn werk kan ik uitstekend geheimen bewaren. En ik ben ook een behoorlijk goeie adviseur.'

Alexa fronste haar voorhoofd en dacht na. Ze vertrouwde Duncan als vanzelf, misschien wel meer dan wie ook, maar ze voelde haar hart achter haar ribben bonken. Het voelde verkeerd om het aan iemand te vertellen, zelfs aan Duncan. En ze wist dat het verkeerd voelde omdat het verkeerd wás; met iemand van buiten haar kantoor over een onderzoek praten was een duidelijk geval van vertrouwensbreuk. Zelfs als ze geen namen noemde, stond ze met haar tenen over de rand van een afgrond en ze voelde de grond onder zich afbrokkelen.

Ze gingen tegenover elkaar aan de keukentafel zitten met de kaasplank tussen zich in. Er hing een sterke geur van gegrilde kalkoen en waskaarsen.

Na een korte aarzeling zei ze: 'David – dat is de man met wie ik al een tijdje wat heb, maar hij is ook mijn baas – onderzoekt sinds een paar maanden een hedgefonds. Zonder in detail te treden kan ik zeggen dat hij zeer sterke aanwijzingen heeft gevonden voor fraude. Bij ons is de volgende stap dan het indienen van een memo waarin wordt verzocht om het onderzoek een officiële status te geven. Dan kun je mensen dagvaarden en zo. Dat heeft hij dus gedaan, en hij heeft er nooit meer iets op teruggehoord. Eerst schreef hij dat toe aan de bureaucratie, de gebruikelijke klacht over overheidsinstanties. Maar er gingen weken voorbij. Het werd een obsessie voor hem, hij werkte bijna altijd en liet heel nadrukkelijk weten dat hij de steun van zijn bazen nodig had. Eerlijk gezegd dacht ik dat hij een beetje doordraaide. En toen hij me vertelde wat hij op het spoor was... nou ja, iets gigantisch. Miljarden dollars. Letterlijk. Die mensen hebben miljarden gestolen van beleggers.'

'Goeie god. Waarom kreeg hij die steun niet? Ik kan me niet voorstellen dat er een nog grotere zaak is die voorgaat.'

'Nee, niet echt. De bedragen zijn verbijsterend. Om het even aan te geven: het is het grootste financiële misdrijf dat ik in mijn hele carrière ben tegengekomen. Uiteindelijk heeft hij vorige week een beroep op Jane Hewitt gedaan in de hoop dat zij de ambtelijke molens vlot kan trekken, zodat hij de aanklachten kan indienen.'

'Laat me raden: dat heeft ze niet gedaan.'

'Het is nog erger. David zei dat ze kwaad op hem was. Dat hij het gevoel had dat hij haar op een of andere manier had beledigd. Ze hield een tirade over alles wat er bij het toewijzen van faciliteiten aan medewerkers komt kijken, budgettaire kwesties die zouden spelen, blablabla. Ze was geïrriteerd over zijn "rebelse opstelling". Na die bespreking had hij het gevoel alsof hij was ontslagen. Hij was doodsbenauwd. Haar reactie was precies het omgekeerde van wat hij had verwacht.'

Duncan fronste. 'Misschien houdt ze er niet van dat haar gezag in twijfel wordt getrokken. Of misschien vindt ze het pijnlijk dat dit de goede naam van de sec zal schaden als er een groot schandaal van komt.'

'Dat dacht ik eerst ook. Ik bedoel, we hebben de afgelopen jaren diverse onderzoeken naar die lui gedaan, en dat is nooit iets geworden. Het is in feite een forse blunder van onze kant. Dat is nog een heel ander deel van het verhaal. Als puntje bij paaltje komt is het gewoon te riskant om je in een fraude van deze omvang vast te bijten.'

'Ik zou verwachten dat ze er juist met volle kracht achteraan zou gaan. Dat zie je toch heel vaak: overijverige officieren en rechters, die vlak voor een verkiezing of promotie ineens krachtig optreden. Maar zij doet niks.' Duncan trommelde met zijn vingers op zijn lippen. 'Je hebt gelijk, dat is raar.'

'Ik weet dat het gek klinkt, maar lijkt het jou mogelijk dat ze zwijggeld krijgt? Er was een advocaat, Scott Stevens, en dat was de enige bij de SEC die ooit eerder onderzoek heeft gedaan naar dat fonds. Op een dag stapte hij zomaar ineens op bij de SEC en werd het onderzoek stopgezet. De vermogensbeheerder met wie David heeft gepraat, zei dat Stevens feitelijk gewoon is verdwenen. Hij dacht dat die man onder druk was gezet om met het onderzoek te stoppen, net als David.'

'Heb jij hem gesproken?'

'Nee. We hebben een simpele zoekactie gedaan, maar verder hadden we nauwelijks tijd meer. En die zouden we wel moeten krijgen.'

'Misschien kan ik hem voor je vinden,' zei Duncan.

Alexa keek hem hoopvol aan. Maar toen verduisterde haar gezicht weer, alsof er een wolk voor de zon trok. 'Ik heb je het allerergste nog niet verteld. De CEO van dat bedrijf – en hierover mag je tegen niemand iets zeggen, onder geen beding – is Morton Reis. Nou ja, wás. En toen we dat gisteren ontdekten, is Jane linea recta naar David gestapt. Ze wilde weten met wie hij daar had gepraat, wat hij had gedaan – alsof het allemaal zijn schuld was. Volgens David was ze razend. Ze zei dat ze hem zou laten ontslaan, dat hij buiten zijn boekje was gegaan, dat hij door dit overhoop te halen meer schade aanrichtte dan hij zich ooit zou kunnen voorstellen. En vervolgens zei ze bij het weggaan dat ze het wist van ons. Van hem en mij, dus. De manier waarop ze dat zei, voorspelde weinig goeds.' Alexa's hand schoot naar haar voorhoofd en wreef over haar gefronste wenkbrauwen. 'Ik had nooit gedacht dat onze relatie tegen hem zou worden gebruikt. Niet zo. Hij is helemaal overstuur.'

Duncans hart bonsde, maar hij probeerde uiterlijk kalm te blijven. 'Wat erg dat je dit allemaal moet meemaken,' zei hij langzaam.

'Hoe het ook afloopt, ik maak me zorgen om hem, Duncan. Zelfs als David het onderzoek stopzet en iets anders gaat doen, zal die fraude toch ooit aan het licht komen. En waarschijnlijk vrij snel, nu Reis dood is. En als dat gebeurt, zouden ze David weleens tot zondebok kunnen maken.'

'Zou dat niet eerder Jane Hewitt zijn?'

Alexa schudde haar hoofd. 'Geen sprake van. Die is veel te geliefd bij de nieuwe regering. Ze willen dat zij de commissie gaat leiden. Daarom zullen ze iemand anders opofferen, iemand met een mindere staat van dienst, maar toch hoog in de hiërarchie.'

Duncan keek toe terwijl ze opstond en de kaasplank verder begon te rangschikken. Haar handen bewogen snel terwijl ze de toastjes in een kaarsrechte rij legde, met een nerveuze precisie, en daarna de rijpe, pasgewassen druiven op de rand neervlijde. 'Ben je daar zeker van?'

'Hij is hoofd van de afdeling. Hij zal moeten uitleggen waarom de sec een onderzoek naar een miljardenfraude heeft stopgezet. Maar als hij het onderzoek doorzet, ontslaat Jane hem. Het is duidelijk dat ze dit in de doofpot wil stoppen. Het enige wat hij nog kan bedenken, is dat hij de zaak voorbereidt en dan overdraagt aan een vriend op het kantoor van de officier van justitie. We hebben al gepraat met iemand die we daar kennen. Zo blijft David op het werk buiten schot, in elk geval totdat de officier de zaak openbaar maakt. Daarna wil hij ontslag nemen, maar zijn naam zal dan in elk geval gezuiverd zijn. Maar we moeten snel zijn. Dit weekend. Voordat de kranten lucht krijgen van het verhaal en ons aan de schandpaal nagelen.'

Duncan knikte en bladerde in gedachten door zijn Rolodex om te bedenken wie hij als eerste zou bellen. 'Ik zal zien wat ik over Jane Hewitt te weten kan komen. Ik ken haar namelijk. Heb haar een keer geïnterviewd voor *Press*. Een vrouw van staal. Als zij bij deze zaak betrokken is, zal ik dat door een paar bevriende journalisten tot op de bodem laten uitzoeken. Die zijn dol op dat soort opdrachten.'

'Ik vind het vervelend dat ik jou hierbij betrek. Ik weet niet eens precies wat ik eigenlijk wil. Maar ik weet niet naar wie ik anders toe zou moeten gaan.'

'Tja, ik weet nog niet precies wat ik je kan bieden. Maar we moeten erachter komen wie jullie tegenover je hebben. Als zij zwijggeld krijgt of op een of andere manier met RCM te maken heeft, dan moeten we dat weten.'

Voordat Duncan verder kon gaan, klonk het schelle geluid van de intercom door de keuken. Ze schrokken allebei op.

'Stuur iedereen maar gewoon naar boven,' zei Duncan tegen de portier. 'U hoeft me niet telkens te waarschuwen.'

Ze liepen naar de voordeur. 'Het is allemaal zo uit de hand gelopen,' zei ze.

'We krijgen alles wel weer op de rails, dat beloof ik je.' Hij drukte zijn hand stevig tegen haar onderrug. Ze wist dat hij een vrolijk gezicht zou zetten zodra de bel ging, maar nu was zijn stem nog doodserieus. 'Niemand kan ongestraft zulke dingen doen. Er staan een heleboel mensen in deze stad bij mij in het krijt. Meer dan je denkt. Als er iemand is voor wie ik wil vechten, dan is het wel voor jou.'

Ze pakte zijn hand en hield die stevig vast terwijl hij de deur opendeed voor de gasten.

DONDERDAG, 11.16 UUR

Rust, dat was Marions geschenk aan Sol. Ze sliep toen hij de vorige avond naast haar in bed kroop – het moest om twee of drie uur zijn geweest – en ze sliep nog steeds toen hij een paar uur later weer aan het werk ging.

Sol wist zeker dat ze al minstens een paar uur op was. Maar ze bleef boven, misschien was ze aan het lezen of uitgebreid aan het badderen. Ze gaf hem de ruimte zodat hij kon werken, daar kwam het op neer. Door dat soort kleine dingen, zo subtiel dat ze ieder ander volledig zouden zijn ontgaan, kwam het dat hij na zesendertig jaar nog steeds van haar hield. Niet gewoon een warme familiale genegenheid, maar een diepe, zeldzame soort liefde. Haar lijf bestond zowat helemaal uit bulten en aderen en haar haar leek meestal op een ongesnoeide struik die niet meer verzorgd hoefde te worden. Maar toch vond Sol Marion mooi.

Toen hij haar zachtjes door de keuken hoorde lopen, verlangde hij er opeens hevig naar haar te zien. Ze waren al sinds de vorige avond samen, maar hij was geen moment echt bíj haar geweest. De zaak-Morty had hem volledig in beslag genomen.

Hij hoopte dat ze koffie aan het zetten was. Die was op de een of andere manier minder bitter als zij hem maakte. Sol nam zich voor haar te bedanken dat ze gisteravond had gereden en voor de koffie, als die er was. Daar dacht hij nooit aan.

Hij vond haar voor de openstaande ijskast, haar in spandex gehulde lijf stak achter de deur uit.

Hij gaf haar een klapje op haar achterste. 'Sol!' riep ze uit. 'Ik schrik me kapot. Ik dacht dat je aan het werk was.'

'Ben ik ook. Maar ik wou je even goedemorgen zeggen,' zei hij; hij was in een bijzonder innige bui.

Marions chocoladebruine ogen verzachtten zich en ze glimlachte. Wat zagen die kraaienpootjes bij haar ooghoeken er vriendelijk uit, dacht hij. Hij begreep niet waarom ze de hele tijd dreigde ze te laten weghalen.

'Dat is lief van je,' zei ze, en ze boog zich naar hem toe voor een kus. 'Ik hoop dat je vannacht nog wat hebt geslapen. Hoe laat ben je naar bed gegaan?'

Hij glimlachte en trok haar tegen zich aan, zodat ze zijn gezicht niet kon zien. Ze merkte het altijd als hij tegen haar loog. 'Het gaat wel, hoor,' zei hij. 'Ik heb een paar uur geslapen. Je kent me toch. Ik slaap wel als ik dood ben.'

'Daar maak ik me nu juist zorgen om!' zei ze met een lachje. 'Je moet je een beetje in acht nemen. Je werkt te hard.'

'Te hard werken bestaat niet.'

Ze wierp hem een vermanende blik toe. 'Ik weet het, ik weet het,' gaf hij toe.

'Ik ga vanmorgen met Judith naar spinning,' zei Marion. Ze deed de ijskast dicht. 'Daarna gaan we misschien nog een hapje eten, maar alles is waarschijnlijk dicht.'

Als Marion 'een hapje ging eten', kwam ze meestal thuis met een paar plastic tassen aan haar arm. Het lukte haar niet om door de hoofdstraat van East Hampton te lopen zonder iets te kopen. In East Hampton shopte ze met nog meer toewijding. Sol nam aan dat dat iets te maken had met de ontspanning. Later op de dag kwam ze weer bij zinnen, maar dan was het te laat. Marion bracht principieel vrijwel nooit iets terug. Ze veroorzaakte niet graag opschudding, zelfs niet bij verkoopsters. Altijd als Sol in de kast keek, trof hij daar weer iets nieuws met het prijskaartje er nog aan.

Sol hield meestal zijn mond. Als hij het zag als deel van de kosten van het zakendoen, vond hij die spinningsessie van dertig dollar acceptabel, en zelfs de aanval van koopwoede erna.

'Is er zelfs op Thanksgiving spinning?'

'In East Hampton is er altijd spinning,' zei Marion droogjes. 'Worden we om zes uur bij de Darlings verwacht?'

'Yep, zes uur.'

'Oké, dan ben ik wel weer terug. Ik hoop dat alles vandaag goed gaat. Ik heb net koffie gezet.' Ze kuste hem op zijn wang. 'Hoe is het met Julianne?'

'Ze houdt zich goed. Gezien de omstandigheden.'

'Is er al... nieuws?'

'Nee,' zei Sol. Hij schudde droevig zijn hoofd. 'Ze zijn nog aan het dreggen. Door de harde wind gaat het erg moeilijk, zeggen ze.'

'En de herdenkingsdienst?'

Sol zuchtte. 'Dat ligt moeilijk. Julianne wil niets doen zolang zijn lichaam niet is gevonden. We proberen haar voorzichtig duidelijk te maken dat dat misschien wel nooit zal gebeuren.'

'O, wat afschuwelijk,' zei Marion. Er blonken tranen in haar ogen. 'Als je Carter spreekt, zeg dan dat ik aan hen allemaal denk.'

'Zal ik doen,' zei Sol. Marion knikte dankbaar, zond hem een droevig lachje en draaide zich om. Door de open deur keek hij haar na terwijl ze de verandatreden afdaalde naar het grind van de oprit.

'Bedankt voor de koffie,' riep hij haar na.

'Graag gedaan, lieverd,' riep ze terug, en toen was ze weg.

Sol praatte met Marion nooit over zijn klanten. Hij was van nature al behoedzaam, maar zijn werk — en de namen van zijn klanten — vereiste extreme discretie. Marion kende een aantal van hen; sommigen beschouwde ze zelfs als vrienden. Ze zagen elkaar op familie-etentjes en weekends in de Hamptons. Ze stuurde hun een cadeau als ze jarig waren en als hun kinderen afstudeerden. Maar ze stelde nooit nieuwsgierige vragen over hun zaken.

Marion kon goed luisteren. Ze was vijftien jaar gezinstherapeut geweest. Ze was nu gepensioneerd, maar ze deed nog vrijwilligerswerk als rouwconsulente op het Beth Israel Medical Center. Sol praatte nooit over zijn eigen werk, maar sprak op feestjes en tegenover klanten vol lof over dat van Marion. Hij klaarde altijd op als het gesprek op haar kwam.

Dankzij haar praktijk had hij zijn rechtenstudie kunnen afmaken. De eerste jaren van hun huwelijk waren zwaar geweest, een gestage stroom van werk en rekeningen. Ze had nooit geklaagd. Sol verbaasde zich er vaak over dat ze al die tijd bij hem was gebleven. Het vrijwilligerswerk deed haar goed, en dat was een van de redenen dat hij er zo van genoot om veel geld te verdienen. Tegen het eind van het jaar zouden de bouwwerkzaamheden aan de Marion en Sol Penzell-vleugel van het Beth Israel Medical Center afgerond zijn. De bouw had vijf jaar geduurd en het plan bestond al zeker vijftien jaar. Het was hun kindje, zei zij. Het kindje dat ze zelf niet konden krijgen. Hij vond het fijn als ze mooie dingen voor zichzelf kocht; dat had ze dubbel en dwars verdiend. Ze had hem heel veel gegeven en hij wilde haar zoveel teruggeven als hij kon.

Het was nu al vele jaren geleden dat hij was opgestapt bij een groot advocatenkantoor en Penzell & Rubicam had opgericht, een klein kantoor dat gespecialiseerd was in processen over vermogensfraude, de verdediging van witteboordencriminelen en contacten met regeringsmedewerkers. Zijn partner, Neil Rubicam, leidde het kantoor in Washington, dat volgens Neil zelf het hoofdkwartier was. Neil was publiciteitsgeiler dan Sol. Hij genoot ervan om op de stoep van de rechtbank te worden geïnterviewd en droeg graag maatpakken en opvallende, fotogenieke dassen. Aan de muur achter Neils bureau hingen ingelijste krantenknipsels waarin het bedrijf, en dan speciaal zijn naam, werd genoemd. Sol vond dat een grappige en ietwat kinderlijke gewoonte. Aan Sols muur hingen alleen een foto van Marion en het certificaat van toelating tot de New Yorkse balie. De meeste echte successen van Penzell & Rubicam waren door hun vertrouwelijke aard onbekend bij het publiek. De gevechten om grote bedragen voor de rechtbank waren uiteraard belangrijk en droegen bij aan de solide reputatie van het bedrijf. Maar hun sterkste punt was juist dat ze ervoor zorgden dat hun klanten niet voor de rechter kwamen en buiten de schijnwerpers bleven.

De lucratiefste overwinningen die Penzell & Rubicam behaalden, waren zaken waarover niemand behalve de klant en een handjevol advocaten onder regie van Sol en Neil ooit iets hoorde. Dat waren schikkingen die in de luwte werden uitonderhandeld, van het soort waarbij geldbedragen geruisloos verdwenen naar bankrekeningen van buitenlandse brievenbusfirma's. Soms werd er helemaal niets betaald, behalve uiteraard aan Sol, die ruimschoots werd beloond voor zijn bemiddeling. In plaats daarvan werden er relaties van miljarden dollars gesmeed, schulden gemaakt uit erkentelijkheid, gunsten afgesmeekt. Het feit dat hij nooit erkenning voor zijn werk kreeg, zelfs niet van zijn vrouw, beschouwde Sol als een klein nadeel dat ruimschoots opwoog tegen het privilege dit werk te mogen doen. Hij was dol op de advocatuur, maar wat hij nu deed was veel uitdagender dan het werk op een gemiddeld advocatenkantoor. Dit was onderhandelen op het hoogste niveau, een manier van uitonderhandelen van deals buiten de wet om die hem tot een zeer machtig man maakte.

Ze leidden de twee kantoren alsof het twee aparte bedrijven waren. Neil had de supervisie over de vestiging in Washington die de rechtszaken deed die veel publiciteit trokken, en Sol stond aan het hoofd van een hybride adviespraktijk waar de grootste namen van Wall Street klant waren. De twee takken waren functioneel onafhankelijk van elkaar, maar vulden elkaar mooi aan; Sol en Neil werkten vaak gezamenlijk aan verschillende aspecten van een zaak. Sol betrok Neil bij een dossier als het ernaar uitzag dat een klant zou worden aangeklaagd, en Neil haalde Sol erbij als er achter de schermen moest worden onderhandeld, als er advies nodig was bij een fusie of overname of als er een crisis moest worden bezworen. Sol had er geen probleem mee dat Neil naar buiten toe het gezicht van het bedrijf was. Voor hun waardevolste klanten was discretie een must, en daar was Sol geknipt voor.

Sol was Carters vaste raadsman en hij raadpleegde hem over alles, van deals met instanties als de FINRA en de SEC tot onderhandelingen met Ines. Sol moest toegeven dat hij dat laatste vaak lastiger vond. In de loop van de dertien jaar dat ze een zakelijke relatie hadden, had Sol Carters huwelijk door pieken en dalen zien gaan. Er waren momenten geweest dat Sol er ernstig rekening mee hield dat Ines zou opstappen, maar dat deed ze nooit. Nu was alles anders. Ines was een taaie, maar dit zou zelfs voor de wilskrachtigsten een zware dobber worden. Sol wist niet zeker of Ines de storm die eraan kwam zou kunnen doorstaan. Hij wist zelfs niet of er überhaupt een vrouw bestond die dat kon.

'Laten we hopen dat ze het uithoudingsvermogen van een Hillary Clinton heeft,' had Neil de vorige avond gezegd. Hij had op kantoor lopen spelen met zijn minibasketbal; Sol hoorde hem tegen de rand van de basket stuiteren.

'Haal me van de speaker af. Heb je de pr geregeld?'

'Hé, relax.' Neils stem klonk nu duidelijker. 'Ik heb Jim erop gezet. Volgens mij is zijn bedrijf het beste in het beperken van imagoschade. Ik heb de laatste tijd veel van hun diensten gebruikgemaakt.'

'Daar kan ik me iets bij voorstellen.'

'Hij is de beste.'

'Dat zullen we ook nodig hebben.'

Ditmaal zou het om meer dan alleen geruchten over Carter gaan. Binnen een paar weken, en misschien wel dagen, zouden de Darlings aan één stuk door worden lastiggevallen door de pers, de autoriteiten, vrienden en onbekenden. Hun privéleven zou op straat komen te liggen. Velen zouden zich verlustigen in de val van zo'n rijke familie. Men zou er voetstoots van uitgaan dat Carter schuldig was, wist Sol.

Hij probeerde zo snel mogelijk iets te regelen om dat te voorkomen. Hij had enige vooruitgang geboekt bij Eli Sohn, zijn contactpersoon op het kantoor van de officier van justitie, maar ze waren er nog niet uit. Er kon niet eerder dan morgen een deal worden gesloten. Carter zou persoonlijk moeten komen opdraven en diende zich nederig gedragen. Helaas was nederigheid niet Carters sterkste punt.

Donderdag, 12.56 uur

Er stonden al vier auto's op de oprit. Paul vroeg zich af of ze de laatsten waren. De zwarte Porsche Cayenne van Adrian en Lily stond op het hoogste punt van de ronde oprit en versperde alle anderen de weg. De voordeur van het huis stond half open. Toen Bacall het knerpen van het grind onder de banden hoorde, stormde hij enthousiast naar buiten, blafte blij en kwispelde als een bezetene. Het leek een heel gewone dag in de late herfst. Paul stopte vlak achter de auto van Adrian en Lily en probeerde Bacall in het oog te houden, die langs de randen van de oprit liep. King kwam overeind en duwde hijgend van opwinding zijn gevlekte poten tegen het raam.

'We zijn er, schat,' zei Merrill. Ze sprak op de zangerige toon die ze altijd tegen de hond gebruikte, maar het ging niet van harte. 'Ben je blij?'

King kefte even toen Merrill het portier opendeed en hem op de grond zette. Er sloeg damp uit zijn neusgaten en zijn poten kraakten op het ijskorstje op het gras. Bacall en hij snuffelden omstandig aan elkaar terwijl Paul en Merrill uitstapten en zich uitrekten. De lucht was hier kouder dan in Manhattan, schoon en verkwikkend. Paul huiverde in zijn wollen trui. Het zou geen leuk weekend worden, maar desondanks was het fijn om even de stad uit te zijn.

Het huis straalde de typisch ouderwetse sfeer uit van huizen met houten daken in de herfst. Ines' veelgeroemde bloembakken in de vensterbanken stonden leeg; 's zomers bloesden ze over van de roze geraniums. De gevel van het huis was klassiek nootbruin.

De Darlings hadden het huis in 2000 laten bouwen, maar het had een traditioneel ontwerp en paste naadloos in de lappendeken van boerderijen en oude houten huisjes op Long Island. Achter het huis lag een kleine Engelse tuin met heggen die netjes tot een netwerk van rechthoekige lijnen waren gesnoeid. Ze waren nu afgedekt om ze tegen de winterkou te beschermen.

Het huis zag er zoals altijd angstwekkend perfect uit. Een mansardedak met witgeverfde goten en een veranda waar de zomerbries precies onder de juiste hoek doorheen woei. Voetpaden van baksteen, afgebrokkeld aan de hoeken, in kleuren even gevarieerd als de rug van een lapjeskat en gebleekt door de zon. Een interieur met alle pracht en praal van een voornaam landhuis. Ines at graag met oud tafelzilver van het soort dat moest doorgaan voor een erfstuk dat al generaties in de familie was, met lichte slijtplekken door veelvuldig gebruik. Aan de muur van de bibliotheek hing een schilderij van Carters grootvader, en aan de muur ertegenover een ingelijst aandeel van een autofabrikant waar zijn originele handtekening op zou staan. Bij alles wat in aanmerking kwam voor een persoonlijk beeldmerk of monogram, waren die aangebracht: op de frisse witte lakens, de zachte blauwe handdoeken, de canvas tassen van L.L. Bean die de familie overal mee naartoe sleepte – naar het strand, de golfbaan en de boerenmarkt. Toch had alles iets kunstmatigs, alsof Ines een nummer van *Architectural Digest* had opengeslagen en had aangewezen wat ze wilde hebben.

Alle erfstukken en oude foto's waren afkomstig van Carters kant van de familie; zijn geschiedenis was de gemeenschappelijke familiegeschiedenis. Paul had Ines nog nooit over haar jeugd in Brazilië horen praten. Paul wist alles van de zomers in Quogue, de neven en nichten in Grosse Pointe, Michigan, de kerstvakanties van de kostschool. Hij wist dat Charlie Darling een goede ruiter en een bekwaam schutter was geweest, en dat Eleanor voor haar debutantenbal een tent had gekregen die helemaal van witte rozen was gemaakt. Merrill had Paul een keer in een dronken bui verteld dat haar vader veel verhalen wat mooier had gemaakt dan ze waren. 'Zo welvarend waren ze helemaal niet,' fluisterde ze nadat haar vader had verteld dat ze in zijn jeugd Kerstmis altijd in Palm Beach vierden. 'Mijn grootvader hield van opscheppen. Dat heeft papa denk ik van hém.'

Je hoorde erbij of niet. Paul en Merrill waren 's zomers elk weekend en alle vrije dagen in het huis van de Darlings. Na hun trouwen kreeg Paul vaak te horen dat hij 'nu ook een Darling was'. Daar was hij blij mee; hij wilde niets liever dan geaccepteerd worden door de familie van zijn vrouw. Toch voelde het een beetje vreemd, alsof hij zich had aangesloten bij een kant-en-klaar gezin in plaats van er zelf een te stichten. Soms, zij het minder vaak dan in het begin, vroeg hij zich af wat Patricia en Katie van zijn band met de Darlings vonden. Hij probeerde zich er niet op te laten voorstaan – tenslotte woonde zijn familie in North Carolina en woonden de Darlings hier – maar soms baarde het hem zorgen.

En dan was er de kwestie van de naam. Op hun verlovingsfeest had Adrian hem gekscherend gevraagd of hij na de bruiloft haar achternaam zou aannemen.

'Nee, maar ik houd wel mijn eigen achternaam,' had Merrill geantwoord voordat hij iets kon zeggen. Ze keek Paul aan. 'Lily noemt zich Lily Darling Patterson, maar alleen in het sociaal verkeer,' voegde ze eraan toe, alsof dat een argument was voor haar keuze.

'In het sociaal verkeer? Wanneer dan niet?' had Paul gevraagd; het was er hooghartiger uit gekomen dan hij had bedoeld. Merrill keek Adrian even aan en trok een wenkbrauw op, tegelijk reprimande en waarschuwing.

'Op haar werk,' zei ze koeltjes. Einde gesprek.

'Wat vind jij daarvan?' vroeg Adrian met een knipoog naar Paul.

'Ik heb er geen moeite mee,' zei hij, maar hij voelde dat hij rood werd van gêne. 'Ik ga nog wat te drinken halen,' zei hij met een hoofdgebaar naar de bar.

Terwijl Paul wegliep, hoorde hij Adrian tegen Merrill zeggen: 'Jullie meisjes zijn natuurlijk een ijzersterk merk, hè?' Ze lachten allebei. Het voelde als een kleinerende opmerking, al wist Paul dat het niet zo bedoeld was. Het was gewoon een grapje.

Het was nog nooit bij Paul opgekomen dat zijn vrouw niet mevrouw Ross zou willen heten. 'Waarom heb je me dat nooit eerder verteld?' vroeg hij later nogal tactloos, na te veel whisky.

'Sorry,' zei ze. 'Ik dacht dat je het wel zou begrijpen.'

Ze laadden de auto zwijgend uit. De bladeren aan weerszijden van de oprit ritselden in de wind. Na een poosje verscheen Adrian in de deuropening met een flesje Samuel Adams in zijn hand. Hij floot Bacall en de twee honden holden het huis in. Paul was even geïrriteerd omdat zijn hond zo volgzaam op Adrians fluitje reageerde en vond het toen kinderachtig dat hij zich dat aantrok.

'Welkom, jongelui,' zei Adrian. Hij kwam naar de auto geslenterd om Merrill te omhelzen. 'Zal ik even helpen?'

'Zo te zien zijn jullie er ook net,' zei Paul met een hoofdgebaar naar de openstaande kofferbak van Adrians auto.

'Ja, we zijn pas laat vertrokken vanwege dat gedoe met Morty. Lily is een beetje van slag.' Adrians stem klonk hees, alsof hij de vorige dag tot 's avonds laat had gepraat. Op het eerste gezicht was hij even relaxed als anders: handen in de zakken, een losgeraakte punt van zijn overhemd over de ceintuur van zijn corduroy broek, hij kon zo in de catalogus van J. Crew. Maar Paul kende Adrian goed genoeg om een sombere ondertoon in zijn stem te horen. De twee mannen keken elkaar aan. Even zag Adrian er ouder uit dan Paul hem ooit had gezien.

'Ik ga naar haar toe,' zei Merrill.

'Iedereen is in de keuken behalve Carter. Die is bij de Penzells, denk ik.'

Merrill knikte en verdween naar binnen zonder Paul nog een keer aan te kijken. Hij wilde niet achter haar aan lopen en bracht de koffers naar hun slaapkamer.

Boven begon hij zijn koffer uit te pakken, maar toen ging hij op de rand van het bed zitten en deed zijn ogen even dicht omdat hij door een intense vermoeidheid werd overvallen. Hij wist dat hij de familie moest gaan begroeten; hij stelde alleen maar het onvermijdelijke uit. Maar zodra hij de slaapkamer uit kwam, zou het weekend echt beginnen. Die verpletterende gedachte maakte dat hij roerloos op het bed bleef zitten.

Het was trouwens helemaal niet nodig om uit te pakken. Gesloten koffers op bagagerekken werden in Beech House geruisloos en vakbekwaam uitgepakt door Veronica, de huishoudster, die de kleren eruit haalde, stoomde en netjes ophing. Paul vond dat vervelend, net als veel andere kleine gewoontes van de Darlings. Het schiep een merkwaardig intieme band met Veronica. Ze vouwde zijn hemden op, legde zijn spionageroman op het nachtkastje en zijn toilettas bij de wastafel in de badkamer; zijn werkmappen liet ze onaangeroerd in zijn tas zitten als om aan te geven dat niemand zich hier bemoeide met *zaken die met werk te maken hebben*. Maar ondertussen kwam ze wel aan zijn tandenborstel en zag ze zijn condooms onder de wasbak liggen. Het had iets ongelijkwaardigs, het was een informatiekanaal dat maar één kant op werkte. Hij wist haar achternaam niet eens. Soms had hij het gevoel dat het personeel de Darlings beter kende dan de familie zichzelf.

Hij was net bezig een overhemd in de kast te hangen toen een stem achter hem zei: 'Dat hoeft niet. Veronica is er vandaag.'

Merrill stond tegen de deurpost geleund in een houding die tegelijkertijd verleidelijk en afstandelijk was. Ze had haar armen strak over elkaar geslagen voor haar borst.

'Hoi,' zei Paul. 'Ik begon net bang te worden dat je nooit meer wat tegen me zou zeggen.' Ze had al vanaf de Milk Pail, een boerderij naast de Montauk Highway in Water Mill waar ze in het najaar soms appels en pompoenen plukten, niet meer rechtstreeks het woord tot hem gericht. Toen ze het parkeerterrein op reden, had Merrill zwijgend en met opeengeklemde lippen naast hem gezeten, haar gezicht vertrokken van de woede en het huilen. Ze hadden zonder iets te zeggen twee taarten, twaalf kaneeldonuts en een fles cider gekocht, hun eerder overeengekomen bijdrage aan het Thanksgiving-maal.

Ze schonk hem een gespannen glimlachje, maar kwam niet van haar plek bij de deur. Ze zette even een gezicht alsof ze iets wilde gaan zeggen, maar bedacht zich en beet op haar tong. 'Waarom zeg je dat?' vroeg ze in plaats daarvan.

Ze stonden naar elkaar te kijken.

'Je hebt sinds de Milk Pail geen woord meer tegen me gezegd.'

'Papa is gek op die donuts. Ik ben blij dat we ze gekocht hebben.'

'Iedereen is gek op die donuts.'

'Kom je beneden? De footballwedstrijd staat aan in de tv-kamer. Veronica pakt de rest wel voor je uit.'

'Zullen we niet eerst het gesprek uit de auto afmaken? Ik wil graag nog even met je praten voor we je vader zien.'

Merrill zuchtte, een diepe keelzucht, haar lichaam begaf het bijna onder het gewicht ervan. Ze deed de deur achter zich dicht en ging dwars op het bed liggen. Toen ze plat lag, werd haar gezicht glad en uitdrukkingsloos. Ze keek naar het plafond en knipperde met haar ogen. De kleur ervan werd fletser als ze moe was of huilde, meer zilverachtig dan blauw.

'Je hebt een heleboel informatie over me uitgestort,' zei ze na een poos. 'Ik wilde je niet negeren, maar ik heb wat tijd nodig om alles te verwerken.'

'Ja, logisch. Dat snap ik.'

'Ik ben niet kwaad op je,' zei ze, ook al had hij dat niet gesuggereerd.

'Dat hoopte ik al. Heb je de mails gelezen?'

'Ja. En ik begrijp je bezorgdheid echt wel.'

'Maar?'

'Maar niks.' Haar stem klonk kalm, maar Paul merkte dat ze haar woede wegdrukte.

Ze ging overeind zitten. 'Ik zal alleen nooit tegen je zeggen dat je met de SEC over het bedrijf van mijn vader moet gaan praten. Dat zal hem te gronde richten. Dat weet jij ook. En ik heb er geen enkel vertrouwen in dat jij je huid wel zou kunnen redden. Je loopt als het ware rechtstreeks het hol van de leeuw in.'

Paul schoof een eindje van haar weg op het bed en ze staarden allebei naar de muren, die zoals alles in de kamer zachtblauw-crème-gestreept waren. De strepen deden pijn aan zijn ogen als hij er te lang naar keek.

Paul was altijd vaag bang geweest dat Merrill als het er werkelijk op aankwam haar familie boven hem zou verkiezen. Hij had dat natuurlijk nooit hardop gezegd, al hadden ze talloze malen om het onderwerp heen gedraaid tijdens stomme ruzies over planningen, het huis in de Hamptons of de vraag of zij ooit uit New York weg zou gaan. Bij sommige van die ruzies was het menens, bij andere niet. Hij dacht dat hij nu, na zes jaar huwelijk, wel over die angst heen was, maar die had hem nu zo stevig in de houdgreep dat hij bang was dat zijn hart uit elkaar zou klappen.

'Maar schat,' zei hij. 'Wat moet ik dán? Rustig afwachten tot zij bij mij komen? Ik heb tegen de SEC gelogen. Dat is heel erg.'

Ze zweeg. Ze had haar duim een eindje in haar mond gestoken en beet op de nagel.

'Dat was geen liegen,' zei ze zachtjes. 'Je zei gewoon wat het bedrijf wilde dat je zei. Dat doen mensen voortdurend.'

'Maar snap je het dan niet? We hebben RCM nooit gevráágd met welke partijen ze handel dreven. Misschien waren het geen echte leugens, maar ik was ook niet eerlijk. Ik had niet tegen die mensen mogen zeggen: "We hebben alles onder controle, ze hebben allemaal een triple-A-rating of hoger." Dat was gelul. We logen tegen onze beleggers toen we dat tegen hen zeiden, en ik loog tegen David toen ik het tegen hem zei. En het ergste is dat ik het in een mailtje heb gezet. Dus nu hebben ze me bij mijn kloten. Snap je dat niet? Ze kunnen me nu pakken als ze dat willen.'

Merrill stond op van het bed en Paul werd bevangen door de angst dat ze weg zou gaan. Maar ze liep naar de andere kant van de kamer en pakte de map die op zijn koffer lag. Hij keek naar haar terwijl ze de mail herlas, dezelfde die hij sinds de vorige dag al duizend keer had gelezen, waarin hij tegenover David Levin zijn vaste riedel afdraaide over de partijen waarmee handel werd gedreven en hem vervolgens feitelijk te verstaan gaf dat hij op moest rotten. En geen vragen meer moest stellen. Toen hij die mail verstuurde, had hij niet gevonden dat hij loog. Dat vond hij nog het griezeligste, dat hij het zo makkelijk uit zijn toetsenbord had gerammeld. Uit de tekst sprak zo'n arrogante houding – vond hij nu – dat hij nauwelijks kon geloven dat hij hem zelf had geschreven. Het voelde alsof hij een briefje van een vreemde las, een brutale eikel die bij een hedgefonds werkte, het type dat uiteindelijk op het kantoor van zijn vrouw belandt en kort daarna wordt aangeklaagd wegens wangedrag. Zo was hij niet. Althans, hij had altijd gedacht dat hij niet zo was.

Merrill stopte de print terug in de map. Ze ging weer op het bed zitten, de map nog in haar hand. Hij legde zijn hand op haar dij. Die voelde gespannen en koud aan. Hij nam het zichzelf kwalijk dat hij zijn zelfbeheersing had verloren en grof in de mond was geweest, want daar had zij zo'n hekel aan.

'Volgens mij zijn er twee teams,' zei ze nadrukkelijk en met een strak gezicht. 'En ik twijfel er niet aan bij welk team jij hoort. Dus als ik jou hoor praten over overlopen naar het andere team, ben ik wel uit mijn doen.'

Toen hij niet reageerde, vervolgde ze: 'Het is duidelijk dat er bij Delphic dingen mis zijn gegaan. Maar als puntje bij paaltje komt, gaat dit over Morty en RCM. Dat hij er niet meer is, betekent nog niet dat jullie ervoor moeten opdraaien. Achteraf is het heel makkelijk om te zeggen: "Dit had je moeten weten", of: "Dit had je niet mogen laten gebeuren", maar daar gaat het nu niet om. Dit gaat niet over mijn vader of jou, en eigenlijk helemaal niet over Delphic. Ze zoeken gewoon een zondebok omdat ze iemand de schuld moeten geven van wat er is gebeurd. Als je nu met je handen omhoog naar ze toe gaat en je overgeeft, legitimeer je wat zij doen. Maar als je pal staat voor je bedrijf, en voor papa, geef je een heel duidelijk statement af. De familie moet nu de rijen sluiten.'

Er zat een zekere geruststellende logica in wat ze zei. Als Paul iets wilde, was het dat iedereen dezelfde belangen had: zijn vrouw, zijn schoonvader, hijzelf. Hij had altijd één van hen willen zijn. Niet vanwege hun geld of status. Zelfs niet vanwege hun goede opleiding en hun wereldsheid. Het was hun saamhorigheid waar hij naar verlangde, hun hechtheid als familieclan. Ze waren elkaar hevig trouw, zelfs in dit soort tijden. Juist in dit soort tijden. Het leek allemaal zo simpel als zij het uitlegde. De familie komt altijd op nummer één. Zonder voorbehoud.

Totdat hij hen leerde kennen, wist hij niet eens dat zoiets bestond. Zijn eigen familie was een onsamenhangende groep mensen die slechts door hun genen met elkaar waren verbonden. Ooit was er een volledig gezin geweest, maar dat was zo lang geleden dat hij niet meer wist hoe dat was. Ze waren met z'n vijven geweest. Toen Casey vierenhalf was, verdronk ze in het gemeentelijke zwembad. Paul en Katie waren toen acht. Ze waren op het verjaarspartijtje van een vriend geweest toen het gebeurde. Niemand was hen komen ophalen. De lucht achter de bomen was grijs geworden en ze waren de laatste gasten, eenzaam aan de picknicktafel met papieren hoedjes en toeters terwijl de moeder van het feestvarken rondbelde om erachter te komen waar hun ouders bleven. Paul herinnerde zich nog dat hij het koud kreeg toen het begon te waaien; hij had zijn natte zwembroek nog aan, er zat water in zijn oren en hij was bang dat Katie ziek zou worden met dat natte haar. Hij had haar zijn handdoek gegeven. Hij hing om haar tengere schouders en ze zat te rillen. De linten die om de bomen waren gebonden klapperden in de wind en aan hun voeten lagen snoeppapiertjes uit de piñata's op het gras.

Daarna was het stil geworden in het huis van de familie Ross, alsof het een radio was waar de stekker uit was getrokken. Slechts een paar maanden na de begrafenis stapte hun vader op, omdat hij liever opnieuw begon dan verder te leven met de geest van Casey. Hij was degene die die dag thuis was geweest, die hen naar het partijtje had gebracht en Casey naar het zwembad, terwijl Patricia weekenddienst had als secretaresse. Hij hertrouwde snel, met een vrouw uit Savannah. Paul en Katie waren een paar keer bij hen op bezoek geweest. Ze zaten opgelaten in de kamer in zijn nieuwe huis, aten op de bank ijs uit oranje plastic kommen en probeerden beleefd te zijn zoals Patricia hun op het hart had gedrukt. Een jaar later was de stiefmoeder zwanger en verhuisde het nieuwe gezin naar New York.

Patricia had Paul en Katie verteld dat hun vader bankier was. Ze zei dat hij erg succesvol was en dat hij was verhuisd omdat dat nodig was voor zijn carrière. Hij belde op hun verjaardag en met Kerstmis en zei dat hij van hen hield en dat hij het heel druk had met zijn nieuwe baan en de nieuwe baby. Paul probeerde hem altijd zo lang mogelijk aan de telefoon te houden en bestookte hem met vragen over New York, de Yankees en het weer daar in het noorden. Hij stelde zich voor dat zijn vader in een groot huis woonde met een zilverkleurige auto voor de deur en dat hij in een kantoor werkte dat uitkeek over Central Park. Hij zei te pas en te onpas tegen zijn vriendjes dat zijn vader 'bankier in New York' was. Als zijn vader al succesvol was, dan bleek dat niet uit de alimentatie die hij aan Patricia betaalde. De bank verkocht hun huis toen Paul en Katie net dertien waren. Paul nam de telefoon nooit meer aan als zijn vader voor zijn verjaardag belde.

Patricia was nog maar eenentwintig geweest toen ze zwanger

werd van de tweeling. Ze kende hun vader van de middelbare school; hij was drie jaar ouder dan zij en volgens Patricia 'een man die het nog ver zou schoppen'. Omdat ze zo jong was, was ze soms meer een vriendin dan een moeder voor hen. Zij en Katie groeiden samen op, als de stam en een tak van dezelfde boom. Als zij een goede dag had (of Katie een slechte) konden ze voor zusjes doorgaan. Ze waren allebei van die vrouwen die nooit echt mooi waren geweest, maar er wel altijd uitzagen alsof ze vele jaren geleden mooi waren geweest. Hun gelaatstrekken waren grof en gewoontjes.

Sinds zijn bruiloft had Paul geen van tweeën meer gezien. Dat baarde Merrill zorgen; ze had het gevoel dat zij op de een of andere manier de reden was van de verwijdering tussen hen. Hij wist dat dat niet zo was. Voor zijn gevoel was er geen kloof tussen hen, maar waren ze in de loop van vele jaren steeds verder uit elkaar gedreven. Die beweging was zo traag dat ze bijna onopgemerkt was gebleven, als die van continenten op drift.

Natuurlijk voelde hij zich schuldig. Patricia weigerde geld van hem aan te nemen, en daarom stuurde hij met de feestdagen cadeaus die veel te duur waren en niet in hun dagelijks leven pasten: sjaals van Hermes, armbanden van Tiffany's. Het enige nuttige wat hij hun te bieden had, was financieel advies. Een paar jaar geleden had hij voor hen allebei een fonds ingericht bij Vanguard. Daarvoor hadden ze alleen spaarrekeningen gehad en hypotheken die onbehapbaar hoog waren voor hun inkomen. Zo had hij een reden om hen minstens eenmaal per maand te bellen, en dan had hij meteen ook iets om over te praten. De beide vrouwen waren hem diep dankbaar voor zijn hulp. Katie stuurde hem regelmatig kaarten waarop ze hem op de hoogte hield van het wel en wee van de kinderen en hem in haar ronde, kinderlijke handschrift omstandig bedankte voor 'alles wat hij voor hen deed'. Katies kinderen stuurden zelf ook brieven: 'Bedankt voor de PlayStation, oom Paul', of: 'Heel heel erg bedankt voor de kaartjes voor de wedstrijd van het UNC-team'. De brieven bleven komen, ook al had hij tegen

Katie gezegd dat ze niet hoefden te schrijven. Hij was tenslotte hun oom. Aan je familie hoefde je geen bedankbriefjes te sturen.

Maar in werkelijkheid vond hij die brieven verschrikkelijk. Het baarde hem zorgen dat zo weinig geld zo veel voor hen betekende. Ze leken zo hulpeloos, zo totaal niet in staat zelfs kleine financiële beslissingen te nemen zonder hem eerst te bellen. Uiteraard waren financiële beslissingen die voor hem klein waren voor Patricia of Katie vaak enorm. Ze hadden geen idee hoeveel geld Merrill had, en evenmin wisten ze dat de Darlings toegang hadden tot allerlei geldbronnen waarvan zij zich geen voorstelling konden maken: beleggingsfondsen met een minimale inleg van een half miljoen, vermogensbeheerders, fiscaal juristen, beleggingsadviseurs. Daardoor worden zij op geen enkele manier benadeeld, hield hij zichzelf voor. Het is niet zo dat de een verliest wat de ander wint. Maar toch was het schuldgevoel soms hevig, het overstroomde zijn borstkas als een opkomende vloed.

Nu leek alles op zijn kop te staan. Het afgelopen etmaal had Paul diverse malen de aandrang gevoeld om ertussenuit te knijpen naar Charlotte, samen met Merrill. Naar Charlotte of naar iets heel nieuws – Hongkong, Londen, Parijs, São Paulo. Een plek die van hen was en niet van de Darlings.

Zijn telefoon ging. Ze zagen allebei het display oplichten op het nachtkastje.

'Neem je op?' vroeg Merrill.

'Nee, ik laat 'm op de voicemail springen.'

'Is het Alexa?'

'Dat weet ik niet.' Paul rolde naar Merrill toe en nam haar in zijn armen. Haar lichaam was eerst strak gespannen, maar toen vlijde ze zich tegen hem aan. Hij legde zijn gezicht tegen haar hals en kuste die, met zijn ogen stijf dicht. 'Ik hou van je,' zei hij. 'Het spijt me dat ik je niet meteen heb verteld dat ik haar had gezien. Ik probeer alles goed te doen.'

Ze omarmde hem stevig, duwde haar lijf tegen het zijne aan. 'Weet ik,' zei ze, en ze kuste zacht zijn haarlijn. 'Weet ik. Je zou alles voor mij doen, dat weet ik.' Aan de manier waarop ze hem aankeek, zag hij dat het tegelijkertijd een mededeling, een vraag en een bevestiging was.

'Ja.'

'Praat alsjeblieft met papa voordat je besluit wat je doet. Alsjeblieft.'

Terwijl ze daar zo in elkaars armen lagen, hoorden ze dat er een auto de oprit op kwam rijden.

'We kunnen nu beter naar beneden gaan,' zei ze.

'Ik hou van je,' zei hij nog eens. 'Ontzettend veel.' Maar ze stond al en gaf geen antwoord.

Beneden werd de tafel gedekt. Ines' Thanksgiving-servies, porselein met een gouden randje en beschilderd met minikalkoenen, was uit de mousselinen doeken gehaald en uitgestald op een antiek kanten tafellaken. Flakkerend kaarslicht spiegelde zich in het fonkelende tafelzilver. Midden op tafel stond een grote schaal die rijkelijk was beladen met appels, peren, druiven, sinaasappelen en kastanjes. Ze zagen er allemaal bijzonder appetijtelijk uit, maar ze waren van was. Carmela had alle vruchten heel precies moeten rangschikken, zoals elk jaar, om datgene te bereiken wat Ines 'een nonchalante élégance' noemde. Veronica had dat het eerste jaar niet voor elkaar gekregen – ze had de vruchten te gelijkmatig gestapeld – en Ines was gedwongen geweest ze geërgerd zelf te herschikken; pas daarna mocht iedereen gaan zitten. Sindsdien was die taak aan Carmela toebedeeld. John had één stoel van de negenpersoons tafel verwijderd. Hij had opdracht gekregen hem helemaal naar de kelder te brengen, volkomen uit het zicht. Niemand wilde eraan worden herinnerd dat er iemand was die er vandaag niet bij zou zijn, had Ines ernstig tegen hem gezegd. Overigens was de tafel eigenlijk ook bedoeld voor acht personen; die extra stoel was er alleen voor Morty bij gezet. Hij was iets anders dan de andere stoelen.

Op het dressoir lag een stapel naamkaartjes voor de tafelschikking. Ines was al aan het bedenken waar ze iedereen zou neerzetten.

Marina was godbetert in Brooklyn.

Ze haatte Brooklyn, ze haatte de metrorit en ze haatte al die lage gebouwen. Ze haatte de bewoners, die het deden voorkomen alsof hun beslissing om in Brooklyn te gaan wonen hen gevatter of moreel superieur maakte. Maar wat ze het allermeest haatte, was het gevoel van desoriëntatie als ze uit het metrostation kwam en merkte dat ze niet meer in Manhattan was. Het gaf haar het idee dat ze zich verwijderde van het rotatiemiddelpunt van de aarde. Marina was direct na haar studie naar New York gekomen, met niets anders dan een bankrekening waar duizend dollar op stond, al haar bezittingen in een paar kartonnen dozen met keurige met viltstift aangebrachte opschriften en het vaste voornemen om nooit buiten Manhattan te gaan wonen. Ze was trots op zichzelf dat ze zich daaraan had gehouden. Ze was uiteindelijk met twee kamergenotes op een bovenetage in Chinatown beland waar het op onverklaarbare wijze naar kerrie rook. Maar ze had het ervoor over, want ze woonde in Manhattan.

Max had er kennelijk voor gekozen om in Brooklyn te wonen. Marina wist dat je in Brooklyn Heights, Williamsburg en Park Slope dure appartementen had, maar ze was daar tot nu toe nooit geweest, alleen in sjofele huurflats in Prospect Heights en Fort Greene. Dat kwam, besefte ze later toen ze goed dronken was, doordat al haar coole vrienden arm waren en al haar rijke vrienden te saai waren om in Brooklyn te wonen.

Max was arm noch saai, wat haar verraste. Ze had hem maar een paar keer ontmoet, meestal op luidruchtige feestjes waar ze geen woord verstond, maar hij had geen indruk op haar gemaakt. Ze had gedacht dat Georgina toch wel wat beters kon krijgen. George was tenslotte een fantastische meid, ze had dat perfecte, moeiteloze, benijdenswaardige gevoel voor wat cool was dat rijke stadmeisjes wel leken te erven, net als lang sluik haar en een volmaakt gebit. George had het metabolisme van een windhond. Alles stond haar: haute-couturejurken, trainingsbroeken, mannenoverhemden. Ze was opgegroeid in een rijtjeshuis aan 11th Street met een achtertuin en een schilderij van Cy Twombly boven de schoorsteenmantel. Ze was het liefdeskind van een ex-model die fotografe was geworden en een gitarist die ooit bij Bob Dylan had gespeeld. Ze was vierentwintig en een paar centimeter groter dan Max. Maar ze was verliefd op hem, tot over haar oren.

Wat George haar nooit had verteld was dat Max niet zómaar een softwareontwerper was – hij was een steenrijke, enorm succesvolle, zesendertigjarige softwareontwerper die feitelijk de iPod had uitgevonden (of iets dergelijks). En zijn vader was een durfkapitalist die miljardair was en een huis naast dat van Carl Icahn in East Hampton had.

Nu begreep ze het allemaal beter.

Maar toen Marina George de vorige avond had gebeld en haar jammerend alle gruwelijke details van het Thanksgiving-feestje bij de Morgensons had onthuld, wist ze daar nog niets van. Toen was Max nog gewoon George' mollige vriendje met zijn krullenkop, zijn buikje en zijn versleten rode gympen, het soort man dat verlegen en altijd net te laat lachte en waarschijnlijk nog videogames speelde. Dus toen ze de uitnodiging aannam om Thanksgiving bij hem thuis te vieren, was het duidelijk hoe wanhopig en verslagen ze was.

Het probleem was dat ze geen plan B had. Dat was niets voor haar. Marina was anders altijd bijzonder ordelijk, methodisch en risicomijdend (de eigenschappen die haar ouders het vaakst opsomden in hun nimmer aflatende campagne voor een rechtenstudie). Maar hoe slim ze ook was, ze had ook dikwijls aanvallen van hopeloze romantiek. Net zoals ze de baan bij *Press* had geromantiseerd (chique collega's, fantastische feestjes, een mentoraat bij een beroemde journalist), zo had ze ook Tanner geromantiseerd.

Ze was langzaamaan steeds heftiger en pijnlijker verliefd op hem geworden. Hij was de jongste kleinzoon van William Morgenson. Hoe verliefder ze werd, hoe meer ze gaandeweg al zijn tekortkomingen had vergoelijkt. Dat gebeurde sluipenderhand, in de loop van vele maanden, totdat ze op een goede dag alleen nog maar mooie muziek hoorde als hij de kamer binnenkwam.

Ondanks haar voorkeur voor mensen van goede komaf kon het Marina niet meer schelen dat hij maar een tamelijk middelmatige opleiding had gehad. Ze had er vrede mee dat hij al na vier maanden was gestopt met de analistenopleiding bij Morgan Stanley en had besloten de daaropvolgende twee jaar te besteden aan het 'speuren naar de gouden kans'. Soms was Marina zelfs blij met Tanners werkloosheid, al zou ze dat nooit aan iemand anders toegeven. Hij was altijd beschikbaar om haar mee te nemen naar vernissages, etentjes en benefietgala's, wat verfrissend was in een stad vol mannen die zo'n beetje op kantoor woonden. En als hij zich de toegangskaartjes en de smoking kon veroorloven, wat maakte het dan uit? Tanner was perfect.

Marina's vriendinnen waren zich stilletjes zorgen gaan maken. Het was iedereen behalve Marina zelf duidelijk dat Tanner niet van plan was ooit met haar te trouwen. Sterker nog, het gerucht ging dat hun relatie op zijn einde liep en dat Tanner druk op zoek was naar een geschiktere huwelijkskandidate. Marina was erg mooi en erg goed opgeleid, maar ze was toch niet echt een geschikte echtgenote voor een Morgenson. Ze was naar Hotchkiss School gegaan omdat haar ouders daar werkten, en ze had met een gedeeltelijke beurs aan Princeton gestudeerd omdat ze de beste van haar klas was. Haar ouders waren aardige mensen, maar zonder sociaal netwerk. Hoezeer Marina ook haar best had gedaan om die subtiele verschillen te verdoezelen, ze waren de addertongen van haar concurrentes niet ontgaan. Marina was zich ervan bewust dat sommige vriendinnen van Tanner vonden dat hij wel wat beters kon krijgen en dat ook tegen hem hadden gezegd.

Marina's ouders gaven les aan Hotchkiss School, waardoor ze hun dochter de beste opleiding konden geven die er beschikbaar was. Dat doel hadden ze ook bereikt, maar met een onbedoeld neveneffect: ze hadden Marina daarmee blootgesteld aan een wereld van extreme privileges en overdaad, en sindsdien wilde ze niets liever dan bij die wereld horen. Omdat ze mooi was, was ze populair, en omdat ze populair was, was het merendeel van haar vrienden erg rijk. Ze bracht vakanties met hen door in hun huizen in Aspen, ze leende hun Chanel-jasjes voor feestjes op de Ivy Club en ze keek toe terwijl zij allemaal interessante maar nutteloze beroepen kozen (juwelenontwerpster, romanschrijver) in plaats van zich druk te maken over een goed inkomen. Op een gegeven moment raakte Marina ervan overtuigd dat zij daar ook recht op had. Daarvoor hoefde ze alleen maar op zoek te gaan naar het leven dat haar vrienden in de schoot geworpen hadden gekregen en dat voor zichzelf te veroveren. Dat zou een zorgvuldige planning en uitvoering vereisen, maar Marina bereikte altijd alles waar ze haar zinnen op had gezet. Ze was een geboren planner.

Een rechtenstudie viel af. Het was een redelijk solide volgende stap voor een afgestudeerde alfa en het vooruitzicht van een beginsalaris van 160.000 dollar was beslist aantrekkelijk. Maar Marina besloot na enig nadenken dat ze zich niet wilde verlagen tot zeventig uur per week documenten lezen tussen slonzige collega's zonder noemenswaardige sociale vaardigheden, omdat ze haar talenten veel beter kon gebruiken. Goed, ze was slim. En ijverig en rationeel en al die andere dingen die iemand tot een goed jurist maakten. Maar ze wist waarin ze zich werkelijk van de grote massa onderscheidde: in haar uiterlijk, haar esprit en haar aangeboren stijlgevoel. En op al die punten blonk ze uit.

Wat Marina wel inzag maar haar ouders niet, was dat een rechtenstudie een veel te bescheiden ambitie voor haar was. Ze hield zielsveel van haar ouders, maar om redenen die ze nooit geheel kon doorgronden hadden Richard en Alice een nogal beperkte horizon. Ze hadden gekozen voor een leven in kalme anonimiteit in een aardig stadje in Connecticut waar Richard leraar Europese geschiedenis was en Alice lerares Frans, terwijl ze allebei gemakkelijk hoogleraar hadden kunnen worden aan een universiteit of zelfs een carrière als consultant of advocaat hadden kunnen overwegen. Ze droegen stevige schoenen en fleecetruien en zaten bijna altijd onder de hondenharen. Hun stokoude gele stationcar (die ze liefkozend de Ouwe Trouwe noemden) piepte al een paar jaar als een ouwe accordeon als je het sleuteltje uit het contact trok. Hij had het gezin overal heen gebracht, van de voetbalwedstrijden op Marina's middelbare school tot haar afstudeerplechtigheid. Op gezette tijden overwogen Richard en Alice om de Ouwe Trouwe in te ruilen, maar Alice kreeg dan tranen in haar ogen alsof het om een hond ging die ze wilden laten inslapen in plaats van een zeventien jaar oude stationcar met kuilen in de banken en zonder cd-speler. Marina wist dat ze erin zouden blijven rijden totdat het ding de geest gaf en langs de weg bleef staan.

Haar ouders waren gelukkig en Marina wist wel dat dat het enige was wat ertoe deed. Toch had ze sterk het gevoel dat haar eigen leven veel grootser en kosmopolitischer zou worden. Ze wilde later niet terugkijken op de keuzes die ze had gemaakt, haar carrière en, vooral, haar huwelijk met het gevoel dat ze het op een akkoordje had gegooid.

Ongeveer een jaar lang verliep alles naar wens. Marina wist een felbegeerde baan als assistente van Duncan Sander te bemachtigen, een positie waarvoor de meeste mensen in de high society een moord zouden doen. Ze wist via via door te dringen tot een paar liefdadigheidscommissies en liet haar gezicht zien op het juiste soort feestjes. En – haar indrukwekkendste wapenfeit – ze had Tanner aan de haak geslagen.

Tanner Morgenson was in meer dan één opzicht een goede vangst. Hij was niet knap, maar ook niet lelijk. Hij viel bij mensen in de smaak. Hij kleedde zich goed. Niemand zou hem spontaan grappig noemen, maar hij was energiek en hij had interessante vrienden. Je kon lol met hem hebben. Hij bewoog zich met overgave in de betere kringen. Het was niet ongewoon dat hij dagenlang van de ene privéclub naar de andere trok: een lange lunch met zijn vader bij de Knickerbocker Club, een partijtje squash en een saunaatje bij de Racquet Club, een diner dansant bij Doubles. Tanner hoorde bij de snelle jongens en meisjes die bijna allemaal in de Upper East Side geboren waren en elkaar al vanaf hun geboorte kenden, allemaal rijk en met goede connecties, maar omdat zijn grootvader William Morgenson senior was (de oprichter van het energiebedrijf Morgenson) en zijn moeder Grace Leighton Morgenson (erfgename van het farmaceutisch concern Leighton & Leighton), waren maar weinigen zo rijk of zo goed ingevoerd in de betere kringen als hij.

Marina had al op de universiteit een oogje op Tanner gehad. Hij kwam af en toe op bezoek bij zijn zusje Clay op Princeton, meestal met de bedoeling haar vriendinnen te versieren. Op een vochtige lenteavond in hun afstudeerjaar dook Tanner onaangekondigd op de campus op. Om middernacht stond hij op een tafel in de Ivy Club, gearmd met twee heen en weer zwaaiende lacrossespelers die hem hadden weten over te halen tot het zingen van 'You've Lost that Loving Feeling' met een bierflesje als microfoon. Er zaten vlekken op zijn rode broek en hij zag er verwilderd uit. Clay verklapte Marina dat Lily Darling, Tanners knipperlichtvriendinnetje, met een oudere man was getrouwd die voor haar vader werkte. Hoewel Tanner nooit in staat was geweest ondubbelzinnig voor Lily te kiezen, was hij er kapot van. Marina rook bloed en sloeg toe.

Aan het eind van de zomer was Marina naar New York verhuisd en was Tanner haar vriend. Nou ja, bijna. Ze had al snel door dat Tanner niet zoveel gaf om het begrip trouw. Ze probeerde dat niet persoonlijk op te vatten. Tenslotte was hij nérgens trouw aan. Hij was als kind weggelopen uit twee zomerkampen (een hockeykamp in Maine en een squashkamp in Newport) en bezat allemaal mooie spullen waar hij niets mee deed (een gitaar, een saxofoon en een paddletennisracket). Hij had nooit langer dan vier maanden dezelfde baan gehad (die bij JPMorgan was de recordhouder). Reserveringen in restaurants werden vaak op het laatste moment afgezegd en hij besloot in een opwelling tot weekendtripjes naar Aspen of Palm Beach. Marina besteedde haar eerste veertien maanden in New York aan een ingewikkelde vorm van romantische crisisdiplomatie met Tanner, een subtiele diplomatieke operatie bestaande uit verleiding, geveinsde desinteresse, geduld, ongeduld, een Brazilian wax, ultimatums, openlijk flirten met anderen en één stomdronken romantisch weekend in de Napa Valley.

Ten slotte was Marina elk zicht op de realiteit kwijtgeraakt. Ze had nog nooit eerder iets niet bereikt wat ze wilde en ze was niet van plan Tanner de eer van de primeur te gunnen. Ze wilde zo dolgraag geloven dat haar gevoelens voor hem wederzijds waren dat ze een van de basisregels van het hofmaken overtrad. Ze had Tanner (maar wat graag, verrukt) geloofd toen hij zei dat ze met Thanksgiving was uitgenodigd bij zijn familie. Ze had onmiddellijk haar ouders gebeld om te zeggen dat het haar dit jaar niet zou lukken om hen in Lakeville te komen opzoeken, zeer tot hun teleurstelling. Dat was een pijnlijke vergissing, die had kunnen worden vermeden als ze had beseft dat je beloftes van dronken mannen nooit letterlijk moet nemen.

'Geloof nooit, maar dan ook nooit iets wat een man zegt als hij dronken is!' George schudde heftig haar hoofd nadat ze dit had geponeerd, zodat haar honingkleurige krulletjes alle kanten op dansten. 'En helemaal niet als hij dronken is en nog met je naar bed wil. Godsamme, dat is regel één.' Ze keek Marina streng aan, die haar blik afwendde en het ineens heel druk had met het herschikken van de leren broeken en bustiers op het kledingrek dat ze naar beneden moesten brengen voor een fotoshoot. Even tevoren had Marina zich nog opgetogen gevoeld. Toen was George gekomen, die haar als een ballon had laten leeglopen.

'Weet ik,' zei ze zwakjes. 'Maar zó dronken was hij niet. En het gaat net zo goed! Ik geloof echt dat hij wil dat ik kom.'

'Was je naakt?'

'Wat is dat nou voor vraag?' Marina liet haar blik door de hal gaan om zich ervan te vergewissen dat er niemand meeluisterde.

'Gewoon. Geef nou maar antwoord.'

'Oké. Ja. Nou én?' fluisterde ze.

'En hij zei dat ervoor, hè? Voordat je met hem naar bed ging.'

'Ja ja, ik heb het begrepen.'

'Ik wil alleen maar zeggen...' George trok haar wenkbrauwen op en Marina kreeg zin om haar een klap te geven. 'Wees voorzichtig. Was je niet van plan om bij Richard en Alice langs te gaan? Die zullen wel vreselijk teleurgesteld zijn.'

'Laten we er maar over ophouden,' zei Marina kil, en ze drukte twaalfmaal snel achter elkaar op de knop van de lift.

'Oké,' zei George. Ze stak haar armen omhoog ten teken dat ze zich overgaf.

Marina kookte de rest van de dag van frustratie en probeerde te bedenken wat haar meer ergerde: dat George andermans ouders bij hun voornamen noemde of dat ze gelijk had wat Tanner betreft.

Marina's vernedering was volledig toen ze eerst het etentje op de avond voor Thanksgiving bij de Morgensons moest verdragen en het in de loop van de avond geleidelijk aan genadeloos duidelijk werd dat de Morgensons niet alleen geen idee hadden dat Marina iets met hun zoon had, maar ook volstrekt niet van plan waren haar de volgende dag te ontvangen, en ze vervolgens gedwongen was George te bellen en te vertellen hoe het was gegaan. Ze had niemand anders die ze kon bellen.

'Hij stelde me aan zijn moeder voor als "een vriendin van Clay, van Princeton"!' zei ze. 'Aan zijn móéder. Je had haar gezicht moeten zien. Volstrekt niet-begrijpend. Geen idee wie ik was.'

'Goeie god, hou maar op. Je dumpt hem nu meteen, hoor. Nou ja, feitelijk héb je dat al gedaan. Jij komt naar Brooklyn om Thanksgiving te vieren bij Max en mij. Het wordt hartstikke gezellig en als het voorbij is zul je die Theo Morgenblatt de Derde of hoe hij ook maar heet volledig vergeten zijn. Hij kan de pot op. *Jij kunt iets veel beters krijgen.*'

Op de achtergrond hoorde Marina Max' stem die George dringend verzocht het gesprek te beëindigen en in bed te komen.

Marina wilde protesteren door haar hortende gesnif en gesnik heen, maar ze had er de kracht niet voor. 'Weet je het – *hik* – zeker? Ik wil jullie niet tot last zijn.'

'Ach, kom. Max weet niet eens meer wie er allemaal komen. Het wordt hartstikke gezellig. Trek iets moois aan. O, en kun je pecannotentaart meebrengen? Ik zou er een bakken, dat wil zeggen er een kopen en doen alsof ik 'm zelf had gebakken, maar ik ben het vergeten.' Max' geproest op de achtergrond werd gesmoord door een doffe klap die Marina herkende als een kussen dat hem vol tegen het hoofd trof.

'Oké, ik breng taart mee,' zei ze doodongelukkig. 'Bedankt, George. Je bent geweldig.'

En zo kwam het dus dat Marina op Thanksgiving in metrolijn 4 zat nadat ze die ochtend een hele poos doelloos door SoHo had gezworven op zoek naar een bakker die open was. Ze had uitgeslapen en na het opstaan naar de sportschool willen gaan, maar die bleek dicht te zijn. Nu probeerde ze zich zo klein mogelijk te maken op haar bankje in de metro, haar tas en de taart op haar schoot tegen zich aan geklemd. Het was een bosbessentaart, want dat was het enige wat ze nog had kunnen krijgen, maar ze nam aan dat het niemand zou opvallen. Sterker nog, ze nam aan dat niemand haar aanwezigheid zou opmerken.

Ze was te neerslachtig geweest om aandacht aan haar outfit te besteden en had gekozen voor een amalgaam van zwarte kledingstukken die op een vage, onopvallende manier in elkaar overvloeiden en waarmee ze gegarandeerd niemands aandacht zou trekken. Vlak voor ze van huis ging, stopte ze nog een paar grote gouden oorbellen in haar zak; ze was van plan die bij Max thuis ongemerkt in te doen als iedereen er feestelijker uitzag dan zij. Maar terwijl ze naar het metrostation liep, kwam het idee dat grote oorbellen haar uit de anonimiteit zouden kunnen redden haar opeens lachwekkend en haast ondraaglijk deprimerend voor. Ze zag er vreselijk uit en daar was niets aan te doen. Of nee, niet vreselijk, nog veel erger: gewoontjes.

Mensen drongen haar opzij op het perron en ze omklemde de taart met de angstvalligheid van een eekhoorn met een nootje. New York maakte haar merkwaardig genoeg tegelijkertijd claustrofobisch en eenzaam. Ze had de hele dag mensen om zich heen: op straat, in de metro, op kantoor. Het gebonk van de benedenburen klonk elke avond door in haar slaapkamer, het gelach van haar huisgenotes drong door de flinterdunne muren en haar raam keek recht uit op de slaapkamer van een jong Chinees echtpaar met een pasgeboren baby. Die fysieke nabijheid had iets intiems. Maar het was geen substituut voor familie of voor de vriendschap die ze met haar kamergenotes op de universiteit of haar vriendjes had gedeeld. De nabijheid van zo veel onbekenden maakte dat ze zich ontheemd voelde. Ze besefte dat New York een zee vol schepen was die geluidloos langs elkaar gleden, allemaal op weg naar hun eigen bestemming.

Marina staarde naar de mensen met wie ze deze Thanksgiving deelde. Tegenover haar zat een dakloze in zichzelf te praten en zachtjes heen en weer te wiegen; de huid van zijn diepzwarte handen was zo geschilferd dat het leek alsof hij ze door krijtstof had gehaald. Naast hem zat een onderuitgezakte jongen met een slobberbroek en een rugzakje, die geheel opging in zijn iPod. De enigen die af en toe oogcontact maakten waren een man en een vrouw (toeristen uit de Midwest, gokte ze) die identieke truien droegen. Ze waren veel te dik en hadden een plattegrond in hun hand, en ze wedde met zichzelf dat ze voor het einde van hun vakantie zouden worden beroofd.

Ze deed haar ogen dicht en probeerde haar ouders voor zich te zien, voor het eerst alleen in hun huis in Lakeville. Het zou stil zijn in huis, afgezien van het gekraak en geklapper van het hondenluik als Murray en Tucker ongedurig de keuken in en uit liepen. Haar moeder had waarschijnlijk haar oude spijkerbroek aan en een coltrui met herfstbladeren erop geborduurd. Ze had de honden hun 'feestelijke' halsbanden omgedaan omdat het Thanksgiving was. Of misschien ook niet omdat Marina er niet bij was om de dag samen met hen te vieren. Haar vader zat op zijn werkkamer terwijl het eten werd klaargemaakt, met een rommelende maag omdat hij, zoals hij hun iedere Thanksgiving opnieuw uitlegde, gewend was op vaste tijden te eten (half acht, twaalf uur en half zeven), en niet één grote maaltijd midden op de middag. Zijn bril was nu al op de punt van zijn neus gegleden en hij tuurde door de glazen en beoordeelde de werkstukken van zijn leerlingen hoofdzakelijk nog met zijn linkeroog, want met het rechter zag hij veel slechter. Jarenlang had Richard Tourneau gewerkt met goedkope brillen van de drogist en beweerd dat die uitstekend voldeden. Vijf jaar geleden had Alice hem eindelijk zover gekregen dat hij naar de oogarts ging en hij had zich verzoend met de bril die hem was voorgeschreven ('Honderdvijftig dollar!' had hij geprotesteerd, maar hij zag er heel geleerd uit met dat ding op), maar was sindsdien niet nog een keer gegaan. Zijn ogen waren in die tijd uiteraard verder achteruitgegaan; hij werd dit jaar zestig. Hij had de eigenaardige gewoonte aangenomen om met één oog dichtgeknepen te lezen en naar films te kijken, als een piraat.

Toen Marina uit het metrostation kwam, bedacht ze dat niets haar ouders gelukkiger zou maken dan een verrassingsbezoek op

Thanksgiving. George zou het haar niet kwalijk nemen en Max zou het niet eens merken. Op een telefoontje of een uitnodiging op de valreep van Tanner hoefde ze niet te rekenen, wist ze. Ze besefte plotseling genadeloos scherp dat haar ouders de enigen op de hele wereld waren die echt om haar gaven. Toen ze op de hoek van Montague Street en Henry Street bleef staan om zich te oriënteren, voelde ze opeens tranen over haar gezicht lopen. Was het nog mogelijk om rechtsomkeert te maken en naar huis te gaan? Ze werd verscheurd door een bijzonder heftige pijn, een afschuwelijk gevoel dat ze pas later als heimwee herkende.

Het zou niemand opvallen als ze uit New York wegging en met de staart tussen de benen naar Connecticut terugkeerde. Haar vriendinnen zouden haar natuurlijk missen, maar maar heel even, als een zucht aan het einde van een goede film. Ze zou in Lakeville kunnen gaan wonen en zich voorbereiden op het toelatingsexamen voor de rechtenstudie (kon ze zich nog inschrijven voor het examen van december? Dat zou ze moeten navragen). Misschien kon haar vader haar aan een parttimebaantje als leerlingbegeleider op Hotchkiss School helpen. Ze werd niet meer misselijk bij die gedachte, maar kreeg er juist een merkwaardig, bevrijdend gevoel van opluchting van.

Instinctief toetste ze het nummer van haar ouders in.

Zodra haar moeder de telefoon opnam, wist Marina dat ze het nooit echt zou doen. Althans niet vandaag.

'Hoe was het feestje bij de Morgensons gisteravond?' vroeg Alice Tourneau hartelijk. 'Hoe was de optocht, heb je de ballonnen gezien? Wat voor jurk had je aan?'

'Het was leuk,' antwoordde Marina vaag. 'Er was kaviaar en er waren blini's,' voegde ze er nog voor de couleur locale aan toe.

'Dat klinkt heerlijk, liever. Je vader is vanmorgen helemaal van streek omdat ik heb besloten dit jaar alleen appeltaart te maken en geen pecannotentaart. Maar één taart is altijd meer dan genoeg, en dit jaar zijn we maar met z'n tweeën! En iedereen neemt altijd appel.' Op de achtergrond waren Murray en Tucker met veel gejank aan het stoeien op de keukenvloer. 'Ophouden!' Alice' stem klonk ver weg toen ze ze met haar gezicht van de telefoon afgewend een standje gaf.

'Hoe is het met Murray en Tucker?' vroeg Marina, op het punt om in tranen uit te barsten. 'Missen ze me?'

'O, het gaat goed met ze, hoor. Nou ja, Murray heeft iets gegeten wat-ie niet had mogen hebben en hij zal het zo wel weer uitkotsen, maar afgezien daarvan is alles goed. Ze zijn al zeven! Grote jongens.'

'Jullie surrogaatkinderen.'

'Ja, nou ja, het is ook zo stil in huis zonder jou! Die twee boefjes houden ons scherp.' Ze deed haar best om opgewekt te klinken, maar Marina kende haar goed genoeg om de lichte trilling in haar stem te horen. Ze vielen even stil, genoten allebei van de aanwezigheid van de ander.

'Hoe is het met papa?'

'O, goed, hoor. Hij moppert zich door het schooljaar heen, zoals altijd. Hij mist je. Ik weet dat hij niet van telefoneren houdt, maar hij zou het echt leuk vinden als je hem af en toe eens belde.'

'Ik mis hem ook,' zei Marina. Ze werd overspoeld door sentimentaliteit en was het liefst door de telefoonlijn geglipt en in haar moeders armen gevallen. 'Ik mis jullie allebei heel erg. Ik zat te denken dat ik misschien binnenkort een weekendje naar jullie toe kom.'

'O, dat zouden we heel fijn vinden! Het is hier zo mooi in deze tijd van het jaar. Jammer genoeg heb je de appeltijd gemist. Dit jaar was de oogst erbarmelijk. De slechtste die ik ooit heb meegemaakt, volgens mij. Het weer is zo wisselvallig geweest. Ons boomgaardje heeft het zwaar te verduren gehad.' Alice zuchtte. 'De laatste vruchten zijn net van de bomen gevallen. Ik heb ingemaakt wat ik kon. Maar weet je? Die kleine appeltjes waren heerlijk. We hebben er appelmoes en taart van gemaakt, en apfelstrudel voor mijn leerlingen. Ze waren lekker zoet. Of misschien waardeerden we ze gewoon meer omdat het er maar zo weinig waren.' Alice lachte en Murray blafte één keer.

'Misschien zelfs dit weekend,' zei Marina. 'Misschien zaterdag.'

'Misschien zaterdag! Dat zouden we heel fijn vinden. Kijk maar hoe laat de treinen gaan en laat ons weten wanneer je komt, lieverd. O, ik moet nu ophangen – Murray heeft net de hele keukenvloer ondergekotst. *Murray!*' En toen had ze opgehangen en stond Marina moederziel alleen in Brooklyn.

Onder het eten kwam het gesprek al snel op de kwijnende tijdschriftenmarkt en, meer in het algemeen, de kwijnende economie. Aan Marina's linkerhand zat een volmaakt gebeeldhouwde man die Franklin heette en van wie ze aanvankelijk aannam dat hij gay was. Zijn zijden overhemd stond één knoopje te ver open, zodat een deel van zijn gespierde borst zichtbaar was. Franklin bleek samen te wonen met Isabelle, de mooie, chique vrouw aan de andere kant van de tafel. Ze waren allebei fotograaf. Franklin kwam uit Trinidad en had een heel licht zangerig accent. Als hij lachte, klonk het honingzoet. Hij keek Marina recht aan als ze met elkaar praatten, alsof hij in zijn hoofd een foto van haar nam.

Marina at weinig, maar dronk veel. Terwijl ze steeds dronkener werd, begon ze Franklin enorm aantrekkelijk te vinden. Zijn perfecte gebit stak Hollywood-wit af tegen zijn donkere huid. Hij praatte over dingen die heel ver van haar af stonden: moderne Caribische literatuur, de recente bruiloft van zijn broer in Mumbai. Hij had het brood voor het eten van vanavond zelf gebakken. Het ging in een papieren servetje gewikkeld in een mandje rond en het was grillig van vorm en verrukkelijk zoet. Het werd geserveerd met mangochutney, die een aantal gasten op hun kalkoen smeerden in plaats van cranberrysaus. Marina nam nog een tweede keer, hoewel ze brood gewoonlijk meed als de pest.

Het menu was hapsnap in elkaar gedraaid. George had haar

gasten ietwat eigenaardige instructies gegeven en niet goed bijgehouden wie wat zou meebrengen. Er waren drie aardappelgerechten (gepureerde zoete aardappelen, gepureerde Yukon-aardappelen en gratin van Russet-aardappelen) en maar één soort groente (geglaceerde rode bietjes). Marina had als enige taart meegebracht, zodat er niet genoeg was voor alle zestien gasten. Tom, een bebaarde schrijver die in Queens woonde, had veertig glutenvrije koekjes meegenomen die onderweg waren verkruimeld. En Isabelle had in plaats van salade gepureerde pompoen meegebracht (die verrukkelijk was), en ook een knalrode amaryllis, die midden op tafel stond en zijn bloembladen als trompetten had opengeplooid.

Marina hing al snel tegen Franklin aan, drukte haar dij tegen de zijne en voelde de dikke stof van zijn spijkerbroek langs haar panty strijken, en ze veegde haar haar achter haar schouders om haar sleutelbeen goed te laten uitkomen. Hij was beleefd, maar weigerde op haar geflirt in te gaan. Naarmate de tijd verstreek, keek hij steeds vaker naar Isabelle. Marina had zich nooit eerder tot een zwarte man aangetrokken gevoeld en evenmin ooit openlijk geprobeerd een man te versieren in het bijzijn van diens vriendin. Maar de gestage stroom wijn maakte haar moedig, alles wat ze meende te weten verdampte en de wereld voelde rauw aan, alsof de huid binnenstebuiten was gekeerd. Het leek een dag om nieuwe dingen uit te proberen.

'Marina zou nooit naar Brooklyn verhuizen!' riep George aan de andere kant van de tafel. 'Nooit van d'r leven. Maar ik misschien wel! Ik vind het hier leuk. Ik dacht altijd dat ik alleen in een kist uit de Village weg zou gaan, maar ik ben van gedachten veranderd. Alles is mogelijk.' Ze lachte Max verlegen toe, die zijn glas wijn leegdronk en een hand op haar schoot legde.

'O jee, Max,' zei Franklin. Hij schudde grinnikend zijn hoofd. 'Manhattan raakt dankzij jou misschien wel zijn glamourgirl kwijt. Wat een sensatie!'

George rolde met haar ogen, maar Marina zag wel dat ze het

heerlijk vond dat ze tot Manhattans glamourgirl was gekroond. Ze pakte een fles merlot en begon de lege glazen bij te vullen. Ze denkt dat ze met hem wil trouwen, dacht Marina bitter. Ze denkt dat hij wel met haar zal trouwen omdat hij zesendertig is en verder wil met zijn leven.

'Het heeft niks met Max te maken, hoor,' zei George superieur. De fles in haar hand was leeg. Ze ging achter hem staan terwijl hij een nieuwe opentrok en streelde zijn wang met haar handrug. 'Ik ben gewoon verliefd geworden op Brooklyn. Of misschien is mijn liefde voor Manhattan bekoeld.' Ze begon weer in te schenken.

'Welnee, George, helemaal niet!' zei Marina. Ze merkte dat ze een beetje met dubbele tong sprak.

'Vind jij het daar dan niet deprimerend? Alle restaurants zijn leeg. Alle goede winkels gaan dicht. Ik vind het vreselijk.'

Isabelle lachte. 'Ik vond het ook deprimerend totdat ik vorig weekend naar Barney's ging. Alles is daar met 40 procent korting! Het was de eerste keer dat ik het me kon permitteren er iets te kopen.'

'Een winkel die 40 procent korting geeft, zou er op het prijskaartje bij moeten zetten dat je pensioenpolis ook 40 procent minder waard is geworden,' zei Malcolm. Malcolm was advocaat en de enige aanwezige met een goeie baan. Er golfde gelach over de tafel, dat weerkaatste tegen de hoge plafonds; achter de ramen waren in de vallende schemering vaag de silhouetten van boomtoppen zichtbaar. 'En ook dat niemand dit jaar een eindejaarsbonus krijgt.'

'Dat had niemand hier ook verwacht, meneer de raadsman,' zei Franklin, en hij lachte zonder ook maar een spoortje van wrok. 'Wij zijn allemaal kunstenaars en schrijvers, weet u nog wel?'

'Of kleine zelfstandigen,' zei Max. Hij hief zijn glas. 'Als iemand mijn baas ziet, zeg dan tegen hem dat ik loonsverhoging verdien!'

Iedereen was vrolijk, klonk met de anderen en dronk op zijn

droevig lot. Marina vond dit soort humor verbazingwekkend verfrissend. Alle vrienden van Tanner waren hedgefonds- of vermogensbeheerders die de crisis uiterst serieus namen. Het was een veelbesproken onderwerp bij etentjes. Er werden reisjes naar Aspen geannuleerd en zomerhuizen te koop gezet, en er waren minder Thanksgiving-feestjes dan ooit tevoren.

'Ik kan geen medelijden hebben met die bankiers van jou, George,' zei Isabelle. 'Oké, hun hedgefondsen gaan kapot en ze worden ontslagen. Maar in de tijdschriftenbranche is het niet anders.'

'En zij zijn zelf verantwoordelijk voor wat er gebeurt. Dat is het grote verschil tussen een noodlijdend tijdschrift en Lehman Brothers. Lehman heeft het verdiend om ten onder te gaan. Zij hebben het probleem zelf gecreëerd,' merkte Elise, een schrijfster, op. De stemming versomberde. Er verschenen rimpels in voorhoofden en diverse mensen knikten instemmend.

'Dat is misschien niet helemaal fair,' bracht Marina behoedzaam in het midden. 'Ik bedoel, een analist bij Lehman kan er net zomin iets aan doen als een redacteur bij *Press*. Zij nemen niet de beslissingen op het hoogste niveau. Ze voeren alleen maar opdrachten uit. Oké, sommigen kregen te veel betaald. Maar waarom zou je dat weigeren als het je wordt aangeboden?' Wat ze zei, zou bij een progressief publiek weleens in slechte aarde kunnen vallen, maar de alcohol had haar oordeelsvermogen aangetast. Haar hoofd tolde een beetje en het zwakke kaarslicht en de felgekleurde muren gaven haar het vage gevoel dat ze midden in een carnavalsfeest was beland. Ze was stomdronken, besefte ze. Ver weg, door de mist heen, hoorde ze een belsignaal.

'Volgens mij belt er iets in je tas,' zei Franklin zachtjes in haar oor. Hij reikte achter haar en pakte haar handtas, die over de rugleuning van haar stoel hing.

'Dank je,' mompelde Marina opgelaten. Ze stond abrupt op en rommelde in haar tas, maar de telefoon had zich ergens in een verre hoek verstopt. Het viel niemand op toen ze door de dichtstbijzijnde deur glipte, weg van het rumoer van het feestje. Ze deed de deur achter zich dicht. Ze keek om zich heen en besefte dat ze in Max' werkkamer stond. Ze wist niet zeker of het wel goed was dat ze daar was en ze bleef ongemakkelijk midden in het vertrek staan, met het licht nog steeds uit.

Ze herkende het nummer niet. Het begon met het netnummer 212, een vaste lijn in Manhattan. Heel even begon haar hart te bonzen. Het was Tanner, vanuit het appartement van zijn ouders.

'Hallo?' zei ze. Ze probeerde zo achteloos mogelijk te klinken. Even overwoog ze de deur weer open te doen om het achtergrondgedruis van het feestje toe te laten.

'Marina? Met Duncan.' Hij zweeg en er viel een stilte.

Marina's hart sloeg een slag over. *Duncan.* Wat zou die in vredesnaam willen?

Ze kon geen woord uitbrengen en bleef doodstil staan, met de telefoon tegen haar oor gedrukt en haar lippen een eindje van elkaar.

'Fijne Thanksgiving,' zei hij, en hij schraapte zijn keel. Hij klonk zenuwachtig. 'Hallo? Ben je er nog?'

'Ja, ik ben er,' zei Marina schor. 'Jij ook een fijne Thanksgiving. Sorry, ik ben in Brooklyn en het signaal is vrij zwak.'

'Brooklyn! Waarom dat? Woon je daar soms?'

'Nee, nee,' zei Marina snel. 'Ik vier Thanksgiving bij een vriendin.'

Ze dacht: als hij belt omdat ik iets voor hem moet doen, neem ik ter plekke ontslag. 'Wat kan ik voor je doen?'

'O hemeltje, je zit midden in een etentje. Dat spijt me vreselijk. Dan zal ik je niet langer ophouden.' Hij klonk voor zijn doen opvallend ingehouden en ze had onmiddellijk spijt van haar scherpe toon. Hij wilde niets van haar; hij belde gewoon om haar een fijne Thanksgiving te wensen. Natuurlijk. Wat attent van hem om aan haar te denken, en nu had zij hem afgesnauwd.

Je wordt een kreng, dacht ze. En je bent dronken.

'Maar nu je het zegt – je kunt inderdaad iets voor me doen, ja.'

Marina zei niets.

'Het hoeft niet vandaag, zie maar wanneer je eraan toekomt. Morgen misschien.'

Er waren weinig zinnen waar Marina zo'n hekel aan had als aan 'zie maar wanneer je eraan toekomt'. Duncan gebruikte hem vaak in combinatie met verzoeken die hij op andere momenten 'dringend' of 'spoedeisend' noemde.

'Met alle plezier.'

'Zou je het interview met Jane Hewitt kunnen opzoeken dat ik van de zomer heb gedaan, inclusief alle aantekeningen en wat dies meer zij die ik ter voorbereiding heb gemaakt? Ik wil ook graag mijn planning voor de dag dat ze langskwam; die kun je uit mijn Outlook halen. Ik overweeg een soort vervolgstuk over haar te schrijven, dus geef me alsjeblieft de namen en de algehele functie-hiërarchie bij de SEC. Gebruik niet onze gegevens van van de zomer, die zijn verouderd.'

Marina was stilletjes begonnen te huilen. Er rolden tranen over haar gezicht, dikke tranen, snel achter elkaar, en ze wist dat ze zo meteen hard zou gaan snikken. Ze dekte de microfoon van haar telefoon met haar hand af in een poging om het geluid te dempen en veegde en passant haar neus af aan haar handrug. Door de muur hoorde ze dof gelach en een geluid alsof iemand met een vork tegen een glas tikte om een toost uit te brengen.

'Dat klinkt interessant,' zei ze. Meer kon ze niet opbrengen; ze werd tenslotte midden in een Thanksgiving-etentje door haar werkgever gecommandeerd.

'O, en verzamel alles wat je te weten kunt komen over Morton Reis en zijn bedrijf RCM en ook over Delphic, dat is het bedrijf van Carter Darling.' Na een korte stilte riep hij uit: 'Marina, zit je te huilen?'

Ze dacht dat ze heel zachtjes had gedaan, maar het was mogelijk dat ze even had gejammerd.

Ze snufte. 'Sorry,' zei ze. Ze voelde zich roekeloos en verdoofd en meende dat ze toch niets meer te verliezen had. 'Ja, ik zit te huilen. Ik weet dat dat totaal ongepast is. Maar mijn vriend heeft het gisteren uitgemaakt en ik had al tegen mijn familie gezegd dat ik met Thanksgiving niet bij hen zou zijn omdat ik het met hem zou vieren, en nu zit ik dus bij een vriendin. En nou moet ik werken. Nou ja, kortom, het spijt me.'

Er viel een stilte. Marina tikte met één voet zenuwachtig op de dure vloerbedekking.

'Nou, er gaat toch maar niets boven ouderwetse loslippigheid,' zei Duncan na een poosje. Hij liet zijn eigenaardige vaste grinniklachje horen, dat opvallend hoog van toon was. 'Hoe heet hij? Je vriend?'

'Tanner,' zei Marina. Ze had er vreselijke spijt van dat ze het onderwerp ter sprake had gebracht. 'Tanner Morgenson.'

'Nou, ik ken heel wat mensen en ik vind dat ik een behoorlijke mensenkennis heb. Misschien hoor ik dit niet te zeggen, maar wat maakt het uit, we zijn nu toch nietsontziend eerlijk tegen elkaar. Die Tanner Morgenson lijkt me een ontzettende stomkop. Jij bent mooi en slim, en erg stabiel voor iemand van jouw leeftijd. Er ligt een mooie carrière voor jou in het verschiet, Marina, dat weet ik zeker. Er zijn niet veel mensen die het bij mij uithouden, hoor. Jij hebt een bepaald zelfvertrouwen en je kunt goed incasseren, en dat zijn eigenschappen die in deze stad goed van pas komen.'

'Dank je. Dat waardeer ik zeer, zeker uit jouw mond.'

'Weet je,' zei hij, en ze stelde zich voor dat hij een beetje bloosde, 'volgens mij moet je hier eigenlijk blij mee zijn. Je bent ontsnapt aan een leven vol middelmatigheid. Ik twijfel er niet aan dat je in vrijwel elk opzicht superieur bent aan die jongen. Hij is toch niet de kleinzoon van William Morgenson en de zoon van Bill Morgenson, hè? Als ik vragen mag.'

'Ja.' Ze nam aan dat hij op het punt stond iets vernietigends over de familie Morgenson te gaan zeggen, maar desondanks voelde Marina een golf van trots dat ze geassocieerd was geweest met zo'n aanzienlijke clan. Misschien steeg ze daardoor een miniem stukje in Duncans achting.

'Nou, dan zal ik je eens wat verklappen. Misschien is het een slecht bewaard geheim, maar dat geldt voor de meeste geheimen. De Morgensons zijn volkomen maar dan ook volkomen blut. Al een tijdje. Ik heb het uit de beste bron.'

Marina's ogen werden zo groot als pompoenen. 'Néé. Dat kan niet waar zijn! Ik ben bij hen thuis geweest – in meerdere huizen zelfs! Gisteravond nog. Hun appartement is prachtig.'

'Dat kan wel wezen, maar Tanner junior zal nog lelijk op zijn neus kijken als hij denkt dat hij wat erft. Zijn grootvader heeft een bom geld verdiend, maar het grootste deel ervan aan goede doelen gegeven en de rest onder zijn vier kinderen verdeeld. Tanners vader is een volstrekte imbeciel. Bill Morgenson heeft nog geen dag van zijn leven gewerkt, maar zich alleen af en toe verstrikt in beleggingen in onroerend goed met een vermeend hoog rendement. Van zijn kleine vermogen is na al die jaren vrijwel niets meer over en hij is nu de wanhoop nabij. Anderhalf jaar geleden, toen de markt op zijn toppunt was, heeft hij alles wat hij nog had in die grote glazen kantoortoren in het centrum gestopt – je weet wel over welk gebouw ik het heb, ik kom zo wel weer op de naam – en dat project is helemaal geflopt. Ik heb een goede vriend die de deal van nabij kent, en die vertelde me dat de drie hoofdinvesteerders – van wie Morgenson er één is – zich persoonlijk garant hebben gesteld. Wat natuurlijk ontzettend stom is. Dus geloof me, die familie zit aan de grond. Het duurt niet lang meer of Tanner heeft ergens een baantje als barkeeper.'

'Maar zijn moeder dan?' zei Marina. 'Heeft Grace geen geld? Dat zegt iedereen.'

'O nee, geen cent. Haar vader kon Bill niet uitstaan. Hij is niet naar hun bruiloft geweest, zegt men. Hij heeft de geldkraan potdicht gedraaid.'

'Ongelooflijk.' Marina was verbijsterd. 'Dan weten ze de schijn goed op te houden.'

'Dat is zeker waar. Nou, eet jij maar eerst lekker verder en help me dan met mijn research naar Jane Hewitt. En Morton Reis, en Carter Darling. En daarna zullen we weleens zien wie de beste kaarten heeft.'

'Doe ik,' zei ze. Ze pakte een schrijfblok van Max' bureau en schreef de namen zo snel mogelijk op.

'Bel ook Owen Barry van de *Wall Street Journal*. Zeg dat ik met hem wil praten, dat het dringend is en dat ik binnenkort contact met hem opneem. Geef hem die drie namen. Hij weet alles van iedereen. En kijk ook even of je de contactinformatie van Scott Stevens kunt achterhalen. Die werkte vroeger in Washington bij de SEC en heeft ooit een onderzoek naar RCM geleid. Voor zover ik weet is hij daar vrij plotseling weggegaan, eind 2006, geloof ik, en is het onderzoek daarna stopgezet. Het zou interessant zijn om eens met hem te praten.'

'Owen Barry. Scott Stevens. Oké. Is er nog meer wat ik kan doen?'

'Op dit moment niet. Als ik nog iets bedenk, bel ik wel. Dit wordt een leuk projectje van ons tweeën, Marina. Zie het als een actie van verontruste burgers.'

'Wil je misschien dat ik hem bel? Scott Stevens?'

Duncan dacht even na. 'Laten we niet te hard van stapel lopen. Alleen de contactinformatie is voldoende.'

Ze beet op haar lip. 'Goed,' zei ze. 'Laat het me weten als ik kan helpen bij de research of iets anders. Dit soort dingen vind ik erg leuk om te doen.'

Ze hing op, keek in Max' werkkamer rond en glimlachte. Dit was de kamer van iemand die echt iets tot stand had gebracht, ook al was hij onder bevoorrechte omstandigheden geboren. Zijn bureau lag propvol met stapels papier en zijn computer gloeide in het schemerdonker alsof hij bruiste van de ideeën. Plotseling was ze bijzonder op Max gesteld. Terwijl ze terugglipte naar het feestje, ging haar hand onwillekeurig over haar wang. Die was droog; ze was opgehouden met huilen.

'Laten we gaan zitten,' zei Carter, en hij gebaarde dat iedereen naar de eetkamer moest gaan. Carmela stond op de achtergrond zenuwachtig op instructies te wachten. De tafel was perfect; zacht kaarslicht verlichtte de perzikkleurige wanden. Het porselein fonkelde. Magen begonnen te knorren en lippen werden vochtig terwijl iedereen zijn plaats innam. Buiten was de wind aangewakkerd en de verandalampen zwaaiden heen en weer in de avondlucht.

Toen iedereen zijn plek had gevonden, zei Carmela tegen Carter: 'Alles is klaar. Zal ik nu opdienen?' Ze keken allebei naar het dressoir. Daarop was een feestmaal klaargezet. Worteltjes geglaceerd in bruine boter, dampende aardappelpuree, in olijfolie geroosterde herfstgroenten, Carmela's beroemde vulling – dat alles in terracotta schalen, een symfonie van herfstkleuren. In het midden lag een prachtige, dikke kalkoen. Zodra Carter het sein gaf, zou Carmela de kalkoen snel terugbrengen naar de keuken, waar John hem zou snijden. Daarna zou Carter hem uitserveren, de stukken zorgvuldig op de borden leggen met een zilveren tang, en iedereen zou zeggen hoe mooi alles er dit jaar weer uitzag.

'Nog niet,' zei Carter kortaf. 'Zorg alleen dat iedereen iets te drinken heeft.' Carmela knikte en begon de wijn in te schenken.

Sol draaide zijn glas om voordat Carmela bij hem was. 'Ik graag alleen water,' zei hij. 'Of wat hij drinkt.' Hij wees naar Carters gingerale.

'Zeker. Wilt u wijn?' zei Carmela kalm, en ze hield Marion de fles voor ter goedkeuring.

'Ja, alsjeblieft. Wat prachtig allemaal,' zei Marion met een gebaar naar de gedekte tafel. 'Je maakt er altijd zoiets moois van.'

Carmela knikte erkentelijk en keek toen om zich heen alsof ze niet zeker wist of het compliment wel voor haar was bedoeld. Zodra de glazen vol waren, verdween ze naar de keuken. Er viel een ongemakkelijke stilte aan tafel. Van achter de klapdeur klonk het geluid van pannen die met veel misbaar op het fornuis werden gezet. Een vlaag klassieke muziek woei hun kant op en hield toen abrupt op; Carmela had de radio uitgezet.

Adrian geeuwde luid in de stilte. Hij strekte zijn arm uit en pakte een broodje uit het mandje. Hij stootte Lily aan dat ze hem de boter moest aangeven. Ze keek hem boos aan terwijl ze het deed, haar oren vuurrood van ergernis. Adrian deed alsof hij het niet merkte en begon een dikke laag boter op zijn broodje te smeren.

'Komt ze nu gauw beneden?' vroeg Merrill aan haar vader.

Carters gezicht verstrakte. 'Dat neem ik wel aan.' Tegen de hele tafel zei hij luid: 'Goed, waar zullen we het eens over hebben?' Het was bedoeld geweest om de sfeer luchtig te houden, maar het kwam er niet op de goede manier uit; hij klonk kwaad. Merrill keek naar de grond als een kind dat is terechtgewezen.

'Heeft iemand Julianne al gesproken?' vroeg Adrian.

'Niet dáárover,' snauwde Carter.

Carmela kwam weer binnen met een karaf water. 'Laten we maar beginnen,' zei Carter tegen haar. 'De kalkoen wordt koud.'

'Wie heeft de wedstrijd gewonnen?' vroeg Marion in een poging het gesprek weer op gang te brengen. Ze glimlachte tegen het gezelschap.

'De Lions zijn ingemaakt,' zei Adrian. Hij trok een stukje korst los en de kruimels vlogen over het tafellaken. Hij haalde zijn schouders op. 'Verpulverd. We hebben verloren met 47-10.'

'O jee. Tegen wie?'

'De Tennessee Titans.'

'Leg nog eens uit waarom jullie ieder jaar weer voor Detroit zijn.'

De overige aanwezigen draaiden hun hoofd weer naar Adrian, als toeschouwers bij een tenniswedstrijd. Niemand anders durfde het brood aan te raken. 'Ik mag hangen als ik het weet,' zei hij. Hij haalde zijn schouders weer op en stopte nadrukkelijk nonchalant een stuk brood in zijn mond.

Toen hij uitgekauwd was, veegde hij zijn mond af met zijn servet en keek naar Lily, die hem woedend aanstaarde. 'Wat is er?' vroeg hij, en hij rolde met zijn ogen. 'Hij zei dat we mochten beginnen en ik verga van de honger.'

'Waarom wacht je niet tot iedereen wat heeft?' vroeg Lily scherp. Ze zat volmaakt rechtop, de vingers zedig verstrengeld op de rand van de tafel. Ze leek griezelig veel op Ines. De erectie waar Adrian eerder die avond last van had gehad, was ogenblikkelijk verdwenen.

'Mijn grootvader was een van de oorspronkelijke eigenaars van de Lions,' zei Carter om de aandacht van de aanwezigen weer naar het hoofd van de tafel te trekken. 'Hij was bevriend met George Richards, die het team in 1934 naar Detroit haalde.'

'O, wat interessánt,' zei Marion, hoewel iedereen het verhaal al eerder had gehoord. 'Heb je nog familie in Michigan?'

'Is dat verhaal eigenlijk wel waar?' vroeg Merrill plotseling. Haar stem had een scherpe ondertoon die Paul haar nog nooit tegen haar vader had horen aanslaan. Paul was de enige die zag dat ze onder tafel fanatiek aan de nagelriem van haar duim zat te plukken. Die begon te bloeden. Paul stak zijn hand uit om haar te laten ophouden maar ze trok haar arm weg en wikkelde haar duim discreet in een servet.

'Natuurlijk is het waar,' zei Carter. Hij leek van zijn à propos gebracht door Merrills toon. Ze keken elkaar doordringend aan. Even was het alsof de rest van de tafel er niet meer was en alleen Carter en Merrill bestonden. Paul en Adrian zaten allebei verstard in hun stoel, niet wetend hoe het verder zou gaan.

'Want je zei een keer dat de helft van wat je vader zei niet waar was, en dit lijkt me typisch een verhaal dat hij verzonnen zou kunnen hebben.'

'Merrill,' zei Lily streng vanaf de overkant van de tafel, 'hou op.' Ze keek met opengesperde ogen in de richting van de Penzells. Door de bitse toon waarop ze het zei en de kracht waarmee ze haar lichte wenkbrauwen woedend had samengeknepen straalde ze een heftigheid uit die Adrian kennelijk grappig vond. Hij stootte een kort, blaffend lachje uit dat door de rest van de tafel met stilzwijgen werd beantwoord.

De Penzells staarden in het niets, zich er meedogenloos van bewust dat ze per ongeluk een intiem familiemoment meemaakten. De hele avond probeerden ze al zonder veel succes geen aandacht te trekken. Sol had helaas de fout begaan een das te dragen. Hij had echter het verkeerde soort overhemd aan voor een das, geruit en met een slappe boord, wat de indruk wekte dat hij vlak voor ze van huis gingen met Marion had gekibbeld over zijn outfit en dat Marion had gewonnen. Nu trok Sol aan de das om hem wat losser te maken en deed hij alsof hij de spanning die er tussen de Darlings hing niet voelde.

Hij leunde achterover en zijn stoel helde iets te ver door op de achterpoten, zodat iedereen schrok.

'Pas op!' piepte Lily in een reflex. Ze boog zich naar voren, alsof ze hem vanaf de andere kant van de tafel zou kunnen tegenhouden. Sol liet zijn stoel weer op vier poten neerkomen en trok zijn das recht.

'Sorry,' zei hij tegen Lily. 'Ik wilde je niet laten schrikken.'

'Lily, alsjeblieft,' zei Merrill geërgerd. Ze keek Sol en Marion aan. 'Het spijt me,' zei ze, 'maar ik vind dat we niet mogen beginnen zonder mijn moeder.' Ze legde haar servet op haar bord en stond op. De servetten waren van linnen en kant, als mini-tafellakentjes. Aan de rand van het hare was een rode bloedvlek ter grootte van een klein muntje zichtbaar.

'Ga zitten, Merrill,' zei Carter. 'Je moeder komt wel beneden als ze zover is. We hebben gasten.'

'Ik ga even bij haar kijken,' zei Merrill en ze liep weg; de deur zwiepte zachtjes achter haar dicht.

'Mam?' Merrills stem stuiterde als een steen tegen de muren van de badkamer. 'Ben je boven?'

Ines hield zich even stil en dacht na of ze antwoord wilde geven of niet. Ze vroeg zich af hoelang ze al zaten te wachten tot zij naar beneden zou komen. Zou het al zes uur zijn? Het kon niemand wat schelen of zij naar de footballwedstrijd keek. Ze meende dat ze de auto van de Penzells op de oprit had gehoord, maar ze wist het niet zeker. Buiten was de lucht donker geworden en de lichtjes langs de oprit waren aan.

Het eten zou wel klaar zijn. Ines stelde zich voor wat er beneden gebeurde; ze zag het precies voor zich. Adrian had waarschijnlijk honger. Lily tobde over de tafelschikking of zoemde zenuwachtig om de Penzells heen, boos op Adrian en opgelaten dat haar moeder zo'n slechte gastvrouw was. Carter zou ook wel honger hebben, maar hij zou niet toestaan dat ze zonder haar begonnen. De meisjes zouden wel zachtjes hebben overlegd en besloten dat iemand even bij haar moest gaan kijken. Misschien had Merrill die taak vrijwillig op zich genomen, maar het was waarschijnlijker dat ze erom hadden geloot. Toen de meisjes klein waren, legden ze hun linkerwijsvinger altijd tegen hun neus als er een onaangename taak moest worden uitgevoerd – de vuilnis buiten zetten of helpen met de afwas – en degene die dat als laatste deed was de pineut. Merrill was ouder en sneller en won meestal.

Maar nu heeft ze blijkbaar verloren, dacht Ines. Of misschien was ze toch vrijwillig gegaan; Merrill de diplomate, Merrill de vredestichtster.

Ines zag voor zich hoe ze gedwee de trap op sjokte en zich afvroeg waarom haar moeder zo moeilijk deed. Het gesprek beneden zou in haar afwezigheid geforceerd zijn. Ze zouden in kringetjes ronddraaien, over football en de opstekende storm praten en alles vermijden wat met Morty of de zaak te maken had. Of met Julianne. Of Ines. Even had ze last van een hevig schuldgevoel, maar dat was snel voorbij.

Ze probeerde al de hele dag zich te vermannen. Haar make-uptasje was omgevallen en de inhoud lag verspreid over de badkamervloer. Hoopjes bronzer en scherven van een opmaakspiegeltje waren alle kanten op gespat over de tegels. Haar dure foundation was rondgespetterd als beige verf. Gebroken glas van het flesje fonkelde tussen de vezels van de badmat. Ines deed herhaalde pogingen om de rommel op te ruimen, eerst met tissues en vervolgens met haar handen, maar het was onbegonnen werk. Nu zat ze geknield op de badkamervloer en probeerde wanhopig het glas uit het kleedje te plukken voordat ze zich eraan verwondde. De tere botten in haar voeten voelden kwetsbaar op de harde tegels. Op haar knieën waren smalle rode striemen verschenen op de plekken waar de randen tegen haar huid hadden gedrukt, als de strepen die op je kuiten komen als kniekousen van boven te strak zitten. Het was niet eens zo'n onaangename pijn. Hij deed haar denken aan de kerk, aan het knielen op de harde ruwhouten plank onder de kerkbank.

De douche stond aan. Ines had hem aangezet om haar gehuil te overstemmen. Er rolden zoute, hete tranen over haar gezicht. Haar neus liep ook; het heldere snot prikte op haar kin. Doordat de afvalbak voor haar net buiten handbereik was, was de badkamervloer bezaaid met verkreukelde tissues, als spontaan opgeschoten bloemen. Alleen het luisteren naar de douche werkte al louterend. Het gestage harde gepets op het marmer had ook iets geruststellends, iets enorm functioneels.

Ze was vandaag te moe om zich te wassen. De gedachte aan het drogen van haar haar en het opdoen van make-up verlamde haar.

Het zou trouwens niemand opvallen. Carter zeker niet. Het was maanden geleden dat hij met enige seksuele interesse, of zelfs maar achteloos taxerend, naar haar had gekeken. Het leek wel alsof hij haar helemaal niet meer zag.

Ines was niet gek. Ze was nuchter genoeg om te erkennen dat haar intrinsieke waarde daalde. Haar ooit zo tomeloze energie was verminderd. Ze kon na half elf 's avonds haar ogen nauwelijks meer openhouden, zelfs niet bij een balletvoorstelling of tijdens een etentje met vrienden. Ze was vergeetachtiger dan ooit. En, het allerergste, haar lichaam takelde voor haar gevoel tomeloos snel af. Dat dreef haar tot wanhoop. Ze moest met het jaar drastischer maatregelen overwegen (facelifts, sapkuren, liposuctie) alleen maar om de status-quo te handhaven. Niet dat ze de tanende belangstelling van haar man niet begreep. Maar dat maakte het nog niet gemakkelijker te accepteren.

Ines wist dat ze hem al tien jaar geleden als minnaar was kwijtgeraakt. Het kon ook langer geleden zijn, al wilde ze die mogelijkheid liever niet onder ogen zien. Toen ze eind veertig, begin vijftig was, had ze die worsteling opgegeven. Ze was zover gekomen dat ze niet meer verlangde naar dat soort aandacht van Carter. In plaats daarvan had ze haar zinnen gezet op het soort platonische bewondering dat Hollywood aan oudere actrices schenkt. Dat was niet genoeg, maar ze kon ermee leven. Misschien was het een moeilijke fase, hield ze zichzelf voor. Misschien was het tijdelijk.

Carter had in ieder geval nooit wrok jegens haar gekoesterd. Zijn geld was altijd hún geld geweest. Daar was Ines hem dankbaar voor. Ze zou er niet tegen kunnen te worden gecontroleerd zoals sommige vriendinnen van haar, die creditcardoverzichten bij hun echtgenoten moesten inleveren alsof ze huispersoneel waren. Ze was altijd geschokt als haar vriendinnen vertelden over de wrevel van hun mannen over hun uitgaven. Het leek met het ouder worden te verergeren, hoewel veel van die mannen elk jaar rijker werden. Het leek wel of echtgenotes effectief nutteloos werden zodra ze de vruchtbare jaren achter zich hadden gelaten. Ze lunchten, gaven feestjes en kochten kleren, maar ze waren niet meer seksueel aantrekkelijk. Hun kinderen hadden weinig of geen moederlijke aandacht meer nodig. Hun echtgenoten beschouwden hen als bodemloze geldputten, als een overtollige kostenpost.

Misschien was haar aandacht wel het eerst afgedwaald. Het was heel geniepig gegaan, tussen de geboorte van Merrill en Lily. Ines' aandacht, die eerst op Carter gericht was geweest, had zich naar haar kinderen verplaatst. Zij was geen vrouw die het moederschap romantiseerde. Er waren dagen dat ze het haatte, het eeuwige eten koken, de oorontstekingen en het gebrek aan volwassen conversatie. Maar ze probeerde het goed te doen en de meisjes waren van haar zoals niemand ooit van haar was geweest, zelfs Carter niet. Op veel avonden sliep ze al tegen de tijd dat hij thuiskwam. Ongemerkt verloor ze haar huwelijk uit het oog, werd het een decor achter een portret van de meisjes.

Als ze een slechte dag had, hield ze zichzelf voor dat ze was gebleven vanwege Merrill en Lily, om hun alles te kunnen geven wat zij niet had gehad. Niet alleen de scholen, de huizen, de tennislessen en de schitterende jurken, maar ook het complete gezin, een vader die dol op hen was. Ines' eigen vader was overleden toen ze acht was. Haar moeder belandde in een diepe depressie en werd niet meer in staat geacht om voor haar te zorgen, zodat Ines naar Rio werd gestuurd om bij haar grootouders te gaan wonen. Ze herinnerde zich weinig van haar jeugd, alleen dat haar grootvader aardig en vergeetachtig was en dat het stil was in het huis, met de lambriseringen van donker hout en de stenen tegels. Haar hele puberteit ging heen met wegdromen bij Amerikaanse tijdschriften en films, en ze nam zich vast voor uit Brazilië te vluchten zodra ze kon. Op haar zeventiende kwam ze naar New York en ging ze als model werken. Na een jaar drong het tot haar door dat ze noch lang, noch opvallend genoeg was voor een carrière in die branche. Maar ze had stijlgevoel en ze was slim en bereid alles te doen wat nodig was om te krijgen wat ze wilde. Ze werd secretaresse bij *Women's Wear Daily*. Op haar vijfentwintigste was ze adjunct-moderedacteur bij *Harper's Bazaar*, waar ze zij aan zij werkte met Anna Wintour.

Ze ging in die tijd naar menig chic feestje, en op een van die feestjes ontmoette ze Carter Darling. Toen ze voor het eerst samen uitgingen vond ze hem een beetje een snob, en het leek haar ook onvermijdelijk dat ze smoorverliefd op hem zou worden. En zo geschiedde. Ze trouwden in het New Yorkse stadhuis en gingen daarna met vrienden langdurig en met veel champagne lunchen bij La Grenouille. Ze droeg een elegante witte rok met bijpassend jasje van Valentino, waarin ze volgens haar op Mia Farrow leek tijdens haar bruiloft met Frank Sinatra bij de Sands. Ze maakten geen huwelijksreis, want Ines was al zwanger van Merrill en te vaak misselijk om te reizen.

Een tijdlang was ze bang dat ze op den duur niet meer verliefd zou zijn op haar man, of hij niet meer op haar. Ze waren zo snel en jong getrouwd en afkomstig uit zulke totaal verschillende werelden. Maar in de loop der jaren waren ze erin geslaagd een kameraadschap te ontwikkelen die een hechte band tussen hen schiep en beter werkte dan de relaties van al hun vrienden. Ze hadden nooit ruzie over geld, de plek waar ze zouden gaan wonen of de opvoeding van de meisjes. Misschien hadden ze meer ruzie moeten maken, dacht Ines soms, want dan zouden ze zich meer geliefden hebben gevoeld en minder zakenpartners.

Toen hij uiteindelijk werkelijk verliefd werd op iemand anders, overwoog Ines niet serieus om op te stappen. Waar moest ze heen? En hoe zou ze dat de meisjes ooit kunnen aandoen? Ze waren een gezin. Ze was uit altruïsme bij Carter gebleven en dat was de juiste beslissing geweest. Dat hield ze zichzelf althans voor. De angst dat het niet zo was, vrat aan haar.

'Mam?'

Ines zette de douche uit.

Toen ze uit de badkamer kwam, zat Merrill als een duif op de rand van het bed. Haar gezicht was frisroze en schoongeboend. Haar goudblonde haar zat in een paardenstaart, wat haar iets onschuldig-meisjesachtigs gaf. Ze zag er goed uitgerust uit, alsof het een heel gewoon weekend buiten de stad was, al nam Ines aan dat dat maar schijn was. Natuurlijk was het niet zo, maar Ines was er dankbaar voor. Ze had het op dit moment niet aangekund haar kinderen te zien lijden.

Zelf zag ze er verschrikkelijk uit.

'Hoe is het met je, mam?' Merrill keek haar verwachtingsvol aan. Ze keek bezorgd maar niet afkeurend. 'Volgens mij is het eten klaar.'

Ines zuchtte en verdween in haar inloopkast. Van daaruit zei ze: 'Ik weet het. Ik kom zo.'

'Ga je straks weg?'

'Hè?'

'Je koffer ligt hier.'

'Ik heb nog niet beslist,' zei ze. Ze voelde dat Merrill op het punt stond om iets te zeggen maar ervan afzag.

'Waar wil je naartoe?' vroeg Merrill na een korte stilte. 'Terug naar de stad? Of ergens anders heen?'

Toen er geen antwoord kwam, zei Merrill: 'Mam, wil je alsjeblieft tevoorschijn komen? Heb je al met papa gepraat?'

Ines kwam de slaapkamer weer in met een kasjmieren coltrui in haar hand. Ze staarden allebei naar de openstaande koffer op het rek naast het bed. Het deksel steunde tegen de achterwand en de koffer was halfslachtig ingepakt. Ines trok de trui verstrooid over haar hoofd zonder de moeite te nemen om een bh aan te doen. In het kale zonlicht zag haar lichaam er oud uit, alsof er van buitenaf aan haar huid was getrokken totdat die overal begon los te laten.

Het punt was dat ze er vreselijk tegen opzag om uit Beech House weg te gaan. Carter zou de volgende ochtend naar Manhattan teruggaan en zowel hij als Sol had benadrukt dat het erg belangrijk was dat ze meeging. 'Ik heb je nodig, Ines,' had Carter gezegd. Het was zo lang geleden dat hij enig belang aan haar had toegekend dat ze het bijna hartverwarmend vond. Maar toen had Sol gezegd: 'Het zal een slechte indruk maken als jullie niet bij elkaar zijn. En trouwens, wat moet je hier helemaal in je eentje?' Ze stonden eensgezind tegenover haar. Ze hadden dit van tevoren gerepeteerd, besefte ze, en ze voelde haar hart verkillen. Ze was gewoon onderdeel van het plan dat zij hadden beraamd.

Een relevantere vraag was, voor Ines in elk geval, wat ze in Manhattan moest. Ze zag het niet voor zich. Moest ze thuisblijven, tv kijken en wachten tot Carter terugkwam om haar te vertellen dat hun leven voorbij was? Dat ze failliet zouden gaan door de advocatenhonoraria? Dat hij zou vluchten naar een land dat geen uitleveringsverdrag met de VS had en dat ze hem alleen nog maar op het tv-scherm zou zien?

Ze zou naar de sportschool, de broodjeszaak of Starbucks gaan, waar ze ongetwijfeld kennissen tegen zou komen die naar haar gezin zouden vragen en, als ze bijzonder tactloos waren, haar zouden condoleren met Morty. Of, als Carters minnares op tv was geïnterviewd, wat onvermijdelijk zou gebeuren, zouden ze niets tegen haar zeggen, haar blik mijden en doorlopen alsof ze haar niet hadden gezien. Dat zou zij doen als ze hen was. Wat moest ze nu in vredesnaam tegen de mensen zeggen?

Terwijl ze de situatie overdacht en haar nieuwe leven onder ogen probeerde te zien, drong het tot haar door dat er niemand op de hele wereld was die ze zou willen spreken. Ze zou de rest van haar leven haar best doen de mensen te ontlopen voor wier vriendschap ze zo ontzettend haar best had gedaan. Zelfs een kop koffie om de hoek zou spitsroeden lopen zijn. Ze zou een hoed moeten dragen en onopgemerkt naar binnen en naar buiten moeten glippen. Ze zou zich overal opgelaten voelen, zelfs in de broodjeszaak, alsof ze gebrandmerkt was. En de pers had nog niet eens lucht van de zaak gekregen. Dit was nog maar het begin.

Buiten de stad zou ze dat alles gemakkelijker kunnen ontlopen. Daar kon ze haar tijd verdrijven in Beech House, de verwarmingsketel controleren, die af en toe kuren had, het personeel opdrachten geven, de heg inspecteren. Ze was daar altijd vol dadendrang. Niet dat die taken zo belangrijk waren of alleen door haarzelf konden worden uitgevoerd; de meeste konden, en werden ook vaak, overgelaten aan derden: Carmela of John, een binnenhuisarchitect, een tuinman. De waarde ervan lag veeleer in het feit dat Ines er goed in was en het haar plezier deed op de dag terug te kijken en tastbare bewijzen te hebben van wat ze had gedaan. Het appartement in de stad, dat zich in een gebouw bevond waar alles door het personeel werd geregeld, vereiste geen enkel toezicht. Dat was meestal aangenaam, maar soms, op dagen dat ze alleen was, gaf het haar een gevoel van overbodigheid, alsof ze een ouderwets koffiezetapparaat was dat ergens achter in een kast was opgeborgen.

Beech House was een plek waar het echte leven was opgeschort, met gemillimeterde gazons, bordesjes en greens. Het diende zoals alle zomerhuizen geen echt doel. Tijdens het zomerseizoen konden de bewoners doen alsof de kwestie die hen het meest bezighield de vraag was of ze die ochtend zouden gaan golfen of tennissen. Als de weersvoorspelling ongunstig was – er was een storm in aantocht, het was te koud voor de tijd van het jaar – was iedereen in rep en roer. Zelfs de taken waar Ines een gevoel van voldoening aan ontleende, waren grotendeels kunstmatig. Niemand had bijvoorbeeld behoefte aan een prieel bij het zwembad, en de meubels in de bijkeuken hoefden heus niet zo vaak overgeschilderd te worden. Het waren gewoon trivialiteiten die bedoeld waren om haar bezig te houden en de tijd op een prettige manier te doden. Ze kon zich er dagen- en zelfs wekenlang mee vermaken, als Alice in het konijnenhol.

Bovendien had Carter het huis speciaal voor haar laten bouwen. In de tijd dat hij nog alles voor haar deed. Ze had ook een minder duur huis kunnen krijgen, of een waaraan ze veel minder werk had. Maar ze had dit huis gewild. En het enige wat Carter wilde, was dat zij gelukkig was – dat had hij destijds tenminste gezegd.

Als het aan Ines lag, zou ze er het liefst voorgoed blijven.

'Je vader gaat morgenochtend terug naar de stad,' zei Ines. Ze ging aan haar toilettafel zitten. In het drieluik van spiegels zag ze haar gelaatstrekken, donker en scherp, vanuit drie verschillende hoeken. Ze keek naar zichzelf en vervolgens naar haar dochter, en hun blikken kruisten elkaar. 'Hij wil dat ik meega.'

'Dat lijkt me een goed idee.'

Ines zuchtte. Ze wendde haar gezicht van de spiegel af en keek naar buiten door het donkere raam. 'Ik had gehoopt dat we het weekend hier konden blijven,' zei ze. Ze begon haar haar te borstelen. 'Het komt zo weinig voor dat we allemaal bij elkaar zijn.'

'Mam...' Merrill stond op. Ze kruiste haar armen voor haar borst. Haar ellebogen, haar wenkbrauwen – alles drukte ongeduld uit. 'We kunnen niet gewoon doen alsof er niks aan de hand is.'

'Wat is er dan aan de hand?'

'Dat hele gedoe met de zaak. Ik ben niet achterlijk, mam. Ik ben jurist. We zullen te maken krijgen met media-aandacht, en er komen aanklachten en zo.'

'Fijn dat je me laat meeprofiteren van je juridische expertise.' Ines trok haar ene wenkbrauw op terwijl ze haar haar in een strakke wrong trok.

Merrill knipperde met haar ogen, maar ze hapte niet. 'We moeten papa nu steunen,' hield ze aan. 'We moeten als familie de rijen sluiten.'

Ines legde haar haarborstel neer. 'Waag het niet te suggereren dat ik niet altijd pal achter je vader heb gestaan. Er is een hoop dat jij niet begrijpt.'

'Leg het me dan uit,' zei Merrill met grote, smekende ogen. 'Alsjeblieft, mam. Als je niet naar de stad gaat, waar wil je dan heen?'

'Vraag je me nou of ik bij je vader wegga?'

Merrill wendde haar blik af. 'Ja. Niet dat ik dat niet zou begrijpen, hoor.'

Ines werd overspoeld door schuldgevoel, net als vroeger toen Merrill klein was en zij en Carter ruzie hadden. De frustratie die ze had gevoeld bij het zien van haar dochter was verdwenen en had plaatsgemaakt voor een milde treurigheid. 'Je weet dat ik veel van jullie allemaal hou,' zei ze, 'maar ik weet niet... ik weet niet of ik alles aankan wat hij me nu aandoet.'

Plotseling begon ze te huilen. Merrill schrok, maar probeerde dat niet te laten merken. Ze besefte dat ze haar moeder bijna nooit had zien huilen, alleen bij oude films. Ines huilde niet om persoonlijke redenen. Daar was ze te praktisch voor. Ze had de trouwplechtigheden van Merrill en Lily koelbloediger doorstaan dan de mensen van de catering.

Ines stortte ook zelden haar hart bij iemand uit. Merrill vroeg zich vaak af of haar moeder bij een psychiater liep – dat deed immers iedereen – maar paste er wel voor op het haar te vragen. Als ze daar ooit baat bij zou hebben, dan was het nu.

Ines stond op en liep naar het bed toe. Ze gingen naast elkaar zitten, moeder en dochter, zonder elkaar aan te kijken maar zich bewust van elkaars nabijheid. Ines veegde met één hand haar tranen af en klopte Merrill toen op haar dij. 'Ik heb mezelf lang geleden voorgenomen dat er twee dingen waren die ik jou en Lily nooit zou aandoen. Ik zou nooit kwaad spreken van je vader, wat er ook gebeurde, en nooit opstappen, wat er ook gebeurde. Hij heeft het me niet altijd gemakkelijk gemaakt, hoor. Je vader is een goeie vader, maar hij is niet altijd een goeie echtgenoot geweest.'

'Waarom ben je dan bij hem gebleven? Toch niet vanwege ons, hè?'

'Natuurlijk vanwege jullie.'

Merrill droogde haar tranen met haar mouw. 'Mam, het enige

wat ik wil is dat jij gelukkig bent. En ik weet dat papa niet altijd een goeie echtgenoot is geweest. Echt, er zijn momenten geweest dat ik dacht dat je bij hem weg zou gaan en verbaasd was dat je het niet deed. Maar uitgerekend nu... het lijkt me het slechtst denkbare moment om hem ter verantwoording te roepen over zijn eh... zijn misstappen. Er zal heel negatief over hem worden geschreven als het nieuws over Morty's fonds bekend wordt. Als je nu bij hem weggaat, maakt dat een slechte indruk.'

Ines verstarde. 'Als ik bij je vader wegging, zou dat niets met de zaak te maken hebben. Niet echt.' Ze aarzelde, maar kon zich niet meer inhouden. Het had zo lang geduurd voordat ze hier eindelijk met iemand over kon praten. 'Hij had het je eigenlijk zelf moeten vertellen. Beloof je me dat je het aan niemand anders vertelt? Lily hoeft er niets van te weten tenzij het bekend wordt. Maar ik wil dat jij het begrijpt. Misschien is het egoïstisch, maar ik wil dat er iemand is die het begrijpt. Ik heb niemand om mee te praten.'

'Die wát begrijpt?'

Ines zweeg even. Toen ze verder praatte, had ze haar ogen dichtgedaan en bracht ze haar hand naar haar mond, alsof ze zich schaamde voor haar woorden. 'Je vader heeft een verhouding. Dat speelt al heel lang.'

'Dat weet ik, mam.' Merrill begon opgelaten te blozen. Ze hadden het hier tot nu toe nooit over gehad, er zelfs nooit op gezinspeeld.

'En weet je wie zij is?'

'Ik heb altijd... om eerlijk te zijn heb ik me weleens afgevraagd of het Julianne was.' Merrill zweeg even. 'Aha, ik snap het,' zei ze, en ze knikte. Haar gezicht klaarde op, alsof ze zojuist iets belangrijks had ingezien dat haar jarenlang was ontgaan. 'Ik snap waarom dat alles nog veel ingewikkelder maakt.'

Ines snoof. 'O, liever,' zei ze hoofdschuddend. 'Het is nog veel ingewikkelder dan je denkt.'

Wat Merrill het meest trof aan het gesprek dat daarna volgde, was de toon waarop haar moeder praatte. Die was niet boos of gekwetst maar simpelweg pragmatisch, alsof ze een kind uitlegde hoe de wereld in elkaar zat.

Toen Ines ten slotte in de eetkamer verscheen, zag ze er stralend uit. Haar haar was keurig opgestoken en ze was zorgvuldig opgemaakt. Haar jukbeenderen waren aangezet met rouge en bronzer en ze zag er vitaal uit. Ze droeg een felrode sjaal die netjes om haar hals was gedrapeerd en kleur gaf aan haar verder zwarte outfit. Niemand zou hebben gedacht dat ze kort tevoren nog had gehuild. 'Het spijt me dat ik jullie heb laten wachten,' zei ze hoffelijk tegen Sol en Marion.

Iedereen was zo opgelucht haar te zien dat het gesprek op een veel luchtiger toon verderging, alsof het een heel gewone Thanksgiving was. Ines was het meest aan het woord, babbelde met Sol en Marion en ging ook even bij Lily en Adrian zitten. De enige tot wie ze niet direct het woord richtte, was Carter.

Aan het eind van de maaltijd stond Carter op en tikte tegen zijn glas. 'Bedankt dat jullie zijn gekomen,' zei hij, waarbij hij Ines aankeek. Ze vermeed zijn blik en staarde wazig voor zich uit. Ze glimlachte flauwtjes en een beetje bits, als een actrice die weet dat ze vanuit de verte gefotografeerd wordt. 'Ik wil graag een moment stilte om hen te gedenken die vanavond niet bij ons zijn, en om God te danken voor degenen die er wel zijn.' Hij boog het hoofd. 'Op zulke momenten vergeten we maar al te gemakkelijk hoe gezegend we zijn. Maar Thanksgiving is een dag van bezinning. Ik ben dankbaarder dan ooit voor de zegen van mijn gezin.'

Carter zuchtte en keek de tafel rond. Zijn kinderen staarden in verschillende richtingen. Alleen Sol keek hem recht aan en lachte hem vriendelijk toe. Carter knikte naar hem en liet zich daarna zachtjes weer in zijn stoel zakken. Even later kwam Carmela binnen met een taart, en aan tafel werden de gesprekken hervat.

DONDERDAG, 21.20 UUR

Eindelijk lag Ines in bed; de kinderen waren boven en Marion reed de oprit uit. Het verre gerucht van Carmela en John die de tafel afruimden en met de pannen tegen de stalen rand van de gootsteen stootten terwijl ze ze te weken zetten, was verstomd. Sol deed de deur van de bibliotheek achter hen dicht en keek zijn vriend aan. Carter zag eruit alsof hij in één dag vijftien jaar ouder was geworden. Sol werd al moe als hij alleen maar naar hem keek. Hij vocht zelf ook tegen de uitputting die zijn hele lichaam als opstijgend grondwater vulde – zijn slapen, zijn gewrichten, zijn borstkas. Het was moeilijk te geloven dat ze na twintig jaar samen zakendoen nu misschien wel voor het einde stonden, maar dat gevoel werd steeds reëler.

'Nog nieuws over de zoektocht naar het lichaam?' vroeg Carter toen Sol was gaan zitten.

'Nee. Ik heb de politiechef gesproken voordat ik hiernaartoe kwam. Ze hebben niets gevonden. De storm heeft hun het werken bijna onmogelijk gemaakt. Door de wind is er een of andere dwarse stroming in de rivier.'

Carter knikte. 'Hoe staan de zaken rond de herdenkingsdienst?'

'Julianne komt. Ze wil er nog steeds een echte uitvaart van maken, maar...' Hij haalde zijn schouders op in plaats van de zin af te maken. Iedereen deed dat de laatste tijd veel: schouders ophalen, gebaren maken, suggesties wekken, toespelingen maken, om een weg te vinden in de wrede realiteit van de situatie waarin ze zich plotseling bevonden. 'Maar als we realistisch zijn, zal hij misschien wel nooit worden gevonden. Gezien de manier waarop het tot nu toe gaat. Het plan is nu volgende week woensdag.'

'Ik zou haar eigenlijk moeten bellen.'

'Dat hoeft niet. Ze begrijpt wel dat je een heleboel aan je hoofd hebt.'

'Dit moet afschuwelijk voor haar zijn.'

'Natuurlijk. Maar ik denk dat je je aandacht nu beter even op jezelf kunt richten.'

Carter schoof heen en weer in zijn stoel, niet in staat zich te ontspannen. Hij dacht even na en vroeg toen: 'Heb je Eli nog te pakken gekregen?'

'Ja, we hebben elkaar een paar keer gesproken. Hij is me niet direct een gunst verschuldigd, maar... hoe dan ook. Hij gaat zich er actief mee bemoeien.'

'Mooi zo. Prima. Dat zal zeker helpen.' Carter leunde achterover in zijn stoel.

Sol fronste zijn wenkbrauwen. Het ergerde hem dat Carter zijn handen ineens relaxed achter zijn hoofd verstrengelde. Eli kon hen wel helpen, maar geen wonderen verrichten. 'De situatie is als volgt,' zei hij korzelig. 'We weten dat Robertson zich kandidaat wil stellen voor het gouverneurschap. En dat hij onder zware druk staat om hard tegen de financiële sector op te treden. Er moet iemand aan de schandpaal worden genageld.'

Carter ging weer recht overeind zitten 'Dus ze willen mij tot afschrikwekkend voorbeeld bombarderen.'

'Niet per se jou, iémand. Ze kunnen het niet maken om dat niet te doen. De mensen die hebben geïnvesteerd in RCM zullen miljarden dollars verliezen, en dat op een moment dat het hele land schande spreekt van de corruptie op Wall Street. Om nog maar te zwijgen van het structurele onvermogen van de regering om daar iets tegen te doen.'

'Ik ben niet achterlijk. Ik weet wat er allemaal speelt. Deze toestand is Morty's schuld, dus ze zouden normaliter hém pakken, maar omdat dat nu niet kan hebben ze hun zinnen op mij gezet.

Daar komt het toch op neer?'

Sol zuchtte en zette zijn bril boven op zijn hoofd. Het ding gleed de hele tijd van zijn neusbrug; ofwel hij was uitgesleten door overmatig gebruik, ofwel zijn gezicht was echt magerder geworden. Hij was de afgelopen maanden overal magerder geworden. Hij droeg altijd truien om zijn buikje te camoufleren, maar dat buikje was nu weg en zijn trui was onhandig groot en lubberde rond zijn middel. 'Niet alleen op jou. Dat probeer ik je juist duidelijk te maken. Op jou of op iemand anders binnen het bedrijf die erbij betrokken kan zijn geweest. En op de mensen van de SEC die beter hadden moeten opletten.'

'Zei Eli dat? Zonder dat je aandrong?'

'Ja. Hij noemde Adrian en Paul met name.'

Carter snoof. 'Paul werkt nog maar twee maanden bij ons. Hij weet nog niet eens waar de printer staat.'

'Het doet er niet toe in hoeverre iemand er werkelijk mee te maken had. Het is een familiebedrijf. Ze zullen de familie op alle mogelijke manieren op de huid zitten. Kijk maar naar dat Adelphiaproces. Daar hebben ze de vader en de beide zoons aangepakt. John Rigas heeft twintig jaar gekregen. Het goede nieuws is dat ze bij justitie niets weten van' – Sol zocht een positief woord – '"relaties" bij de SEC. Maar als aan het licht zou komen dat er, eh, bepaalde geheime connecties waren tussen Delphic en de SEC, dan zou de pleuris uitbreken. Ik denk niet dat ik je dat hoef uit te leggen, maar ik geloof dat we op het punt zijn gekomen dat we open en eerlijk tegen elkaar moeten zijn, denk je ook niet?'

Carter knikte zwijgend en wendde zijn blik af naar het haardvuur.

'Goed. Kort gezegd kan Eli je het volgende bieden. Wij dragen het standpunt uit dat Alain degene was die verantwoordelijk was voor de relatie met RCM en voor de geëigende controleprocedures van de kant van Delphic. Jij houdt je alleen met verkoop bezig en dat snapt Eli ook. Maar je bent wel de CEO, dus we moeten het zo spelen dat jij met hen meewerkt. Ik heb gezegd dat jij hier net zo geschokt en woedend over bent als zij. Je hebt jaren besteed aan de opbouw van het bedrijf en dit is een ramp voor je beleggers, blablabla. En je wilt met alle liefde meewerken aan hun onderzoek, zelfs naar werknemers van je eigen zaak. Begrepen?'

'Waar ís Alain, verdomme?' zei Carter, die plotseling razend was. Hij stond op. 'Zeg op. Op vakantie met zijn vriendin? Hij reageert niet op telefoontjes.'

Hij liep naar de open haard. Aan zijn voeten stond een koperen emmer die door Ines elk najaar decoratief werd gevuld met brandhout. Hij pakte een tak en begon de schors eraf te trekken, zodat er talloze bruine flintertjes op de vloerbedekking vielen. Hij maakte de tak helemaal kaal, zodat het gladde, crèmekleurige hout aan de binnenkant bloot kwam te liggen, en gooide hem toen in het vuur. 'Wat laf om er zomaar tussenuit te knijpen.'

'Hij zit ergens in Zwitserland, en daar blijft hij als hij slim is,' zei Sol. Carters gewoonte om te ijsberen had hem altijd geïrriteerd. Het was alsof je naar een rusteloos, gekooid dier in de dierentuin keek. 'Ik neem aan dat zijn raadslieden hem hebben geadviseerd niet met jou te praten. Volgens mij is het beter voor je als je geen enkel contact met hem hebt. Hij is nu je tegenstander.'

'Wanneer is hij op het vliegtuig gestapt, denk je? Een uur voordat het nieuws bekend werd? Twee uur? Alsof hij het wist. Hij moet het ergens geweten hebben.'

Ik dring niet meer tot hem door, dacht Sol terwijl Carter nog een tak kaal stripte. Carters geestelijke toestand was sinds gisteravond verergerd. Hij zag er vreselijk uit. Hij leek geen oog dicht te hebben gedaan, wat slecht uitkwam. Sol rekende in gedachten terug; Carter was waarschijnlijk al meer dan achtenveertig uur wakker. De vermoeidheid en de emotionele schok van Morty's dood hadden zijn normale denkvermogen aangetast. Ze zouden nu snel moeten handelen, en Carter moest een paar uur slapen voordat ze Eli ontmoetten.

Sol had dit eerder meegemaakt. Als klanten te maken kregen met een aanklacht, faillissement of schuldigverklaring, werden ze emotioneel en labiel en stuiterden ze heen en weer tussen woede en berustende acceptatie, soms binnen een paar minuten. Lichamelijke en geestelijke uitputting verergerden de toestand alleen maar. In zijn jarenlange praktijk had Sol geleerd hoe hij onder extreme stress toch de touwtjes in handen kon houden. Hij meende vaak dat hij daardoor zo'n uitstekend onderhandelaar was. Het was niet altijd gemakkelijk. Klanten gingen vaak tegen hem tekeer, ook al waren zijzelf natuurlijk degenen die de problemen hadden veroorzaakt.

'Het maakt niet uit,' zei Sol. 'Waar het om gaat, is dat hij in Europa is. Wat ons goed uitkomt. Sterker nog, het is zelfs beter, want daardoor lijkt hij des te schuldiger.' Sol voelde zich wel een beetje rot dat hij dit plan zo hard doordrukte zonder Carter de tijd te geven om erover na te denken. Als het allemaal voorbij was, zou Carter Alain, die meer dan twintig jaar zijn vriend en zakenpartner was geweest, hebben verraden en zou er geen weg terug meer zijn. En er zouden nog meer slachtoffers kunnen vallen; Paul bevond zich bijvoorbeeld ook in de gevarenzone. Maar Sol suste zijn geweten. Er was maar één persoon wiens belangen hij behartigde en dat was Carter. Het was hard, maar hij zag duidelijk voor zich wat hem te doen stond.

'Dus dat is het dan? We wachten niet af of we nog wat van Alain horen, we overwegen zelfs niet eens dit als compagnons op te lossen?'

'Hoor eens, jij bent de CEO van Delphic. Voor dit akkefietje zal ofwel één persoon moeten boeten, ofwel meerdere. Maar als het er één is, dan ben jij dat. Het is dus jij of hij. Wen daar maar aan.'

Sol, die Carters aarzeling aanvoelde, zuchtte en ging op Carters bureau zitten met één been over de rand bungelend. 'Toen ik klein was, gingen we vaak een dagje naar de kust van New Jersey,' zei hij. 'Mijn broers waren groter dan ik, dus ik mocht meestal niet met ze in zee zwemmen tenzij de witte vlag uithing, je weet wel, als het water volkomen kalm was. Ik was nogal stevig, totaal geen sporttype, dus ik vond het allang prima dat ik met een boek onder de parasol mocht blijven zitten. Maar het was natuurlijk mijn eer te na, dus ik zeurde mijn moeder de hele tijd aan haar kop – *ik ben groot genoeg, hè mam, mag ik mee, mag ik ook zwemmen, toe nou* – en op een middag gaf ze toe. Dus toen moest ik wel. Mijn broers sprongen zo het water in en zwommen tot aan de golfbreker, en daarna zoefden ze over de golven op van die bodyboards. Maar ik was bang, dus ik bleef dicht bij de kust. Toen er eindelijk een grote golf aan kwam, was ik helemaal verlamd van angst. Ik werd de draaikolk in het midden van die golf in gezogen en ging kopje-onder totdat ik bewusteloos raakte. Ik werd als een dooie krab op het strand gesmeten. De badmeester had drie minuten nodig om me weer bij te brengen. Mijn moeder was zich kapot geschrokken. Sinds die dag zei ze altijd tegen me: "Niets doen is ook iets doen, Sol, niets doen is ook iets doen." Daar denk ik altijd aan als ik voor een moeilijke beslissing sta. In het water duiken is geen pretje, maar het is altijd nog beter dan verdrinken.'

Carter reageerde niet, maar bedekte zijn gezicht met zijn handen. Even vroeg Sol zich af of hij soms huilde. Hij moest blijven praten. Als er iets was wat ze niet mochten doen, was het verlamd van angst afwachten. Zodra ze stilstonden, was het bekeken. 'Goed,' zei hij. 'Het nieuws zal binnen zestig uur bekend zijn. Ik ben niet van plan dat moment passief af te wachten en ook niet om de dingen mooier voor te stellen dan ze zijn om de klap voor jou te verzachten.'

Carter was het niet gewend dat Sol of wie dan ook hem de les las. Normaliter zou hij kwaad zijn geworden wanneer iemand hem zo toesprak, maar vandaag voelde hij alleen maar een verpletterende vermoeidheid. Hij liet zich weer in het zachte leer van de stoel vallen. Een paar minuten bleef hij roerloos zo zitten, met zijn hoofd steunend tegen de rugleuning.

Hij deed zijn ogen dicht en zag Merrill. Zij was degene die, enigszins onverwachts, de afgelopen paar maanden waarin alles helemaal fout liep steeds door zijn hoofd had gespookt. Merrill die hem, zes jaar oud en met een vastberaden gezichtje, smeekte de zijwieltjes van haar fiets te halen. Merrill die als middelbarescholiere huilde in de taxi op weg naar huis na een dansavond van school, omdat de jongen die zij leuk vond iemand anders leuker vond. Merrill die in haar Spence-schooluniform pannenkoeken bakte in de keuken. Merrill die voor de rechtbank stond nadat ze was beëdigd, onvoorstelbaar volwassen in haar smetteloze zwarte toga. Merrill had hem vanaf de dag van haar geboorte als geen andere vrouw gefascineerd.

Hij was al jaren aan het doodgaan, bedacht hij nu, langzaam, sluipend, zonder het zelf te beseffen. Hij had dat gevoel één keer eerder gehad, het afgelopen voorjaar. Hij wist de precieze datum nog: 2 mei. De Dow Jones was opgevoerd naar 13.058 terwijl hij nog geen twee maanden daarvoor op een dieptepunt van 11.900 had gestaan. Toen hij de nieuwe stand hoorde, had hij bij zichzelf gedacht: dit is het einde, de laatste opleving voor de grote crash. En vervolgens had hij zonder duidelijke aanleiding gedacht: ik ga dood. Ik weet het zeker. Wat merkwaardig was, want hij had juist die ochtend de uitslag van zijn jaarlijkse medische controle gekregen en hij was zo gezond als een vis. Maar hij had althans wat zijn eerste voorgevoel betrof gelijk gekregen, want de markt was daarna in een vrije val geraakt en nooit meer boven de 13.000 gekomen. Vanaf dat moment had hij zich gedragen als een stervende hond en zich wanneer hij maar kon in het bos teruggetrokken om alleen te zijn. Hij had een keer gehoord dat honden dat deden om geen angst te tonen. Hijzelf deed het uit lafheid, bedacht hij.

'Wat wil je dan dat ik doe?' vroeg hij. Zijn stem was vaster geworden, de vermoeidheid werd weggespoeld door een golf vastberadenheid. 'Hoe gaan we dit aanpakken?'

'Ze zijn nog nergens mee akkoord gegaan. Dit is puur afkomstig van Eli en mij, en van niemand anders.'

'Ik snap het.'

'Op dit moment is onze prioriteit conflictbeheersing. We moeten op één lijn komen met justitie, zodat de deal in kannen en kruiken is als de media zich hier straks op storten. Dan kun je er in ieder geval met een gerust hart van uitgaan dat justitie je niet op je huid gaat zitten. De media zullen dat natuurlijk wel doen. Dat wordt behoorlijk heftig. Ze zullen voor je huis staan en oude foto's van je gezin opdiepen. Foto's van de meisjes op paardrijden en op hun eerste bal, dat soort dingen, alles wat ze te pakken kunnen krijgen. En ze zullen alle, echt álle vervelende akkefietjes oprakelen die ze kunnen vinden, of ze nu iets met deze zaak te maken hebben of niet. We verwachten dat maandag of uiterlijk dinsdag.'

'We moeten Ines erop voorbereiden.'

'Ines zal het wel snappen. Ze is een zakenvrouw; we zullen haar duidelijk maken dat jullie de komende tijd als een gesloten front naar buiten moeten treden. Dat zal voor haar niet makkelijk zijn, maar het is op de lange termijn beter. Jullie willen geen van beiden dat er aantijgingen over een buitenechtelijke verhouding in de pers komen. Stel je eens voor hoe ze dan voor gek staat.'

Carter kapte hem af. 'Dat heb ik uiteraard ook bedacht, zo'n hufter ben ik nou ook weer niet.'

Sol schudde zijn hoofd. 'Sorry, dat kwam er niet uit zoals ik het bedoelde. Ik wilde alleen maar zeggen dat jullie belangen in deze kwestie parallel lopen.'

De twee mannen zwegen even. Na een paar seconden zuchtte Carter diep; Sol was niet degene tegen wie hij moest vechten. Sterker nog, hij kon maar beter helemaal niet vechten. 'Goed, dus om te beginnen Alain,' zei hij. 'Ik neem aan dat ze zijn dossiers willen, alles waaruit blijkt dat hij degene was die de relatie met RCM beheerde.'

'Ja, daar heb ik al een paar van mijn mensen op gezet. Dat is waarschijnlijk niet zo moeilijk vast te stellen; we zullen met wat stukken komen waaruit blijkt dat Alain RCM veel te veel speelruimte gaf. Dat hij niet eens toegang had tot hun boekhouding, dat hij nooit iets verifieerde bij hun wederpartijen of met een externe handelaar. Het komt erop neer dat hij hun geld gaf en nooit vragen stelde. We hebben de accountants van RCM bereid gevonden te verklaren dat Alain en zijn team niet één keer met hen zijn komen praten, dus dat helpt ook mee.'

'Oké, en ik? Wat deed ik in de tussentijd? Zitten slapen?'

'Jij was al half met pensioen. Wat ook echt zo is. Jij onderhield een aantal prestigieuze relaties en niet veel meer dan dat. Je ging ervan uit, zoals iedereen in jouw positie zou doen, dat je beleggingsteam de controle door externe adviseurs goed geregeld had. Het zou goed zijn als we beschikken over wat correspondentie tussen jullie tweeën – Alain en jou – die de stelling onderbouwt dat jij voor je informatie helemaal op hem vertrouwde.'

'Op dat gebied is zeker het een en ander te vinden. Maar er is misschien ook correspondentie die, nou ja, een wat minder gunstig beeld geeft.'

'Ja, dat is altijd zo. Als er iets is wat je je specifiek herinnert, laat het me dan weten; dat maakt het voor mijn mensen wat makkelijker als ze je mails doorspitten. Kom op, niemand heeft je administratie nog in beslag genomen en ik hoop dat het ook niet zover komt als we meewerken. Dus vooralsnog laten wij alleen zien wat wij willen dat ze zien.'

'En de rest van het bedrijf? Ik wil niet dat een of meer van mijn lagere medewerkers hierbij betrokken raken. Dat is niet fair.'

Sol knikte. 'Ze willen een zondebok. Misschien wel iemand van het verkoopteam, snap je, iemand die wat erg losjes te werk gaat.'

'Niet Markus. Die probeerde Alain de hele tijd af te remmen. Dat heeft me heel wat ellende bezorgd.'

'Goed, niet Markus dus.'

'Richard?'

'Misschien. Laten we eerst met Neil praten, en met Jim. Jim zorgt voor de juiste pr.'

Carter knikte peinzend. Hij fronste zijn voorhoofd. 'En Jane?'

Jane. Eindelijk had iemand dan haar naam genoemd.

Sol balde zijn vuisten en ontspande ze weer voordat hij antwoord gaf. 'Voor haar kan ik niet onderhandelen, Carter,' zei hij, en hij schudde zijn hoofd. 'Als ik ze vertel over jouw relatie met Jane, is het einde verhaal. Ze is te belangrijk. Ze staat op het punt voorzitter van de commissie te worden. Maar dit is mijn voorstel. We bieden ze iemand anders bij de sec aan. Zo maken we een onderzoek overbodig. We kiezen dus de aanval zodat we ons op een later tijdstip niet hoeven te verdedigen.'

Carter aarzelde. Zijn blik ontmoette die van Sol. 'Ik weet niet of ik het wel goed begrijp,' zei hij behoedzaam. 'Je wilt ze vrijwillig vertellen dat wij in bed liggen met de sec? Excuses voor de smakeloze woordspeling.'

'Ja, en ik zal je uitleggen waarom: omdat wij dan de informatiestroom beheersen. Daar is het allemaal om begonnen. We gaan terug naar justitie en we zeggen: "We zijn tot de conclusie gekomen dat Alain niet alleen zijn huiswerk niet deed, maar ook bewust instanties omkocht zodat er geen onderzoek naar hem zou worden ingesteld." We geven ze een naam, we laten ze zien hoe hij het deed en zij bedanken ons omstandig omdat wij het werk voor hen hebben gedaan. Vervolgens zeggen wij: "Oké, we geven jullie deze hele zaak op een presenteerblaadje. Maar meer krijgen jullie ook niet. Hierna zetten jullie het onderzoek stop, zodat iedereen weer verder kan." En geloof me, dat zullen ze doen.'

Carter schoof ongemakkelijk heen en weer. 'Is dat geen groot risico? Ik bedoel, waarom zouden ze het onderzoek stopzetten?'

'Omdat zij ook willen dat het snel voorbij is. Ze willen snel, makkelijk en goedkoop scoren. Als wij meewerken, lukt dat. Zo niet, dan zal deze zaak zich jaren voortslepen. Dat kunnen ze zich niet veroorloven. Ze hebben er de middelen niet voor en, ronduit gezegd, de media hebben er het geduld niet voor. Een proces dat tien jaar duurt – zie jij het voor je? Ze zullen te kijk staan als incapabele idioten. Maar als ze ons voorstel volgen, is iedereen blij; zij hebben hun triomf en wij de onze. Alsof je een hond wat spekjes toegooit zodat hij geen aandacht heeft voor de lendebiefstuk op het aanrecht.'

Carter voelde een rilling langs zijn rug lopen. Voor Sol was het allemaal een schaakspel, dat zag hij nu heel duidelijk. En hij speelde briljant. Het was natuurlijk wel een gevaarlijk spel, en volkomen onwettig. Maar als ze succes hadden, wonnen ze een heleboel zonder veel weg te geven. Een klassieke afleidingsmanoeuvre: een pion offeren om de koning te redden.

'Denk je speciaal aan iemand?'

'Ja,' zei Sol kortweg. 'Hij heet David Levin. Hij staat aan het hoofd van het New Yorkse kantoor. Hij leidde een informeel onderzoek naar RCM.' Sol klonk kalm, maar hij wist dan ook zeker dat dit de juiste zet was. Althans de tactisch correcte zet. Met dat soort oplossingen verdiende hij zijn geld.

'Nooit van gehoord,' zei Carter. Hij schoof ongemakkelijk heen en weer in zijn stoel. Even wilde hij dat hij de vraag niet had gesteld. Het was duidelijk dat er onvoorziene nevenschade zou zijn. Maar nu hij een naam kende, gaf dat Carter een onrustig gevoel. 'Heeft hij een band met iemand bij Delphic?'

'Nee. Maar hij is de directe ondergeschikte van Jane, en zodoende had hij de mogelijkheid om een onderzoek te voorkomen. Hij is de voor de hand liggende persoon om mee te praten, snap je, als we dat soort dingen zouden willen orkestreren. We hebben ook zijn doopceel gelicht en zijn erachter gekomen dat hij, mits voldoende onder druk gezet, wel iemand is die met ons zou willen samenwerken. Hij is zo ongeveer failliet. Zijn vrouw is een paar jaar geleden aan kanker gestorven en de doktersrekeningen hebben hem geruïneerd. Het zal dus niet moeilijk te regelen zijn. Er is al een nummerrekening op de Kaaimaneilanden die naar hem te traceren is. We geven ze het codenummer en het exacte tegoed. Wij zorgen dat het geld wordt gestort, maar doen het voorkomen alsof dat al een paar maanden geleden is gebeurd. De overschrijvingen zijn er al, geantidateerd en wel. Het is een bedrag dat groot genoeg is om iemand mee om te kopen, maar niet exorbitant hoog. Ik heb de cijfers, alleen nu niet bij me. Ik denk dat we dat geld voorlopig echt op die rekeningen moeten zetten. Zelfs als we het nooit meer terugzien, is het een lonende investering.'

Carter keek geschokt en zei niets. Sol sloeg zijn armen over elkaar en zei: 'Dit lijkt me nu niet bepaald het moment voor moraliserende praatjes.'

'Hoe heb je hem gevonden, die David Levin?'

'We volgen hem al een tijdje,' zei Sol. Hij haalde zijn schouders op. 'Hij begon een paar maanden geleden vragen te stellen. Ik weet dat Jane er op een hoger niveau bovenop zit, maar we waren de hele tijd bang dat een van de lagere medewerkers te nieuwsgierig zou worden naar het fonds. Het zou kunnen dat Paul een paar keer met hem heeft gepraat.'

Carter knikte. 'Ah, ja, zijn naam kwam me al bekend voor.' Hij fronste. 'Laten we Paul hierbuiten houden.'

'Ik weet niet of dat realistisch is. Of überhaupt mogelijk.'

'Ik ken Paul, Sol. Die voelt zich hier niet lekker bij. Hij is loyaal, maar hij – nou ja, vergeef me – hij is jurist. Hij heeft het killersinstinct niet, als je snapt wat ik bedoel.'

'Ik snap wat je bedoelt. Maar ik herhaal: misschien is dat niet realistisch, of helemaal niet mogelijk. Paul is niet dom. Hij heeft toegang tot een heleboel waardevolle informatie, of hij dat nu beseft of niet. Informatie die fataal voor jou kan zijn. God verhoede dat hij op eigen houtje een deal met ze sluit. Dan zijn wij er geweest.'

'Dat zou hij nooit doen. Weet je hoeveel die jongen aan mij te danken heeft?' Carter schudde zijn hoofd. 'Dat zie ik niet voor me.'

Sol gaf een kort knikje. 'Ik praat wel met hem. Maar het is echt te hopen dat hij aan onze kant staat.'

'Laten we dat probleem onder ogen zien als het zover is.'

'Goed. Maar ik zal met hem moeten praten over zijn gesprekken met David Levin. Om te beginnen.'

'Dat begrijp ik.' Carter haalde diep adem en zweeg even. Hij wist wanneer hij zijn mond moest houden in een woordenwisseling met Sol. 'Zal hij zich niet verzetten? David Levin, bedoel ik, niet Paul. Een SEC-advocaat van omkoping en fraude beschuldigen is net zoiets als water op een horzelnest gooien en dan rustig afwachten wat er gebeurt.'

'Hm, ja. In het begin wel, denk ik. Maar het zal snel tot hem doordringen dat hij de tijd noch de middelen heeft om dat te doen, én hij krijgt de kans om er met een berisping af te komen. En er is nog iets met hem. Hij is ontslagen bij een advocatenkantoor voordat hij bij de SEC kwam. Dat gebeurde vlak voordat hij partner zou worden. Het kantoor heeft nooit een aanklacht tegen hem ingediend, maar we hebben een bron die zegt dat er een akkefietje was in verband met het bezit van marihuana. Laat ik volstaan met te zeggen dat hij zijn handjes dicht mag knijpen dat hij zijn accreditatie nog heeft.'

'Een wietroker? Geweldig. En dan vragen de mensen zich nog af waarom de SEC nooit iets klaarspeelt.'

'Nou, het ligt iets gecompliceerder. Hij beweert dat het medicinale wiet was, voor zijn vrouw. Hoe dan ook, een paar partners hebben een goed woordje voor hem gedaan en hij mocht stilletjes vertrekken.'

Carter boog zijn hoofd toen hij dat hoorde. Hij stond op het punt om het leven van die man kapot te maken. Het was laf om hem af te schilderen als iemand die dat verdiende. Wie hij ook was, Carter wist zeker dat hij het niet verdiende.

'Hij heeft ook wat met een vrouw van zijn kantoor.'

'Wat doet dat ertoe?'

'Dat geeft hem een reden om ontslag te nemen. Dat heb ik Jane een paar maanden geleden al voorgesteld, toen hij te veel vragen stelde. Maar goed, waar het om gaat is dat David Levin ook lijken in de kast heeft. Hij is jaren geleden met iets weggekomen waar hij straf voor had moeten krijgen.' Sol wachtte even om Carter de gelegenheid te geven zijn woorden te verwerken. Dat was een onderdeel van zijn werk waar hij een hekel aan had. Als Sol een ontsnappingsstrategie bedacht, zaten zijn klanten meestal al zo diep in het oerwoud dat ze geen sprankje licht meer zagen. Dan was het zijn taak hen uit de duisternis te leiden. Daar was hij voor ingehuurd. Soms moest hij daar een paar extra bomen voor omhakken.

'Mag ik er een nachtje over slapen?' Carter zette het gezicht van een koppig kind, alsof het hem allemaal te veel werd.

Daar ben jij te slim voor, dacht Sol. Jij weet precies waarom we hier zitten en wat de volgende stap moet zijn.

'Nee. Je mag er vannacht terwijl je slaapt over nadenken, maar de knoop moet nu worden doorgehakt.'

'En als ik nou niet meewerk? Ik laat ze hun aanklacht indienen, als ze dat dan zo graag willen, en we laten het gewoon voor de rechter komen.'

Sol haalde zijn schouders op. 'Dan verlies je.'

'Omdat de jury mijn bloed wel kan drinken.'

'Juist.'

'Want de juryleden hebben foto's van mijn huis in East Hampton gezien, of van Ines en mij op een benefietgala of van de meisjes die paardrijden, en op grond daarvan oordelen ze over mij. Ze kijken naar me, ze zien een vent met een maatpak, John Lobb-schoenen en een heel team van advocaten, en dan willen ze me het liefst met stenen bekogelen.'

'Ik zou die John Lobb-schoenen maar thuis laten,' bromde Sol.

'Herinner je je die foto's van Martha Stewart nog, die voor de rechter verscheen met haar Birkin-tas?' Carters gezicht stond doodernstig, maar voor het eerst sinds dagen hoorde Sol een sprankje luchthartigheid in zijn stem. 'En in een bontjas. Ik bedoel, godsamme. Wees een beetje nederig. Ze had haar advocaten moeten doodschieten.'

'Ja, niemand zal Martha ooit verwijten dat ze haar adviseurs goed weet te kiezen.' Ze barstten allebei in lachen uit. Bij Carter kwam het lachen van vlak achter een heel dunne dijk die, eenmaal doorgebroken, werd overstroomd door tranen. Dat voelde goed, alsof zijn hele lijf een stilstaande vijver was geworden en het water nu voor het eerst sinds dagen weer stroomde. Hij veegde zijn tranen met een bevende hand weg. Hij schudde zijn hoofd en zei: 'Ik zal met Ines over haar kledingkeuze praten voordat we naar de rechtbank gaan.'

Sol glimlachte. 'Laat Ines maar dragen wat ze wil. Laten we het over de deal hebben.'

Carter knikte. 'Goed,' zei hij. 'Is Eli er zeker van dat ik er ongeschonden van afkom?'

'Ja. Als we het op de goede manier spelen.'

'En Paul en Adrian?'

'Adrian is oninteressant. Die zit bij klantrelaties, niemand denkt dat hij iets weet. Paul, tja – dat zullen we nog moeten bekijken. Laten we het eerst maar over jou hebben. Jij bent een grote vis, Carter. We zullen ze heel wat moeten geven in ruil voor jou.'

'Ik offer Paul niet op. Daar zou Merrill kapot van zijn. Dat gebeurt niet.'

'Ik zei al dat we het daar later nog over zullen hebben. Ik moet eerst meer informatie hebben voordat ik die discussie aan kan gaan. Sorry, maar meer zeg ik er op dit moment niet over. Daar is het nog te vroeg voor.'

Carter zweeg even. Toen vroeg hij zachtjes: 'En erna?'

'Na wat?'

'Ik neem aan dat ik niet meer in de financiële wereld zal mogen werken. Dat zal wel onderdeel van de deal zijn, toch?' Carter kreeg een brok in zijn keel. 'Wat moet ik in godsnaam de hele dag doen?'

'Ik weet niet of dat onderdeel van de deal is. Maar zo ja, dan heb je genoeg geld in het buitenland om van te kunnen leven; daar zullen ze niet aan komen. We verzinnen wel wat met z'n tweeën.'

'Het is geen financieel probleem.'

'Nou, eigenlijk toch wel,' zei Sol, wiens geduld op begon te raken. 'We kijken tegen een faillissement aan, Carter. Ik weet dat dat niet leuk is om te horen, maar je zou het moeten meewegen in je beslissing, niet alleen voor jezelf maar ook voor je gezin. Als je besluit om niet mee te werken, is er een kans dat je voor de rest van je leven de gevangenis in gaat en en passant alles kwijtraakt wat je hebt.'

'Hou nou eens op over dat kutgeld, Sol. Ik ben dat gepraat over geld zat.'

Typerend, dacht Sol. Let op mijn woorden, zodra je het niet meer hebt, gaat het nergens anders meer over.

'Ik heb het erover wat ik met mijn tijd moet doen, hoe ik mijn dagen door moet komen. Ik word 's morgens wakker, en dan? Wat heb ik dan nog? Mijn vrienden zullen er niet meer zijn. Op Wall Street kan ik mijn gezicht niet meer laten zien. De helft van de leden van de Knickerbocker Club belegt bij ons.'

'Doe niet zo dramatisch. De mensen zijn veel korter van memorie dan je denkt. En je hebt je kinderen nog. Word grootvader. Koop een huis in Gstaad waar je ze kunt leren skiën.'

'Misschíén heb ik mijn kinderen nog. Stel dat ze zich van me afkeren? Wat dan?'

'Ik denk niet dat ze dat zullen doen.'

'Dat weet je niet,' zei Carter schor, en hij schraapte zijn keel. Hij schudde zijn hoofd en dacht aan zijn eigen vader.

'Ik ken jouw kinderen. Ze zijn geweldig. Ze zullen je niet in de steek laten. Dat heb ik nog bijna nooit meegemaakt, zelfs niet in veel ergere situaties dan deze.'

Carters blik schoot nerveus door het vertrek. 'Ik wil mijn kinderen niet kwijtraken,' zei hij resoluut. 'En als er iets met Paul gebeurt, ben ik Merrill kwijt.'

'Dat zal zo'n vaart niet lopen.'

'En Ines gaat ook weg. Ik bedoel, godsamme, wat kan ze anders na alles wat ik haar heb aangedaan?'

'Ze zag er goed uit vanavond. Ik was erg onder de indruk dat ze alles zo goed opneemt.'

'Ze droeg maar één oorbel, is je dat opgevallen? De linkeroorbel ontbrak. Ik vind het vreselijk wat ik haar heb aangedaan,' vervolgde hij zachter.

'Die oorbel is me niet opgevallen,' zei Sol kalm. 'Hé, het wordt laat. En jij moet naar bed. Laten we niet te ver op de zaken vooruitlopen.'

'Wanneer spreken we Eli?'

'Zaterdag. We rijden naar de stad zodra jij zover bent. Neil komt met het vliegtuig uit Washington. Hij heeft zijn Thanksgiving-maaltijd zelfs vervroegd, dus hij zou nog eerder kunnen komen. Zijn vrouw pissig. Nou ja. We hebben eerst met hem afgesproken, en dan 's middags met Eli.'

'Ik moet eigenlijk eerst nog met Jane praten. Ik heb haar vanmorgen gesproken voordat ik hiernaartoe kwam.'

'Dat kun je beter niet meer doen. Voorlopig.'

'Ze is erbij betrokken, Sol. Ze heeft er recht op te weten waar ze aan toe is.'

'Laten we dit eerst afhandelen, Carter. Eén ding tegelijk, oké?' De mannen stonden op. Sol sloeg zijn oude vriend op de schouders. 'Goed dat je dat nog even zei aan tafel,' zei hij, 'over Morty.'

Carter knikte. 'Ik wist niet wat ik moest zeggen.'

'Dat weet niemand.'

Toen Sol aanstalten maakte om weg te gaan, zei Carter: 'Ik ben je erkentelijk voor alles wat je voor me hebt gedaan, Sol.' Sol knikte en stak zijn hand uit. Maar Carter schudde hem niet, maar boog zich naar Sol toe en omhelsde hem snel. Dat was voor beide mannen een zeldzaamheid. Ze zwegen allebei, zich ervan bewust dat ze elkaar nu meer dan ooit nodig hadden.

Toen Sol zich weer losmaakte, schraapte Carter zijn keel en zei: 'Ik weet dat je geweldig je best hebt gedaan, zeker gezien de omstandigheden. Dat meen ik echt. Maar ik denk dat er op dit moment niet zoiets bestaat als een goede deal. Voor niemand.'

En hoewel Sol tevreden was over het werk dat hij had gedaan, was hij geneigd het daarmee eens te zijn.

Vrijdag, 6.03 uur

Paul wist even niet of hij vroeg wakker was geworden of helemaal niet geslapen had. Merrill lag in foetushouding, als een klein kind. Haar hand rustte op zijn dij met de zachte handpalm ontspannen open. Hij voelde zich vreemd gevangen door die lichte aanraking. Hij durfde zich niet te verroeren, bang om haar te wekken. Uiteindelijk zakte hij even weg in een soort schemertoestand tussen slapen en waken in.

Het was nog donker toen hij heel stilletjes opstond. Hij wist niet hoe laat het precies was, maar het moest al bijna ochtend zijn. Het leek zinloos hier naar het plafond te liggen staren nu er nog zo veel te doen was. De honden begonnen enthousiast met hun staart op de grond te bonken toen hij de keuken in kwam. Daar was trouwens niet lang geleden nog iemand geweest; een van de lampen brandde nog en er hing een geur van verse koffie. In het halfdonker maakte hij een kom cornflakes klaar.

De tl-buizen aan het plafond gingen flakkerend aan. Carter verscheen in de deuropening, gekleed in een joggingbroek, een fleecejack en hardloopschoenen. Hij had een dun mutsje op en handschoenen aan van het soort dat serieuze hardlopers dragen. Zijn wangen waren rood van de ochtendkou. Hij wreef zijn handen warm en leek niet bijzonder blij om Paul te zien.

'Wat ben jij vroeg op.'

'Kon niet slapen.'

Carter trok een kruk bij, deed zijn handschoenen uit en zette zijn muts af. Zijn vingers waren stijf van de kou en hij had moeite met zijn schoenveters. Bacall kwam naar hem toe en schurkte zich tegen zijn kuiten alsof hij hem wilde warmen. Instinctief staken ze allebei een hand uit om hem te aaien. Carter krauwde hem liefdevol over zijn kop en vroeg toen: 'Slaapt Merrill nog?'

'Ik geloof het wel. In elk geval nog wel toen ik opstond.'

'Hoe is ze eronder?' Hij stond op en schonk een mok koffie voor zichzelf in, al was die niet warm meer. Na een slokje trok hij een vies gezicht en gooide zijn mok in de gootsteen leeg. Hij draaide zich om naar het aanrecht om verse te zetten.

'Moeilijk te zeggen. Het zijn lange dagen geweest.'

'Ze leek erg uit haar doen toen jullie aankwamen.'

'Nou ja. Het valt ook niet mee allemaal. Ik weet niet goed meer wat ik wel en niet tegen haar moet zeggen.'

Carter knikte. 'Ja, jongen, wij hebben het altijd gedaan. Wat er ook gebeurt.'

Hij stond met zijn rug naar Paul toe terwijl hij bezig was. Hij paste de gemalen koffie precies af en hield de maatschep als een laborant op ooghoogte. Toen het water kookte, deed hij een lepeltje suiker in twee mokken en schonk de koffie in zodra die klaar was. Hij nam de beide mokken in één hand mee naar de tafel. Altijd alles zo efficiënt mogelijk, dacht Paul.

'Dank je,' zei hij toen hij zijn koffie kreeg.

Carter zweeg terwijl Paul zijn eerste slok nam. Toen vroeg hij: 'Heb je Sol gisteren nog gesproken gisteren, voor het eten?'

Paul voelde dat Carter strak naar hem keek. Hij durfde zijn blik niet te beantwoorden, keek weg en dronk van zijn koffie. Hij voelde zich net een dubbelspion, diep in vijandelijk grondgebied. Hij moest zichzelf eraan herinneren dat hij David Levin niets had toegezegd. Helemaal niets. Maar toch – het verraad lag op de loer. Hoe kon hij bij deze man aan tafel zitten en hem vertrouwelijke mededelingen ontlokken in de wetenschap dat hij over nog geen uur David zou opbellen? Hij zou Carter het liefst een soort teken geven, als een vuurtoren die een schip bij een rotsachtige kust een waarschuwingssignaal geeft. *Let op je woorden. Ik ben niet te vertrouwen.*

'Ja, ik heb hem heel even gesproken,' zei hij. 'Vooral over mijn interactie met David Levin bij de SEC. Hij heeft me in grote trekken verteld wat we bij een onderzoek naar RCM van ze kunnen verwachten.'

Carter knikte. 'Onze beleggers zullen niet blij zijn.'

'Nee, dat denk ik ook niet.'

'We zijn allemaal in gevaar,' zei Carter. 'Het was Alains contact. En Sol gaat zijn best doen om ons tegen de gevolgen te beschermen. Maar ze ruiken bloed. Als ze de CEO's en bedrijfsjuristen aan de schandpaal kunnen nagelen, zullen de media smullen.'

'Ja, daar was Sol heel duidelijk over.' Paul schoof ongemakkelijk heen en weer.

'Hoeveel weet Merrill?' vroeg Carter. Zijn toon werd iets zachter.

'Ik heb het in grote lijnen voor haar uiteengezet. Ik wilde haar niet te veel van streek maken.'

'Heeft ze gevraagd wat dit voor het bedrijf kan betekenen? En voor de familie?'

'Ze was er echt stil van. Ik weet zeker dat ze beseft wat dit kan betekenen. Maar ze staat helemaal achter je.'

Carter zette zijn mok voorzichtig op tafel. Hij keek ernaar en snoof.

'Hoe bedoel je? Ze weet toch wel dat haar vader geen oplichter is?'

Het eerste ochtendlicht kroop over het aanrecht en ze konden elkaar nu beter zien. Carters anders zo vriendelijke gezicht stond op storm; achter de gefronste wenkbrauwen las Paul de gedachte: wie denk jij eigenlijk wel dat je bent?

'Sorry,' zei hij geschrokken. 'Ik wilde niet suggereren dat er iemand zou zijn die niet achter je staat. We steunen je allemaal, dat spreekt vanzelf.'

Carter staarde naar buiten, naar zijn gazon. Daar stonden vier herten; hun gevlekte vacht leek te vervagen tegen het herfstige gras. Ze zagen er goed doorvoed uit, zoals altijd in deze tijd van het jaar; dat moest ook wel als ze de winter goed wilden doorko-men. Zonder zich van zijn publiek bewust te zijn liep de kleinste van de vier bij de groep vandaan met zijn neus tegen de grond. Het grote mannetje keek hem even na, maar graasde toen weer verder. Voor hen was het een hele klus om in deze tijd van het jaar genoeg voedsel te vinden. Het gras was hier 's zomers heel dik, maar nu was het geslonken tot een dun bruin tapijtje met glazige rijpplek-ken erin. De herten werkten in stille harmonie door en aan hun le-nige lijven zag je dat ze op hun hoede waren. Als Paul en Carter ook maar één beweging maakten, zouden ze het meteen merken en wegschieten, onder de heg door de tuin uit.

'Je houdt van Merrill, dat merk ik,' zei Carter. De scherpe toon was uit zijn stem verdwenen. 'Dat heb ik altijd voor haar gehoopt. Dat ze iemand vond die haar ziet zoals ze is en van haar houdt om haarzelf. Ik hoop dat jullie ooit kinderen krijgen. Want hoeveel je ook van haar houdt, het is toch een ander soort liefde dan ik voor haar voel. Je denkt nu waarschijnlijk dat je alles voor haar over zou hebben. Maar dat is niet zo. Niet zoals ik.'

Paul wilde protesteren, maar zei uiteindelijk niets.

De eerste keer dat Paul Carter ontmoette, had hij hem bij het tennissen verslagen. Hij had toen al een paar maanden een relatie met Merrill, sinds het begin van hun tweede studiejaar. Het was juli en ze hadden allebei een stageplek in de stad. Hij bij Howary, zij bij een rechter in het Southern District. Ze woonden nog niet samen, maar sliepen al wel vaker samen dan alleen, en altijd bij haar, want zij had een mooier appartement dan hij. De uitnodi-ging om een weekend in het zomerhuis van haar familie in East Hampton te komen logeren was heel terloops geweest, tijdens een etentje met vrienden van haar, die in één moeite door ook werden uitgenodigd. Het was niet bij hem opgekomen dat haar ouders er dan ook zouden zijn. Niet dat dat iets had uitgemaakt. Hij zou het weekend met alle plezier in een motel hebben doorgebracht als ze dat gevraagd had.

Het begin van het weekend beloofde weinig goeds. Toen hij bij de garage van Merrills appartement aankwam, zag hij meteen dat hij precies de verkeerde kleren aanhad. Gegeneerd keek hij naar zijn New Balance-schoenen en kon zich wel voor zijn kop slaan dat hij een spijkerbroek had aangetrokken. Josh, de andere mannelijke gast, was keurig gekleed. Niet opgeprikt, gewoon goed gekleed: rode broek, overhemd, instappers zonder sokken. Hij droeg een dure, lichtblauwe kasjmieren trui losjes om zijn schouders. Rachel, de vrouw van Josh, en Merrill hadden vrijwel identieke witte broeken en katoenen tunieken aan. Het leek wel alsof er een memo met de dresscode voor het weekend was rondgegaan die Paul niet had gezien.

En dan die drie tennistassen die Josh in de kofferbak zette.

'Heb je je racket niet bij je?' had Merrill gevraagd. Ze keken hem alle drie nieuwsgierig aan. 'Had ik niet gezegd dat je dat mee moest brengen? We hebben een tennisbaan.'

Paul wist zeker dat ze dat niet gezegd had, maar hij wilde niet zeuren. Voordat hij kon antwoorden zei Josh al: 'Hij kan er wel een van mij lenen.'

Hij gaf Paul een knipoogje en Paul kon hem wel slaan.

'Je hebt toch wel tenniskleren?'

'Tuurlijk,' zei Paul losjes en hij dacht aan zijn Patagonia-zwembroek en zijn T-shirt. 'Tuurlijk.'

'Dan komt het helemaal goed,' zei Merrill. Ze sprong in haar Mercedes sedan. 'Zullen we dan maar? Mijn vader staat vast al met zijn racket in de hand te trappelen.' Ze had tegenover hem nog steeds het stralende van de prille liefde, dat air van 'je bent volmaakt, waarom heb ik jou niet eerder ontmoet?' Als ze al iets verkeerd vond aan die spijkerbroek, dan zei ze er in elk geval niets van. Maar hem zat het niet lekker. Zijn weekend was al bij voorbaat verpest.

Toen ze aankwamen, deed Carter de voordeur open en zwaaide naar ze. Bacall sprong achter hem vandaan en rende naar de auto, waar hij dolblij om Merrills voeten heen begon te dansen, een en al kwijl en enthousiaste poten. Paul herkende Carter natuurlijk wel, al was het maar van die foto laatst in *Barron's*. Paul had er altijd voor gewaakt Merrill expliciet te laten merken dat hij wist wie haar vader was. Hij wilde niet de indruk maken dat hij op celebrity's geilde. Hij wist niet of zoiets ook voor mensen uit de financiële wereld bestond, maar zelfs op de universiteit hoorde hij andere studenten weleens over haar familie fluisteren: haar vader was een soort rockster van de effectenbeurs en haar moeder was een bekende societyfiguur, net als haar mooie zusje Lily; ze stonden altijd in alle tijdschriften.

Hij wist niet of Merrill het gefluister beleefd negeerde of er gewoon geen erg in had. Maar ook zonder dat geroddel was Carter Darling moeilijk over het hoofd te zien als je weleens het economische katern van de krant las. Paul was altijd bang dat Merrill hem ofwel een idioot zou vinden die niet wist wie haar vader was, of erger nog, dat ze zou denken dat hij meer in Carter geïnteresseerd was dan in haar. Dus meestal knikte hij alleen maar als ze het over hem had.

In het begin had Merrill haar familie alleen maar in grote lijnen geschetst. Dat bewonderde Paul. Haar manier van kleden, haar vrienden en vooral haar warme, open lach: het was allemaal even praktisch en tegelijk verfijnd, het wees op een goede afkomst, maar ook op oprechte hartelijkheid en vriendelijkheid. In tegenstelling tot bijna alle anderen in New York (en Paul besefte dat hij ook bij die tweederangs meerderheid hoorde) liet Merrill zich niet op haar afkomst voorstaan en schaamde ze zich er ook niet voor. Sommigen van Merrills vrienden liepen met hun geld te koop, maar er was ook een klein groepje dat zijn rijkdom verborgen hield. Paul vond het allebei verontrustend.

Merrills ontspannen, natuurlijke manier van doen maakte haar onweerstaanbaar. Ze zat lekker in haar vel. Toen hij haar pas kende, dacht hij dat haar familie weleens een probleem zou kunnen blijken voor hun relatie. Maar toen hij haar beter leerde kennen, ging hij die familie net zo zien als zijzelf: niet als een zegen en niet als een vloek, gewoon als iets wat er nu eenmaal was.

Carter had zijn tennisoutfit al aan: een poloshirt, keurig ingestopt in de bijpassende korte broek. Tot Pauls verbazing begroette Carter hem hartelijk, alsof hij hem al jaren kende. 'Ha, heb ik tóch een tegenstander,' zei hij. 'Mijn oude tennismaat heeft net afgezegd. Je vindt het toch hopelijk niet erg om een oude man een uurtje te laten zweten? Ik hoorde van Merrill dat je voor UNC hebt gespeeld. Ze kan boven wel wat tennisspullen voor je opsnorren als je wilt. Er ligt genoeg.'

Josh en Rachel zeiden snel gedag, gingen naar de logeerkamer en lieten Paul verder aan zijn lot over.

Paul had nog nooit zo'n mooi huis gezien. Hij was er althans nooit binnen geweest. Vooral de afmetingen waren verwarrend. Alles leek te groot en te weids: het Viking-fornuis dat wel in een restaurantkeuken leek thuis te horen en genoeg borden en glazen voor een compleet trouwfeest. En naast Carter zelf voelde Paul zich heel klein. Ze stonden wat schutterig samen in de keuken, Paul nog met Merrills koffer in de hand. De hordeur werd op een kiertje gehouden met een smeedijzeren deurstop in de vorm van een hond. De keuken was betegeld met heel kleine witte en blauwe tegeltjes; het leek wel een reusachtig theekopje. Het rook er naar pas gemaaid gras en tennisballen, de geuren van de zomer. Buiten op het gazon hoorde Paul het verre gezoem van de grote grasmaaier.

'Zullen we dan maar?' vroeg Carter met een gebaar naar buiten. 'Even een balletje slaan?'

Paul won van hem, maar niet zonder daar eerst even over na te denken. Carter leek hem het soort man dat liever eerlijk verloor dan te winnen van een tegenstander die het hem expres makkelijk maakte. Paul liet hem af en toe scoren, maar alleen na een bijzonder goede service of volley. Bij de tweede game hadden ze al publiek: Merrill, Ines, Josh en Rachel, die beide spelers even enthousiast aanmoedigden. De meisjes hadden hun badpak aangetrokken met een korte broek erover en stonden met een plastic bekertje bloody mary in de hand. Ze roerden met een stengel bleekselderij en lachten.

Na afloop schudden Carter en Paul elkaar de hand over het net.

'Mooie partij,' zei Carter, en hij knikte Paul zonder een spoor van bitterheid toe. 'Je hebt geen moment overwogen me te laten winnen, hè?'

'Nee,' zei Paul.

'Mooi zo. Heel goed. Jij lijkt me wel iemand die begrijpt dat zelfs een oude kerel als ik zijn eigen boontjes wil doppen.'

'Paul?' Carter wendde zijn blik af van het raam alsof hij plotseling iets bedacht. 'We hebben het er nooit over gehad, maar kun je goed met je vader opschieten? Merrill zei een tijdje geleden dat je eigenlijk nooit over hem praat.'

'Ik heb hem sinds mijn achtste niet meer gezien.'

'Spreek je hem weleens? Weet je waar hij woont?'

Paul stond op en schonk zijn mok nog eens vol. 'Jij ook?' Hij hield de pot omhoog.

Carter knikte. 'Je hoeft er niet over te praten als je niet wilt.'

'Nee, dat is prima.' Paul zette de koffiepot weer op het aanrecht. 'We hebben elkaar nog een keer gesproken toen Merrill en ik pas getrouwd waren. Hij had de advertentie in de *Times* gezien. Hij is baliemedewerker bij een bank in Westchester.' Hij zweeg en nam een slok koffie. 'Toen hij bij ons wegging, zei mijn moeder tegen Katie en mij dat hij bankier werd in New York. Zoals zij het zei, klonk het heel indrukwekkend, alsof dat zijn grote kans was. Dat zei ik ook tegen mijn vriendjes: mijn vader is bankier in New York.'

'Als ik zie hoe slim jij bent, zou ik hebben verwacht dat hij minstens hoogleraar wiskunde was.'

Paul haalde zijn schouders op. 'Tja. Deze appel is blijkbaar ver van de stam gevallen.'

'Ja, dat heb ik inmiddels wel begrepen.' Carter leunde achterover en rekte zich uit. 'Dat zal wel moeilijk zijn geweest. Opgroeien zonder vader.'

'Ja, vooral in het begin. Na een tijdje leer je ermee te leven. Dat ken jij natuurlijk ook wel.'

'Ja. Een ouder verliezen is een ingrijpende ervaring. Vooral als je nog zo jong bent. Ineens ben je anders dan je leeftijdgenoten. Ik was tien toen mijn vader stierf. En eenentwintig toen ik mijn moeder verloor. Ik had gehoopt dat ze me nog zou zien afstuderen aan Harvard.'

Paul knikte. 'Voor mijn moeder was het heel naar dat mijn vader er niet bij was toen ik afstudeerde. Dat was een van de weinige keren dat ze om hem heeft gehuild.'

'We hebben veel gemeen, jij en ik,' zei Carter. Toen het licht op zijn gezicht viel, zag Paul de scherp afgetekende wallen onder zijn ogen en de uitgezakte wangen. Carter zag er moe uit. Hij staarde naar het inmiddels lege grasveld, de lichter wordende hemel en de slapende bomen. Hij leek niet naar iets in het bijzonder te kijken.

'Ik heb je nooit gevraagd wat er bij Howary is voorgevallen,' zei hij toen. 'Dat had ik kunnen doen toen je bij me kwam solliciteren. Ik had je onder druk kunnen zetten. Maar dat heb ik niet gedaan. Weet je waarom niet? Omdat ik wist dat jij net zo bent als ik: voor ons komt de familie altijd op de eerste plaats. Dat hield in dat je nooit iets doms zou doen waarmee je je positie in gevaar bracht. Je kon je niet veroorloven ontslagen te worden. Als het niet om jezelf was, dan in elk geval vanwege Merrill. Daarom speelde je op safe, je deed nooit onverstandige dingen. Daarom heb je het zo lang volgehouden, dit hele ellendige najaar door. Of vergis ik me?'

'Nee, je vergist je niet, geloof ik,' zei Paul. 'Ik ben blij te horen dat je weet dat ik niets verkeerds heb gedaan. Maar er is wel veel misgegaan.' Hij wilde nog meer zeggen, maar deed dat niet. Hij had de afgelopen maanden in stilte geleden onder alle vragen van vrienden, van zijn moeder, van mensen als Raymond, de portier, en Leo, de man die zijn schoenen poetste.

Wat was er bij Howary voorgevallen?

Dat moest toch iedereen wel weten?

Dat kon toch niet anders als je daar had gewerkt?

Het maakte niet uit of de vragen uit bezorgdheid of uit achterdocht werden gesteld, of ze goedbedoeld of sensatiebelust waren. Hij kon ze geen van alle beantwoorden. Hij wilde het misschien wel, maar hij kón het gewoon niet. Een simpel 'ja, ik wist ervan' of 'nee, ik wist van niets' was niet voldoende. De grens tussen wat hij wist en wat hij altijd wel min of meer had vermoed, was allang vervaagd.

En wát moest hij dan precies hebben geweten? Wie kon dat uitleggen? Hij stond weliswaar dichter bij de sleutelfiguren dan wie ook – hij was tenslotte Macks assistent – maar hij kon nog steeds niet aanwijzen wie er nu schuldig was en wie niet. Echt schuldig, niet in de zin van 'even de andere kant op gekeken'. In zekere zin hadden ze allemaal schuld. Maar hij vond ook dat ze er eigenlijk geen van allen verantwoordelijk voor waren, al besefte hij wel dat dat standpunt strikt genomen niet te verdedigen was. Net zoals de jongens bij Lehman of Bear Stearns en AIG. Net zoals de jongens van Delphic. Ze deden gewoon mee omdat ze daar werkten. Ze probeerden het zo lang mogelijk vol te houden. Het werd een spel, een wedstrijd; het enige waar het uiteindelijk om ging, was de vraag of je geld verdiende of niet. Paul had alleen maar zijn best gedaan om niet overboord te vallen.

Het was een subtiel web van beslissingen. De grote beslissingen herinnerde hij zich natuurlijk wel. Die liet hij 's avonds in bed telkens opnieuw de revue passeren voordat hij in slaap viel, en als hij wakker was, verweet hij zichzelf dat hij het niet anders had aangepakt. Maar hij wist dat het de kleine beslissingen waren, de kleine, onbenullige dingetjes zoals het broodje dat je bij de lunch had besteld (je baas bestelde hetzelfde, je zei er iets over, en later werd hij je mentor), de mails die je die dag had verstuurd (mailtjes blijven eeuwig bewaard, ze staan altijd nog wel ergens op een server te wachten totdat iemand ze uit hun verband rukt), of langs welke route je na je werk naar huis was gegaan (het was die dag laat geworden, dus ben je niet met de metro gegaan, maar heb je met een collega een taxi gedeeld) – dat waren de vezels van de strop waarmee ze zichzelf hadden opgehangen. Niet alleen Howary, maar iedereen op Wall Street.

'Ik heb nooit gezegd dat je niets verkeerds hebt gedaan,' zei Carter nu.

'Wat?'

Carter wierp Paul een verontrustende blik toe. Paul kreeg hetzelfde gevoel als op het moment vlak nadat er een slechte deal was gesloten en hij besefte dat hij genaaid was, al wist hij nog niet precies hoe.

'Ik heb nooit gezegd dat je niets verkeerds hebt gedaan,' herhaalde Carter. 'Ik zei alleen dat je nooit iets doms zou doen. Dat zijn twee verschillende dingen.'

'Hoe bedoel je, wat is het verschil dan?' vroeg Paul, stekelig ineens.

'Niet meteen zo defensief. Wij zijn allebei uit hetzelfde hout gesneden. Voor ons komt de familie op de eerste plaats. Dat houdt in dat we het spel volgens de regels spelen.'

'Oké,' zei Paul. Hij vroeg zich af waar Carter heen wilde.

'We blijven in het spel om voor de familie te zorgen. Dat is het verstandigste. Maar als de rest van de wereld de regels van dat spel niet begrijpt, heb je een probleem. Neem nu bijvoorbeeld de hypotheken. Iedereen in het wereldje kende de spelregels. Iedereen hield zich eraan. Maar de gewone man wist van niets, dus die ging eronderdoor. Hetzelfde geldt voor die fiscale sluipweggetjes via de Kaaimaneilanden. Toch?'

'Nou,' zei Paul. Hij sloeg zijn armen over elkaar en leunde achterover. 'Er waren ook spelregels waar niemand zich aan hield. Er waren lege bv's die niemand goed bijhield. Geld dat werd doorgesluisd alleen om het weg te sluizen, het te laten verdwijnen. Dat had allemaal nooit mogen gebeuren.'

'Goed. Maar dat heb jij toch ook niet gedaan?'

'Nee, nooit. Zo achterlijk ben ik niet.'

'Maar je hebt het wel zien gebeuren. En er bestond een stilzwijgende afspraak dat je dan even de andere kant op keek. Toch? Want waarom zou je het systeem onderuithalen?'

'Dat is het juist,' zei Paul een tikje geïrriteerd. 'Je kunt van een bepaalde deal zeggen "dat had nooit mogen gebeuren", maar wat doet iemand in mijn positie? Vragen stellen bij een bepaalde deal? Dan word je ontslagen. Vraagtekens zetten bij álle deals? Dan kom je nergens meer aan de slag. En wat schiet je ermee op? Alles gaat verder gewoon door.'

Nu hij eenmaal op dreef was, wist hij van geen ophouden. 'Je vraagt of ik ervan wist?' zei hij. 'Ja, natuurlijk wist ik ervan. Tot op zekere hoogte. Niet alles, maar toch wel wat. En er komt een moment dat je denkt: als iemand anders zijn nek uit wil steken, dan is dat zijn probleem. En zal ik je eens wat zeggen? Dat zag ik verkeerd. Want nu zit iedereen met dat probleem. Dus dat is wat je wilde horen: ja, ik wist ervan. Ben ik nu in je achting gedaald?'

Carter grinnikte. 'Nee, jongen. Je bent juist in mijn achting gestegen.' Hij keek Paul lachend aan. Hij keek een beetje wild uit zijn ogen, haast uitzinnig, en Paul bedacht dat hij misschien op het punt stond totaal in te storten. Misschien gold dat wel voor hen allemaal. Carter sprong overeind en begon door de keuken te ijsberen, en Paul hoorde een zacht, pulserend muziekje – iets van The B-52's? – dat uit Carters broekzak kwam. Zijn iPod had de hele tijd aan gestaan, begreep Paul, zo zacht dat zijn bewustzijn het had weggefilterd als witte ruis.

'Je doet wat in het belang van je familie is. Ook als de hele wereld straks over je heen valt. Ik zei het al, jij bent net als ik. Ik had ook een waardeloze vader, en zodra ik kon, heb ik hem eens kritisch bekeken en gedacht: zo wil ik niet worden. En zo bén ik ook niet geworden. Ik heb altijd goed voor mijn kinderen gezorgd. Ik heb Merrill en Lily álles gegeven. Álles, verdomme. Dan zeggen ze maar dat ik een graaier ben: de media, de rechters en al onze zogenaamde vrienden – ik vind het best. Morgen, of maandag. En misschien houdt het wel nooit meer op. Maar dan snappen ze er niks van. Ik, een graaier? Ik ben altijd volkomen belangeloos geweest, godverdomme. Voor honderd procent.'

De woorden bleven in de lucht hangen. Het was koud en stil in de keuken. De zon was inmiddels bijna helemaal op, maar het voelde nog steeds alsof de dag niet was begonnen. Voor het eerst sinds Paul Carter kende, zelfs sinds hij voor het eerst over hem had gehoord, zou hij niet graag in zijn schoenen willen staan. Hij zou het liefst helemaal niet meer bij de familie Darling horen.

Toch besefte hij met benauwende zekerheid dat Carter gelijk had. Ze waren precies hetzelfde. Voor honderd procent.

'Wat ga je nu doen?' vroeg hij zo zacht als hij kon, alsof ze in een porseleinen theekopje zaten. De wereld was zo breekbaar geworden dat hij zelfs van de klank van zijn stem al kon versplinteren. 'Wat gaan wíj doen?'

'Heel eenvoudig,' zei Carter. Ze gingen samen aan de keukentafel zitten.

Toen Alexa opnam, klonk ze wazig. Het was nog vroeg.

'Ben je wakker?'

'Nauwelijks. Shit. Het is gisteravond nogal laat geworden.'

'Een wild Thanksgiving-feest?'

Ze lachte zuur. 'Zo zou ik het niet noemen.' Ze zweeg even. 'David is geschorst,' zei ze toen. 'Hij mag niet meer op kantoor komen. Hij is totaal uit zijn doen, we weten ons geen raad. Het is hier dus nogal eh, hectisch.'

Daar was Paul even stil van. 'Hebben ze hem op Thanksgiving

geschorst?' vroeg hij toen. 'Dat klinkt nogal onchristelijk.' Hij had de neiging luchthartig te doen als hij zenuwachtig was.

Ze lachte weer, rauw en hees. Als hij niet beter wist, zou hij denken dat hij haar wakker had gebeld. 'Tja. In principe komt het erop neer dat hij heel lang met vakantie moet. Je kent dat wel: totdat het interne onderzoek is afgerond. Dat ziet er dus niet goed uit. Ze zijn op zoek naar een stok om hem mee te slaan. Ik zei toch al dat het geen sympathiek clubje is?'

'Hebben ze – heeft ze – nog gezegd wat ze hem precies verwijten?'

'Nee, niet echt. Iets over dat rcm-onderzoek waarbij hij iets verkeerd zou hebben gedaan. Hij zou "buiten zijn boekje zijn gegaan", zoiets zeiden ze. En dat is natuurlijk ook zo, want in dat boekje stond dat hij het moest laten rusten. Nou ja, hoe dan ook. Ik ben des duivels, dat hoor je wel.' Ze zuchtte luid. 'Kom je vandaag nog met David praten? Hij heeft straks een afspraak met Matt Curtis, onze man bij justitie. Daar moet jij ook bij zijn. David is zijn ontslagbrief al aan het opstellen.'

Paul zweeg en sloot zijn ogen. Toen zei hij het, in het volle besef dat hij hier zijn hele verdere leven aan zou terugdenken.

'Ik kom naar de stad,' zei hij. 'Maar alleen om de familie bij te staan. Het spijt me, maar ik kan momenteel niet met David praten. En zeker niet nu hij niet meer bij de sec werkt.'

Daarop volgde een stilte, wat hem niet verbaasde. Even vroeg hij zich af of ze had opgehangen. 'Begrijp me niet verkeerd,' zei hij. 'Het gaat nu om de familie.'

'Doe niet zo stom, Paul,' zei ze. 'Als je nu met justitie komt praten, hoef je niet te worden meegesleurd in de val van de familie Darling. Dat weet jij ook wel.'

'Ja, dat snap ik. Maar ik sta achter mijn schoonvader. Je kunt geen heel bedrijf om zeep helpen vanwege de fouten die een paar mensen hebben gemaakt.'

'Heel onverstandig van je.'

'Alexa, ik moet ophangen. Ik wens je sterkte, en David ook. En vergeet niet wie hier de échte vijand is, hè?' Zijn hart bonkte wild in zijn borst. Hij wilde de deur op een kiertje open laten staan, maar daar was geen tijd meer voor.

'Ik vind het een gruwelijk idee dat je nu bij die mensen bent,' zei ze. 'Verschrikkelijk.'

Maar hij had al opgehangen.

Hij liep meteen naar de slaapkamer. Hij wilde niets liever dan bij zijn vrouw in bed kruipen en haar in zijn armen nemen. Maar toen hij binnenkwam, zag hij dat het bed open lag; Merrill was nergens te bekennen. Hij ging op de rand van het bed zitten, sloeg zijn handen voor zijn gezicht en vroeg zich af of hij een verkeerd besluit had genomen. De stress van de laatste drie dagen overviel hem ineens en hij voelde zich als wrakhout meedrijven met het getij. De kust leek steeds verder weg.

Vrijdag, 7.50 uur

Paul was weg.

Merrill schrok toen ze haar ogen opendeed en het lege kussen zag. Ze tastte naar zijn kant van het bed en vroeg zich af waar hij was.

Hij is gewoon in de keuken, dacht ze toen. Hij wilde me niet wakker maken.

Ze nestelde zich weer op haar plekje in de hoop de slaap te kunnen vatten, al wist ze eigenlijk al dat dat niet zou lukken. De hele nacht was het in huis onrustig geweest, een constante, nerveuze beweging. Beneden had er tot in de kleine uurtjes iemand heen en weer gelopen en het gekraak van de vloer had haar telkens uit haar rusteloze halfslaap gewekt. Op een gegeven moment meende ze op de veranda stemmen te horen; later knerpten er wielen over het grind van de oprit. Beide keren was ze overeind gaan zitten en had ze uit het raam gekeken, maar alleen duisternis gezien. De wind van zee loeide al sinds de vorige middag in harde vlagen om het huis. Vreemd genoeg was Merrill dankbaar voor de commotie om haar heen. Anders zou het huis stilvallen en dan was ze alleen met haar gedachten.

Ze dwong zichzelf op te staan en naar de badkamer te gaan om zich te wassen. Snel doorliep ze het ritueel van flossen, tanden poetsen, gezicht wassen en contactlenzen indoen, alsof ze dringend ergens heen moest. In haar koffer lagen een spijkerbroek en een coltrui bovenop; zonder nadenken trok ze die aan. Onder het aankleden probeerde ze aan iets buiten Beech House te denken — het aanstaande huwelijk van een vriendin in Connecticut, een rechtszaak over een effectenrekening op haar werk – maar haar gedachten leken wel een gesloten tv-circuit dat telkens terugkeerde naar haar vader en Paul.

Waar was Paul gebleven? Was hij een rondje gaan hardlopen? Ze wilde de angst niet toelaten dat hij helemaal weg was.

Ze keek uit het slaapkamerraam. Als ze op haar tenen ging staan, zag ze de weg naar het strand. Hij glinsterde in de zon onder een laagje ijskristallen. Achter de heg lag het uitgestrekte gazon; het bevroren gras was bruin en stekelig als een kokosmat. Het zwembad sluimerde onder een donkergroen zeil. Langs één kant stonden metalen ligstoelen met hun blote rugleuningen zonder kussens. Die lagen van oktober tot juni als een gigantisch kussenkasteel in het zwembadhuisje opgestapeld. Bij de aanzet van de boomtakken had zich die nacht een hoopje krijtwitte sneeuw verzameld.

Nog maar drie maanden geleden hadden Merrill en Lily op die stoelen cola light zitten drinken terwijl de warme zon op hun gebronsde huid scheen. Ze hadden gelachen en allerlei opmerkingen geroepen terwijl Adrian en zijn broers zich uitsloofden op de duikplank. Ondertussen speelden Carter en Paul backgammon aan de glazen tafel op het terras; af en toe verscheen er een glimlach of een grimas op hun ernstige gezicht als ze elkaar een hak zetten. Als de zon onderging achter de haag kwamen Carmela en John de muggenkaarsen rondom het zwembad aansteken. Iedereen rook naar zonnebrandcrème, citronella, zout water en chloor. Ze aten buiten – kip en maïskolven van de barbecue – en het haar van de meisjes droogde aan de warme avondlucht. De golven van de oceaan ruisten in de verte. Wat leken die avonden nu lang geleden, als verhalen over andermans verleden.

Merrill zag het silhouet van een jogger dichterbij komen, zijn gezicht verduisterd door de schaduw van de bomen. Hij was lang en breed, net als Paul.

Haar hart ging sneller kloppen en ze boog zich verder naar voren totdat haar wimpers het vensterglas bijna raakten en haar handpalmen afdrukken op de vensterbank maakten.

Toen ze Paul voor het eerst ontmoette, was ze niet erg onder de indruk geweest, al vond ze de antwoorden die hij tijdens de werkcolleges gaf wel opmerkelijk goed geformuleerd en had hij iets warms over zich dat mensen op hun gemak stelde. Hij had altijd een blauw overhemd aan en liep met zijn handen in de zakken van zijn spijkerbroek; hij straalde een ontwapenend soort eerlijkheid uit dat Merrill vertrouwen inboezemde, ondanks zijn knappe uiterlijk.

Merrill was altijd wat stil en op haar hoede, vooral met mannen. Vóór Paul had ze maar twee echte vriendjes gehad en tussen die relaties door waren er nooit losse contacten geweest. Ines en Carter hadden hun dochters altijd ingeprent dat ze met mensen moesten uitkijken. *Dit is New York*, zei Ines altijd, of de meisjes nu met de metro wilden of een blind date hadden. *In New York kun je nooit weten wie wie is. Je moet altijd voorzichtig zijn.* Merrill en Lily had veel vrienden, maar weinig oppervlakkige kennissen, en ze gingen vrijwel alleen met mannen om die door vrienden en familie aan hen werden voorgesteld.

Soms (iets vaker sinds ze Paul kende) vroeg Merrill zich af hoe ze zou zijn geworden als ze buiten New York was opgegroeid. Zou ze dan nog steeds zichzelf zijn, maar opener en minder achterdochtig? Zonniger? Minder sarcastisch? Kinderen die in Manhattan opgroeiden, waren net gordeldieren: scherpe klauwen, een dikke huid en bedrieglijk snel in hun bewegingen. Dat moest ook wel. Manhattan was een darwinistische omgeving: alleen de sterksten overleefden. De zwakkeren, de lieven, de naïeven, degenen die op straat voorbijgangers toelachten, werden uitgeroeid. Na hun studie kwamen ze een paar jaar naar New York, huurden een flatje ter grootte van een schoenendoos in Hell's Kitchen of Murray Hill, gingen bij een bank of in de horeca werken en deden auditie voor bijrolletjes in off-off-Broadway producties. Na het werk ontmoetten ze andere twintigers, met wie ze afspraken in zielloze bars in midtown; ze versierden en werden versierd, stelden teleur en werden teleurgesteld. Ze merkten dat ze steeds ongeduldiger, vermoeider, cynischer, botter, angstiger en neurotischer werden. En dan gaven ze het op. Ze gooiden de handdoek in de ring. Ze vluchtten de stad uit, terug naar de provincie of naar een buitenwijk of een minder hectische stad als Boston, Washington of Atlanta, om zich daar voort te planten.

Degenen die lang genoeg bleven om in Manhattan kinderen te krijgen en groot te brengen, waren de taaien, de vasthoudenden, de doelgerichten, de golddiggers, de dealsluiters, degenen die geloofden in het recht van de sterkste en over lijken gingen. Zij waren altijd op hun qui-vive en sliepen met één oog open. Een echte New Yorker hoefde niet per se in New York geboren te zijn: het was iets wat in je bloed zat, als een hormoon of een virus. Merrill vroeg zich vaak af of ze het wel in Manhattan zou kunnen volhouden als ze kinderen had. Hoe ouder ze werd, hoe vaker ze bedacht dat ze in een rustiger omgeving met minder stress en concurrentie misschien wel gelukkiger zou zijn. Waren zij wel bereid om net zo hard te vechten als haar ouders indertijd, werkweken van honderd uur te maken om zich hun appartement van honderdveertig vierkante meter met een ingewikkeld elektrisch fornuis te kunnen veroorloven en vierendertigduizend – vier-en-der-tig-dúízend – dollar per jaar te betalen voor een goede particuliere school als Spence? Om nog maar te zwijgen van de kosten van kleren, een nanny en sportclubjes zodat de kinderen niet bij hun klasgenootjes achterbleven... en het vooruitzicht in de zomer alle weekends bij Carter en Ines te moeten doorbrengen als ze kinderen hadden. Dat leek onredelijk, maar je kon het een kind niet aandoen in augustus in een appartement in de stad te blijven terwijl alle klasgenootjes ergens gingen paardrijden of tennissen. Dus naast de hypotheek van een miljoen die ze al hadden en de gruwelijk hoge servicekosten die ze elke maand moesten betalen, zouden ze dan in de zomer ook nog minstens een huisje in de Hamptons moeten huren... en wat kostte zoiets, vijftigduizend dollar voor een seizoen? Honderdduizend? En was het waar wat ze had gehoord, dat de beste repetitoren die je kind thuis klaarstoomden voor het eindexamen wel duizend dollar per uur vroegen? Wie durfde aan zoiets te beginnen? Zelfs de allerrijksten moesten voor dit soort rekensommetjes wel stalen zenuwen en een genadeloze overwinnaarsmentaliteit hebben. Altijd als Merrill een groepje schoolkinderen langs Park Avenue zag lopen, goudharige cherubijntjes met schortjes en Peter Pan-kraagjes, dacht ze: jullie ouders zijn dus killers.

Lily was heel anders. Lily was een New Yorkse in hart en nieren. Merrill wist zeker dat Lily nooit ook maar een seconde had overwogen ergens anders te gaan wonen. Misschien een jaartje Parijs – dat was wel leuk – of een jaartje Londen als haar man daar voor zijn werk naartoe werd gestuurd. Maar ze zou altijd terugkomen. Op haar wereldkaart stonden maar twee plekken: Manhattan en de rest.

Benijdenswaardig, dacht Merrill vaak als ze haar zusje over de toekomst hoorde praten. Onbegrijpelijk en benijdenswaardig dat ze nooit ergens anders wilde zijn dan waar ze al was. Merrill had last van ontdekkingsdrang. Op school was ze dankzij haar nieuwsgierigheid altijd de beste van de klas geweest. In haar vrije tijd ging ze vaak helemaal op in de wereld van een boek en droomde ze van steden en landen waar ze nog niet met haar ouders was geweest: Parijs, Praag, Istanbul, de piramiden van Egypte. Ze had het liefst naar Oxford gewild om het werk van Shakespeare te bestuderen, maar dat wilde Ines niet hebben. 'Veel te ver weg!' zei ze dan, of: 'Je vader zou zó trots op je zijn als je naar Harvard ging...'

Wat zou het leven een stuk eenvoudiger zijn als ze zich niet steeds afvroeg wat er elders te beleven viel, bedacht ze.

Neem nou mannen. Lily had altijd tevreden geleken met de mannen die op haar pad kwamen. De jongens van Buckley met hun wilde blonde haar, hun blauwe blazers en hun overhemd uit hun broek, de jongens die op dure scholen hadden gezeten, lacrosse speelden en bij Dorrian's Red Hand in de upper East Side whisky-soda dronken, de in Patagonia gehulde corpsstudenten van Dartmouth met een sticker van ACK Airport op hun auto en een waterpijp onder hun bed, de jongens van de Racquet Club en de Union Club en de Maidstone Club, de toekomstige zakenbankiers, *private bankers*, hedgefondsjongens en bedrijfsjuristen van Manhattan. De jongens met de zilveren lepel in de mond. Lily's vriendjes leken allemaal op elkaar, ze waren onderling inwisselbaar, allemaal jongens van het soort waarmee zij en Merrill waren opgegroeid. Adrian was ook zo'n type. Al moest Merrill toegeven dat hij waarschijnlijk wel de beste van het stel was, de luxe-editie.

Zelf had ze nooit veel om die New Yorkse jongens gegeven. De meesten bleken nogal arrogant. Ze waren vaak wel charmant, maar niet geestig, beleefd maar niet echt vriendelijk, of bereisd en toch bekrompen. Ze dronken te veel en lazen te weinig. Ze waren in kille, welgestelde, blanke, conservatieve gezinnen opgegroeid waar knuffelen gênant en veel te intiem werd gevonden. Merrill had vaak met ze bij Orsay of J.G. Melon's gegeten en naar hun verhalen over het roeien voor Exeter of hun stageplaats bij Morgan Stanley geluisterd. Dan had ze geknikt, geglimlacht en aan haar vriendinnen gedacht, die enthousiast hadden gejubeld: 'O, hij is zó leuk!', of: 'Een goeie partij!' Ondertussen ontlook in haar de verveling, die aanzwol tot walging, totdat ze het gevoel kreeg dat ze van binnen begon te beschimmelen. Ze werd onrustig. Ze wenkte de ober en keek ondertussen stiekem op het horloge aan haar omhooggestoken pols. Ze begon ontsnappingsstrategieën te verzinnen, alles om maar naar huis te mogen, naar haar lekker warme bed en haar boek. Hoe knapper de jongens waren, hoe sneller haar belangstelling leek te tanen.

De eerste keer dat Paul tegen haar lachte, voelde ze dat ze als een schoolmeisje begon te blozen. God, dacht ze, wat is hij knap. En toen: Weet hij wie ik ben of doet hij gewoon aardig tegen me? Alle rechtenstudentes aan Harvard wisten wie Paul was. Hij was te charismatisch om over het hoofd te zien.

Toen hij haar na college aansprak en vroeg of ze zin in koffie had, schrok ze. Ze had zichzelf aangeleerd te geloven dat knappe mannen allemaal last hadden van dezelfde kwalen: arrogantie, saaiheid, egocentrisme en een door en door verwende mentaliteit – kortom, dat ze niet de moeite waard waren. En ze schaamde zich. Want Pauls gezicht, zijn doordringende blik, en zijn brede schouders kwamen zo veelvuldig voor in haar hevig seksueel getinte dagdromen op college dat ze in een sidderend hoopje schutterigheid veranderde zodra hij in haar buurt kwam. Ze verzon een slappe smoes en zei nee.

Hij vroeg het nog eens. En nog twee keer, totdat ze eindelijk ja zei.

Ze ging met tegenzin naar de afspraak en weigerde iets uitdagenders aan te trekken dan een spijkerbroek en een wit mannenoverhemd. Ze kalmeerde zichzelf met de gedachte dat de charme van Paul Ross na een wat ongemakkelijk uurtje bij Starbucks, of later, na een etentje met een fles wijn erbij, of misschien pas nadat ze bij het derde of vierde afspraakje aangeschoten in bed waren beland, wel zou verbleken. Zo was het tenslotte altijd gegaan. Maar nu durfde ze ergens heel stilletjes te hopen dat het anders zou lopen... dat ze misschien geleidelijk zou ontdekken hoe serieus, teder, grappig en open hij was, en hoe mooi ze zich bij hem voelde, zelfs als ze ziek, gestrest of humeurig was, en hoe lief het was dat hij geen bloemen, maar haar zwart met witte lievelingskoekjes voor haar meebracht en precies wist hoe hij haar voeten moest masseren en welke vragen hij over haar familie moest stellen om niet nieuwsgierig maar wel geïnteresseerd over te komen. En waar ze nog het meest van onder de indruk was: hoe hard hij werkte voor alles wat hij wilde bereiken, terwijl hij toch nooit iets terug verwachtte. Hij leek in geen enkel opzicht op de andere mannen die ze kende, en daarom hield ze van hem.

Waarom had ze hem dan zo onder druk gezet om precies zo te worden als haar vader?

Dat had ze natuurlijk niet expres gedaan. Maar toch had ze het gedaan, dat wist ze, in talloze kleine dingen. En daar moest ze nu aldoor aan denken... Waarom had ze erop aangedrongen dat hij vaker op de club ging tennissen of dat hij leerde backgammonnen en skiën? Waarom had ze voorgesteld dat hij lid van de Racquet Club werd? En dan die achterlijke truien die ze hem als kerstcadeautje had gegeven... en die baan natuurlijk. Die kutbaan waardoor ze er nu allemaal onderdoor gingen...

De hardloper kwam nu dichterbij, in het licht, en stak de straat over. Zijn haar glinsterde goudkleurig onder de straatlantaarn. Het was Paul niet. Merrills schouders zakten omlaag. Ze liep bij het raam vandaan en voelde zich zwaar van de zorgen.

Misschien was hij in de keuken?

Zo geluidloos mogelijk sloop ze de trap af. Het was stil in huis en ze hoopte dat iedereen nog sliep.

Toen ze bij de keukendeur was, hoorde ze mannenstemmen. Ze legde haar vingertoppen tegen de knop, maar aarzelde toen en luisterde eerst voordat ze de deur openduwde.

'Nee, jongen. Je bent juist in mijn achting gestegen,' hoorde ze. Ze bracht haar hoofd dichter bij de deur totdat haar oor het hout raakte.

De stem klonk gedempt en barser dan ze gewend was, maar het was ontegenzeglijk haar vader.

'Je doet wat in het belang van je familie is. Ook als de hele wereld straks over je heen valt. Ik zei het al, jij bent net als ik. Ik had ook een waardeloze vader, en zodra ik kon, heb ik hem eens kritisch bekeken en gedacht: zo wil ik niet worden. En zo bén ik ook niet geworden. Ik heb altijd goed voor mijn kinderen gezorgd. Ik heb Merrill en Lily álles gegeven. Álles, verdomme. Dan zeggen ze maar dat ik een graaier ben: de media, de rechters en al onze zogenaamde vrienden – ik vind het best. Morgen, of maandag. En misschien houdt het wel nooit meer op. Maar dan snappen ze er niks van. Ik, een graaier? Ik ben altijd volkomen belangeloos geweest, godverdomme. Voor honderd procent.'

Met bonkend hart deed ze een stap terug. Ze kon niet meer denken. Ze zette de ene voet voor de ander, eerst de hak en dan de teen, geluidloos op het kleed totdat ze de trap weer op en hun slaapkamer weer in was. Pas toen ze de deur achter zich had dichtgetrokken, stond ze zichzelf toe in tranen uit te barsten.

De woorden van haar vader kolkten door haar hoofd en ze ging ineens als een tornado door de kamer, haalde kleren uit laden, vouwde, pakte, duwde alles in haar koffer... ze kon geen rust vinden om te bedenken wat ze daarnet precies had gehoord of wat dat betekende... maar ze wist dat ze hem niet vertrouwde.

Dan zeggen ze maar dat ik een graaier ben...

Haar vader ging kopje-onder. Dat wist ze zeker. Hij zonk als een baksteen en als zij er geen stokje voor stak, zou hij Paul meesleuren.

Paul zag haar op de oprit: ze was hun spullen in de auto aan het zetten. Toen ze opkeek en hem zag staan, schudde ze geërgerd haar hoofd en trok haar schouders op tegen de kou. Ze had de motor gestart om de voorruit te ontdooien en King lag voorin, in slaap gevallen door de stoelverwarming. Hij hijgde licht zoals honden vaak doen en maakte stuiptrekkende bewegingen alsof hij heftig droomde. De honden voelden de spanning in huis. Ze waren al het hele weekend zenuwachtig, alsof er onweer in de lucht zat, en King durfde sinds gisteren niet verder dan een paar meter bij Merrill vandaan.

'Gaat het?' vroeg Paul. 'Ik dacht dat je nog sliep. Waarom ben je niet naar me toe gekomen?'

'Dat was ik ook van plan. Maar ik moet hier weg.'

'Heb je alles ingepakt?'

'Ja. Je mag wel gaan kijken, maar ik weet vrijwel zeker dat ik alles heb.'

'Zal ik rijden?'

'Ja,' zei ze alleen. Ze ging voorin zitten en trok het portier dicht. Paul stapte ook in. Hij wilde zijn sjaal nog halen – hij hangt gewoon in de hal, dacht hij nog – maar was bang dat ze dan zonder hem zou wegrijden.

In de auto was het stil en ondanks de verwarming nog een beetje koud.

'Wil je nog gedag zeggen?'

'Nee, ik wil alleen maar weg.'

Paul knikte en startte. De auto maakte een sprongetje toen hij hem in de versnelling zette. Zijn handen trilden op het stuur, maar hij kon zijn voet niet van de rem afhalen.

'Wat is er?' vroeg hij, en hij beet op zijn lip. Hij wist niet of hij het antwoord wel wilde horen.

'Het is mijn schuld,' zei ze. Haar stem klonk hol. Ze keek strak voor zich uit en haar ogen leken wel gaten in de zijmuur van het huis te willen boren. 'Ik heb je dit allemaal opgedrongen. We zijn hier elk weekend, jij werkt voor het familiebedrijf, we gaan vrijwel alleen om met mijn zusje, mijn neven en nichten en mijn vriendinnen van Spence. We wonen in precies zo'n appartement als zij ook allemaal hebben. God, Paul, het komt allemaal door mij. Ik heb ons allebei dit aangedaan.' Ze haalde diep, trillend adem. 'Ik heb nooit gevraagd wat jíj wilde.'

'Ik wil alleen maar bij jou zijn.' Hij maakte zijn gordel los en boog zich naar haar toe om haar te kussen. Toen ze hem haar gezicht niet toekeerde, kuste hij haar maar op haar schouder en drukte zijn neus in haar gewatteerde olijfgroene jas. 'Ik hou van je familie,' zei hij omdat hij dat zelf graag wilde geloven en omdat het misschien waar werd als hij het hardop zei.

'Ik hou ook van mijn familie. En ik weet dat mijn vader van ons houdt... maar dit... bovendien bedriegt hij mijn moeder. En wat

hij Lily en mij aandoet is misschien in zekere zin wel net zo erg...
Niets in ons leven is echt. Hij heeft ons altijd wijsgemaakt dat dit
ons allemaal toekwam.' Ze maakte een breed gebaar naar het huis.
Hij begreep dat ze veel meer bedoelde: niet alleen het huis, maar
ook het appartement, de stad – alles. 'En dat het ook altijd van ons
zou blijven. Het was nooit bij me opgekomen dat we alles ook
zouden kunnen kwijtraken. En bij Lily al helemaal niet...' Haar
stem brak. Ze besefte wel dat ze zichzelf zat op te lieren, maar ze
kon er niets aan doen.

'Niemand neemt jou iets kwalijk, Mer. Wat je vader ook heeft
gedaan, híj heeft ervoor gekozen, jij niet.' Hij zweeg. Hij wist niet
of hij wel moest zeggen wat hij nu in gedachten had, maar wat
maakt het uit, dacht hij, misschien vindt ze het wel fijn om te horen. 'En die keuzes heeft hij gemaakt omdat hij van jullie houdt.
Dat weet je best.'

'Ik ben ook kwaad op mijn moeder,' zei ze. 'Iedereen is zo bezorgd over haar vanwege mijn vader en wat hij gedaan heeft. Maar
wist ze ervan? Misschien wist ze het allang en maakte het haar
niets uit. Ze wilde altijd zo graag dat wij alles hádden. Hoe meer
hoe liever.'

'Maar dat wil iedereen toch voor zijn kinderen?'

Merrill maakte een snuivend geluid en veegde met de rug van
haar hand haar neus af. Paul viste een papieren zakdoekje uit zijn
jaszak en bood het haar aan. Het was oud en verfrommeld, maar
het was alles wat hij bij zich had.

'Dank je,' zei ze. Ze snoot haar neus. 'Sorry. Ik zit te snotteren.
Maar ik bedoel dat iedereen zijn verantwoordelijkheid moet nemen. En ik ook, in onze relatie. We hadden het ook anders kunnen
aanpakken, jij en ik. Dat kan nog steeds; wij zijn anders dan zij.
Wij hebben niet zoveel nodig.'

Paul grinnikte. 'Heb ik daar wel iets over te zeggen?'

Ze glimlachte even. 'Nou ja,' zei ze, 'laten we eerst maar eens
maken dat we hier wegkomen.'

Het grootste deel van de weg reden ze zwijgend, hand in hand. Het was stil op de weg en ze schoten lekker op. Vlak bij de stad begon het zachtjes te sneeuwen en er verscheen een dun wit laagje op de daken. Zelfs Queens werd mooi.

'Ik wil dat je met David Levin gaat praten,' zei ze ten slotte. 'Dat je tegen hem zegt dat je bereid bent mee te werken als hij je een goed voorstel doet.'

'Weet je het zeker? Ik doe het alleen als je het heel zeker weet.'

'Ja,' zei ze. 'Ik weet het echt zeker. Het kan me niets schelen wat je mijn vader hebt beloofd of wat hij van je wil. Oké? Maar ik wil er wel graag bij zijn.'

'Oké.' Verder zeiden ze niets meer totdat ze thuis waren.

Vrijdag, 21.10 uur

'Ik heb Scott Stevens gevonden!' riep Marina toen Duncan haar eindelijk terugbelde. Het klonk wat overdreven triomfantelijk voor zo'n geringe prestatie. Stevens zat tenslotte niet in een getuigenbeschermingsprogramma of zo. Toch was ze trots op haar eigen vindingrijkheid en ze voelde zich euforisch door deze eerste ervaring met de onderzoeksjournalistiek. 'Ik heb hem zelfs gezien en gesproken. Op zijn kantoor in Connecticut.' Ze grijnsde tegen de telefoon.

De zoektocht naar Scott Stevens was hortend en stotend begonnen. Degene die bij de SEC de telefoon opnam was niet erg behulpzaam geweest. De SEC had geen adresgegevens van de heer Stevens, deelde de vrouw haar tamelijk kortaf mee voordat ze ophing. Googelen op zijn naam leverde niets op, of liever gezegd zo veel dat ze er niets aan had. Marina probeerde het met 'advocaat' erbij, en met 'jurist' en met 'SEC', maar dat hielp niet. Toch leek het zo eenvoudig: contactgegevens van Scott Stevens voor Duncan zoeken. Hoe kon dat meteen al vastlopen?

Ze wilde het bijna opgeven, maar toen besloot ze haar neef Mitchell te bellen. Hij was de enige jurist die haar te binnen wilde schieten, en bovendien was hij nerdy en happig genoeg om graag bij zoiets te willen helpen. Marina dacht dat Mitchell misschien toegang tot bepaalde gegevens had via het kantoor waar hij werkte, en dat hij misschien zelfs op de dag na Thanksgiving op kantoor zat. Dat bleek allebei het geval.

Mitchell was de neef die Marina van haar ouders altijd moest uitnodigen omdat hij zelf geen vrienden had. In de bioscoop zat hij altijd met zijn eigen emmertje popcorn achter haar en haar vriendinnen. Als ze langzaam door de buurt fietste, draafde hij naast haar mee terwijl zijn rugzak tegen zijn mollige rug stuiterde. Hij had altijd de beste cijfers van iedereen. Marina vond hem precies het type om later jurist te worden.

Al na elf minuten wist Mitchell dat er op dat moment in de Verenigde Staten zes mensen met de naam Scott Stevens als advocaat actief waren. Van die zes was er maar één aan de balie van Washington ingeschreven. Hij kon geen contactgegevens van hem vinden, zei Mitchell verontschuldigend, maar op zijn profiel stond dat hij sinds 2006 ook vergunning had om in Connecticut een kantoor te openen. Dat was precies de periode waarin de Scott Stevens die zij zocht bij de SEC in Washington was geschorst. Gewapend met die informatie ging ze weer achter de computer zitten. Al snel stuitte ze op Stevens & Cohgut, advocaten en procureurs, in Greenwich, Connecticut. Ze belde het nummer dat erbij stond om er zeker van te zijn dat ze de juiste Scott Stevens had gevonden voordat ze weer contact met Duncan opnam.

Ze schrok even toen Scott Stevens zelf opnam.

'Stevens en Cohgut.'

'Ik ben op zoek naar Scott Stevens,' zei ze zenuwachtig.

'Daar spreekt u mee.'

'Bent u de Scott Stevens die vroeger voor de SEC werkte?'

'Met wie spreek ik?' vroeg hij nu bars en wantrouwig.

Marina zweeg. Ze had van tevoren niet bedacht wat ze tegen hem zou moeten zeggen.

'Fantastisch!' zei Duncan. 'Waar zit hij?'

'Helemaal in Greenwich. Daar heeft hij een klein advocaten-kantoortje voor algemeen civielrechtelijke zaken. Dat heeft hij opgezet na zijn vertrek bij de SEC.'

'Klinkt saai. En je hebt hem ontmoet, zei je?'

Marina zweeg. Pas na afloop had ze bedacht dat Duncan haar proactieve houding misschien niet zou waarderen. Maar er viel nu niets meer aan te doen. Ze haalde diep adem.

'Ja,' zei ze zo zelfverzekerd mogelijk. 'Aan de telefoon kreeg ik de indruk dat hij niet zou praten tegen een journalist die hij niet kende, dus heb ik gevraagd of ik naar hem toe mocht komen. Ik zei dat het dringend was.'

'En hij heeft je ontvangen? Hoe ben je daar gekomen? En waar zit je nu?'

Marina zat in joggingbroek in de studeerkamer van haar vader. De broek was oud en verwassen en de H van Hotchkiss op de dij was nauwelijks meer te zien. Ze had hem uit een la in haar oude kamer gehaald en hij rook een beetje naar dennennaalden en mottenballen. Haar haar zat in een rommelige knot op haar hoofd. Ze had een lange dag achter de rug. Eerst was ze helemaal naar het centrum gelopen om de auto van Mitchell te lenen. Om drie uur zat ze op de I-95 en reed zo hard als daar maar mocht naar Greenwich. Ze had Scott Stevens beloofd dat ze er voor vijven zou zijn, want om die tijd ging hij op vrijdag altijd naar huis, zei hij.

Ze was van plan geweest na het gesprek meteen weer naar de stad terug te rijden, maar had eerst nog op het parkeerterrein achter het kantoor van Stevens & Cohgut in de auto zitten kijken hoe de zon achter de bomen verdween. Ze had Duncan weer gebeld, maar die nam niet op. Toen belde ze haar moeder.

'Ik kom nu naar jullie toe,' zei ze, 'als dat goed is tenminste.'

'Natuurlijk, schat!' riep Alice. Het enthousiasme in haar stem deed Marina goed. Iemand die zich op haar komst verheugde. 'Het is ook jouw huis. Blijf je slapen?'

Daar had Marina nog niet over nagedacht, dus ze negeerde de vraag. 'Ik ben nu in Greenwich,' zei ze, 'maar ik kom eraan.'

'Papa en ik hebben al gegeten, maar er is nog wel iets over. Tegen de tijd dat je er bent, is het wel klaar. Kom maar gauw.'

Ze zette de radio niet aan, want ze wilde nadenken. Onder het rijden kon ze altijd heel helder nadenken, zelfs als het druk was op de weg. Ze had de neteligste problemen altijd in de auto opgelost. De weg naar haar ouderlijk huis in Connecticut had iets bijzonder rustgevends. Misschien lag dat aan de vriendelijke vertrouwdheid van de details: de vorm en de kleur van de borden, de afstand tussen de afritten. Haar lichaam wist instinctief wat ze moest doen zonder dat ze erbij hoefde na te denken of bewust op haar geheugen hoefde terug te vallen. In New York was het soms zo chaotisch en lawaaiig en thuis had ze altijd haar huisgenoten met hun spullen. In de auto had ze de rust om rationeel te denken. Misschien kwam het door haar jeugd in de provincie. Autorijden was daar net zoiets als fietsen: je leerde het jong en verleerde het nooit. Tanner en zijn New Yorkse vriendjes hadden nooit echt de smaak te pakken gekregen. Als ze in het weekend naar zijn huis in Southampton gingen, reed Marina altijd, al was de auto van hem. Dat miste ze niet.

De bomen waren inmiddels kaal, maar toch was het landschap langs de Merritt Parkway mooi. Ze probeerde zich te herinneren of ze daar afgezien van de vrienden van haar ouders nog iemand kende. Naarmate ze verder van de stad kwam, werden de gazons groter en de bomen dikker. Een paar keer zag ze rook opstijgen uit een achtertuin waar iemand dode bladeren aan het verbranden was of uit de schoorsteen van een huis waar de open haard brandde. Zo vredig. Ze vroeg zich af hoe het zou zijn om daar weer te wonen. Wat zouden de mensen denken als ze weer bij haar ouders ging wonen? Niet voorgoed natuurlijk, alleen zolang ze zich voorbereidde op het toelatingsexamen voor de universiteit misschien, of een tijdje als haar huurcontract in januari afliep. Misschien zou het wel niemand opvallen. Ze wist het niet.

De waarheid was dat ze in New York boven haar stand had geleefd, in de onbewuste overtuiging dat ze binnenkort wel in de welgestelde familie Morgenson zou introuwen. Alle meisjes die ze kende leefden zo. New York was uitzinnig duur. Ze was meer dan de helft van haar salaris kwijt aan haar deel van een appartement zonder lift aan Orchard Street, en dat was nog het goedkoopste wat ze had kunnen vinden in een redelijk schoon gebouw aan een goed verlichte straat. Het geld dat ze overhield, moest met zorg worden verdeeld over eten, rekeningen, taxiritjes, nieuwe kleren en uitgaan. Je moest niet ziek worden en de airco moest niet kapotgaan. Zulke onvoorziene kosten kon ze zich niet veroorloven. Iedere maand moest ze de eindjes weer aan elkaar zien te knopen. Soms stond er niets meer op haar creditcard en stond ze rood bij de bank. Op je tweeëntwintigste was het wel een sport om met weinig geld rond te komen, maar zo kon je niet eeuwig blijven leven. Je kon op de prins op het witte paard wachten of jezelf leren redden.

Ze sprak zichzelf streng toe. Zo was ze niet opgevoed. Ze hoorde een zelfstandige, onafhankelijke vrouw te zijn. Waarom hadden haar ouders haar anders naar Princeton laten gaan?

Richard en Alice waren praktische mensen, maar ook liefhebbende ouders. Ze wilden dat ze uit zichzelf haalde wat erin zat en dat ze werk vond waar ze gelukkig van werd, zeiden ze altijd. Had ze die baan bij *Press* wel om de juiste redenen aangenomen? Had ze zich laten inpakken door de party's? Door de uitstraling? Door de nabijheid van roem en rijkdom? Misschien. Maar ze wist wel dat een rechtenstudie haar nooit de bruisende opwinding zou kunnen geven die haar overviel toen ze onderweg was naar Greenwich, naar Scott Stevens.

'Ik ben met de auto gegaan,' zei ze tegen Duncan. 'Het is niet ver van het huis van mijn ouders en ik dacht dat hij eerder zou praten als hij me zag. Ik heb hem over David Levin verteld. Geen details, alleen wat ik vanmorgen van jou had gehoord. Ik dacht dat dat wel zou helpen. En ik heb een beetje gejokt.'

'Wat heb je dan gezegd?'

'Dat ik familie van Alexa Mason ben. Ik dacht dat dat wel zou helpen om hem een beetje op zijn gemak te stellen.'

Duncan glimlachte tegen de telefoon. 'En? Wil hij praten?'

'Ik denk het wel. Hij was eerst erg zenuwachtig. Maar hij vroeg naar jouw contactgegevens en naar die van de medewerker bij justitie met wie David en Alexa in gesprek zijn. Ik weet niet wie dat is, sorry, dus ik heb gezegd dat jij die naam wel had. Hij moest er nog even over nadenken, zei hij, maar dan zou hij je bellen.'

Er viel een lange stilte. Marina kreeg een knoop in haar maag. 'Hij kende David nog wel van de sec,' zei ze snel. 'Een goeie kerel en een goeie jurist, zei hij. Hij vindt het heel erg wat hem nu overkomt.'

'Had je de indruk dat hij begreep waar dit over gaat?'

'Ja, meteen. Ik zag het aan zijn gezicht.'

Toen hij geen antwoord gaf, zei ze: 'Ik hoop dat ik er goed aan heb gedaan. Dat ik hem ben gaan opzoeken, bedoel ik. Ik wilde je helpen.'

'Lieve schat,' zei hij zacht, 'je had het niet beter kunnen doen.'

Er ging een stoot van opwinding door haar heen en ze huiverde. Even zwegen ze allebei; ze bedachten wat het zou betekenen als Scott Stevens het verhaal van David Levin wilde bevestigen. Langzaam maar zeker keerden hun kansen. Ze ontspande zich en wreef haar voeten tegen elkaar.

'Zit je nu bij je ouders?' vroeg hij toen.

'Ja. Maar ik kom morgenvroeg weer terug. Dus als ik nog iets kan doen...'

'Niet alleen voor mij terugkomen, hoor. Het is nog Thanksgiving. Dan hoor je bij je familie te zijn.'

'Bedankt. Maar ik wil heel graag helpen. Als jij dat tenminste wilt.'

'Weet je wat? Bel maar als je weer in de stad bent. Ik weet nog niet waar ik morgen ben, maar je mag mee als je wilt. We verzinnen wel iets voor je.'

'Bedankt,' zei ze ademloos. 'Doe ik. Heel erg bedankt.'

'Nog een fijne avond met je ouders. Veel plezier.'

Ze was aan het kijken wat ze over Morty Reis aan de weet kon komen toen er zacht op de deur werd geklopt.

Ze haalde haar voeten van het bureau. 'Ja,' zei ze.

Haar vader keek om het hoekje van de deur. Hij had zijn ene leesbril in zijn haar geschoven. De andere hing half uit de borstzak van zijn overhemd. Er zaten rafels aan zijn boord en de lichtblauwe stof oogde vriendelijk vertrouwd. Hij had een schoteltje met een stuk appeltaart, een servetje en een vork in zijn hand. Toen hij haar aan zijn bureau zag zitten, glimlachte hij even trots.

'Ik dacht dat je wel wat brandstof voor het brein kon gebruiken,' zei hij. Hij stak haar de taart toe. 'Heeft mama zelf gebakken. Lukt het een beetje?'

'Best wel,' zei ze. 'Dank je.'

'"Best wel", wat is dat nou voor een uitdrukking,' bromde hij. Toen bloosde hij. 'Sorry,' zei hij.

Ze lachte. 'Nee hoor, je hebt gelijk. Maar het gaat goed.'

'Mag je er al iets over zeggen of is het geheim?'

'Nee hoor, dat valt wel mee. Maar ik vertel het pas als het klaar is. Het is heel interessant.'

'Je werkt ontzettend hard,' zei hij. Hij zweeg en leek even opgelaten, zoals altijd als hij sentimenteel werd. Ietwat schaapachtig voegde hij eraan toe: 'Ik zeg het waarschijnlijk te weinig, maar mama en ik zijn erg trots op je. Zo te zien doe je het allemaal heel goed.'

Ze stond op, liep naar hem toe en sloeg haar armen om hem heen. Hij stond nog steeds met het schoteltje in zijn hand en omhelsde haar met zijn vrije arm. Met zijn ogen dicht en zijn wang tegen haar kruin zei hij: 'Over jou hoef ik me geen zorgen te maken, hè. Nou ja, misschien een beetje. Maar als jij iets wilt bereiken, dan lukt het altijd. En je kunt geweldig schrijven.'

'Dank je, pap.' Ze liet hem los en liet zijn hand nog even op haar schouder rusten. Toen pakte ze het schoteltje aan en lachte hem lief toe.

'Blijf je het hele weekend?'

'Alleen vannacht nog, denk ik. Ik moet Duncan met dit verhaal helpen.'

'Goed. We vinden het altijd fijn als je er bent.'

'Ik ben hier ook graag. Maar ik moet weer terug. Dit is mijn eerste kans op een echt verhaal. Eindelijk eens iets anders dan de nieuwe lipsticks voor het voorjaar. En ik geloof dat we iets heel groots bij de kop hebben.'

Toen hij weg was, verslond ze de taart. Hij was precies goed, zoet en kruimelig zoals alleen een zelfgebakken taart kan zijn. Toen ze het laatste restje appel van het schoteltje had geschraapt, leunde ze tevreden achterover in de bureaustoel van haar vader. Voor het eerst sinds tijden had ze het gevoel dat ze haar dag nuttig besteed had.

Zaterdag, 6.15 uur

'We zijn weer in de stad, hoor,' zei Sol hardop. Hij stelde de achteruitkijkspiegel bij en trapte op het gas. Het monotone voorstad-
gebied van Long Island rolde onder zijn banden voorbij. Hij had
een bloedhekel aan dit deel van het eiland, nog niet echt stad en
ook geen platteland meer. Overal autoshowrooms, kantoorgebouwen en mensen die hun Honda Civic stonden vol te tanken. Het
soort mensen dat zich niet kon veroorloven in Manhattan te wonen of dat niet wilde. Sol wist niet wat hij erger vond. En alle huizen leken op elkaar, overal van die woonerfjes. Er kwamen nare
herinneringen bij hem boven.

Hij reed langs een meubelboulevard met fluorescerend groene
wimpels met SALE erop. Niet te geloven dat ik hier ben opgegroeid,
dacht Sol. Zijn zuster en de beide broers van Marion woonden nog
steeds op een kilometer of vijftien van de volgende afslag, maar Sol
had al meer dan drie jaar een bezoek aan hen weten te vermijden.
Op seideravond, als er iemand jarig was of op andere familiedagen
kwam iedereen bij hen. 'Sol moet wel werken,' zei Marion dan,
'maar we zouden het énig vinden als jullie het bij ons kwamen vieren.' Sol vermoedde dat haar broers het niet met die gang van zaken
eens waren, maar daar kon hij zich niet druk over maken. Als ze het
egoïstisch van hem vonden, dan hadden ze gelijk. En als ze dachten
dat hij zich boven hen verheven voelde, dan hadden ze ook gelijk.
De kwestie was dat hij en Marion personeel hadden, onder wie een
kok, en dat ze linnen servetten hadden in plaats van papieren en dat
bij hen niemand na zo'n avondje de honden hoefde uit te laten of
het vuilnis buiten te zetten. Om overtuigend te kunnen spelen dat

306

hij Pesach bij de familie Schwartzmann in Great Neck net zo gezellig vond als bij hem thuis zou Sol een aanmerkelijk groter acteertalent nodig hebben dan hij bezat. Bovendien moest hij meestal ook echt werken. Hij wilde niet beweren dat zijn tijd te kostbaar was om in de auto door te brengen, maar hij vond zijn tijd wel te kostbaar om naar zijn schoonfamilie te rijden.

Hij had het gevoel dat hij al twee dagen achter elkaar in de auto zat. Thanksgiving was in een flits voorbijgegaan, eerder een pauze dan een feestweekend, met lange autoritten aan het begin en aan het eind. Hoe vaak had hij Eli die paar dagen gesproken? Hij was de tel kwijt. Hij had het hele eind van New York naar East Hampton met Eli zitten bellen, en op de terugweg ook weer... Hij associeerde autorijden inmiddels al bijna met onaangename gesprekken met Eli. Hij wilde niet wanhopig overkomen, maar de tijd begon te dringen. Het was een kwestie van uren. Daarvan waren er nog geen tweeënzeventig verstreken sinds hij had gehoord dat Morty dood was. Ze hadden nog hooguit achtenveertig uur voordat er geruchten over RCM in de media zouden verschijnen. Dat zou allang gebeurd zijn als het geen Thanksgiving was geweest. Sol bedacht met dankbaarheid dat de rest van het land dat als een feestdag beschouwde, al gold dat niet voor juristen. Die hadden daardoor weliswaar geen grote voorsprong, maar het was tenminste iets. Een voorstapje misschien.

'Carter gaat op eigen gelegenheid terug naar de stad,' zei Sol nu met zijn voet op het gaspedaal. Hij reed honderddertig en keek in de spiegels of er politie in de buurt was. 'Over een uur zijn we allebei wel weer thuis. Wanneer spreken we af?'

Eli gaf niet meteen antwoord. Toen zei hij aarzelend: 'Eh, kunnen jullie niet morgenochtend komen? We moeten eerst even orde op zaken stellen. Ik weet niet of we al genoeg hebben, of het al de moeite waard is.'

Sol snoof geërgerd. 'Eli, we móéten dit regelen. Hij is bereid om mee te werken, maar dan moet hij er wel op kunnen vertrouwen dat het hem niet de kop kost. Dit is heel zwaar voor hem en zijn gezin. Iedereen wil toch dat het opgelost wordt?'

'Natuurlijk. Maar je kwam hier twee dagen geleden mee.'

'Eerder drie.'

'Ik doe wat ik kan. Maar alles is dicht, iedereen is weg. En dit is niet het soort deal waar ik in mijn eentje over kan beslissen.' Zijn stem werd hoog en nasaal, wat weinig goeds voorspelde. Het begon bedenkelijk dicht in de buurt van jammeren te komen. Sol kende hem lang genoeg om te weten dat hij er niet tegen kon onder druk te worden gezet, maar hij had nu even niet het geduld om zijn handje vast te houden.

'Dit is een zaak die veel aandacht zal trekken,' ging Eli verder. 'Robertson laat vast niet graag de kans voorbijgaan om een CEO aan te pakken die 33 procent van zijn fonds in een piramidespel belegd heeft. Snapt Darling wel dat er straks een massa woedende investeerders bij hem op de stoep staat?'

'Natuurlijk snapt hij dat. En Robertson krijgt zijn zaak heus wel. We ontkennen immers niet dat Delphic verantwoordelijk is. Maar ik wil niet dat hij achter Carter aan gaat puur omdat hij CEO is. Iedere betrokkenheid bij RCM was voor honderd procent de schuld van zijn medevennoot en het beleggingsteam.'

Eli zuchtte. Op de achtergrond klonken doordringende kinderstemmen en Sol begreep dat Eli thuis zat. Dat irriteerde hem. Waarom was Eli niet op kantoor? Zo gaat dat nou als je niet meer voor jezelf werkt, dacht hij. Dan lijkt het allemaal niet zo dringend.

Hij vroeg zich af waar Eli woonde. Waarschijnlijk in een deprimerende buurt. Zo'n wit gebouw aan 2nd Avenue met kleine kamertjes en lage plafonds. Een parketvloer, een lekkende afwasmachine en een huismeester die zo'n lullig wit hemd onder zijn werkkleding draagt en altijd de indruk maakt dat er een spannende wedstrijd op tv is waar jij hem bij hebt weggeroepen. Eli had drie kinderen, die allemaal dankzij Sol op een particuliere school in Manhattan zaten. Die school kostte veertigduizend dollar per jaar, maar Eli's kinderen kregen zonder dat iemand het wist een beurs via een cliënt van Sol die op dat moment werd verdacht van handel met voorkennis. Sol vroeg zich af of Eli voor een bepaald bedrag bereid zou zijn iets harder te lopen, maar hij zei niets. Eli was helaas zo iemand die liever in gunsten dan in contanten werd beloond. Hoogstwaarschijnlijk zou hij gaan steigeren als iemand suggereerde dat dat in feite op hetzelfde neerkwam. Iedereen had zo zijn eigen grenzen. Sol zou alleen graag willen dat Eli's grens iets dichter bij de zijne lag.

Eli liet zich gemakkelijk van Alains schuld overtuigen. Niet alleen was het zonneklaar dat Alain inderdaad schuldig was, maar hij speelde ook nog eens met glans de schurkenrol. Hij was de belichaming van alles wat er aan Wall Street niet deugt. Zijn mails zouden in *The Post* aardige lectuur opleveren (Sol bedacht dat hij de medewerker nog moest bellen die ze nu aan het doornemen was); ze konden maandag al op de voorpagina staan als Eli dat wilde. En Alain zou gegarandeerd iets flamboyants doen – in zijn zwarte Lamborghini bij het gerechtsgebouw voorrijden of *fuck off* tegen een journalist zeggen – waarmee hij de verontwaardiging van het publiek zou aanwakkeren. Hij zou naar alle waarschijnlijkheid in zijn weekendhuis in Gstaad worden aangehouden, waar Sol vermoedde dat hij zich schuilhield. Dat zou een mooie, geruchtmakende actie voor de FBI zijn die precies het soort publiciteit genereerde waar Robertson blij mee zou zijn, zo vlak voor de verkiezingen. En Robertson gelukkig maken was Eli's voornaamste levensdoel. De vraag was alleen of Alain wel genoeg was.

'Maar het is geen kwestie van het een of het ander,' jammerde Eli. 'We moeten voor de publieke opinie wel rechtvaardigen waarom we Carter niet vervolgen.'

'Voor de publieke opinie? Voor Robertsons campagneteam, bedoel je.'

'Voor allebei, denk ik.'

'Ik heb toch uitgelegd wat je in het openbaar moet zeggen. Carter was al min of meer met pensioen. Punt.'

'Nou goed, voor Robertson dan.'

'Zeg maar tegen hem wat ik de hele tijd tegen jou zeg. Mijn client praat en jullie krijgen de zaak op een presenteerblaadje aangereikt. Alles is in kannen en kruiken. Maandag hebben jullie hem, zonder dat je er iets voor hoeft te doen. Is dat makkelijk of niet?' grauwde Sol. Eli en het verkeer begonnen hem te irriteren en bovendien moest hij nodig plassen. Hij bedacht dat Eli nooit voor de overheid zou zijn gaan werken als hij wat meer risico had aangedurfd. Hij trommelde furieus op het stuur en toeterde toen hij op de middelste rijbaan door een Honda Civic werd gesneden. Godverdomme, dacht hij. Hij richtte al zijn frustraties op de man in de Honda. Achterlijke randdebiel.

Eli zweeg.

Sol had nog één troef achter de hand en die had hij liever pas later uitgespeeld, maar Eli had wat aanmoediging nodig.

'Nog één ding,' zei hij. 'We kunnen het beter niet aan de telefoon bespreken, maar het schijnt dat mijn mensen op ongebruikelijke contacten met de sec zijn gestuit. We moeten nog wat dingetjes bevestigd krijgen, maar het ziet ernaar uit dat Alain overal aan gedacht heeft, ook aan een truc waarmee hij en Morty zich de sec van het lijf konden houden. En daar kan ik je alles over vertellen. Op voorwaarde dat jullie meewerken.'

'Bedoel je dat hij iemand heeft omgekocht?' vroeg Eli snel. Hij fleurde hoorbaar op. 'Over wat voor contacten hebben we het? Heb je een naam voor me?'

Sol glimlachte. Doorgaans had hij degene met wie hij zaken deed het liefst tegenover zich; blikken zeiden soms meer dan stemmen. Maar hij wist precies wat Eli nu dacht. De mogelijkheid iemand van de sec te vervolgen voor omkoping was voor hem een gouden kans. Als hij Robertson dít kon bezorgen, waren zijn carrièremogelijkheden onbegrensd.

'Tja, zoals ik al zei, we moeten nog het een en ander bevestigd krijgen,' zei hij losjes. 'Wij werken ook zo snel we kunnen. En er is nog geen dagvaarding. Zullen we het er verder over hebben als we elkaar zien?'

Eli schraapte zijn keel. 'Ja, goed. Kunnen jullie zondagmorgen vroeg?'

'Morgenochtend, zeven uur?'

'Mmm, liever negen.'

Sol sloeg zijn ogen ten hemel. 'Vooruit, negen uur. Maar we doen wel zaken, hè? Het is voor iedereen een stuk makkelijker als we goed samenwerken.'

'Ja. Ik zie jullie morgen. Bel maar als er nog iets is.'

'Goed. Jij ook.'

'Zorg dat die toestand met de sec dan boven tafel is.'

'Zorg dat jullie dan iets kunnen tekenen. Fijne avond nog, Eli.'

Hebbes, dacht Sol. Hij verbrak de verbinding. 'Kantoor,' zei hij toen duidelijk articulerend in de lege auto. Hij frunnikte met de Bluetooth terwijl hij op de koele begroeting van de telefoniste van Penzell & Rubicam wachtte. Hij werd altijd een tikje zenuwachtig van onbeveiligde telefoonverbindingen. Toen hij vorig jaar zijn oude auto inruilde, had hij zijn bezorgdheid daarover uitgesproken tegen de Mercedes-dealer en die had hem aangekeken alsof hij paranoïde of stokoud was. Of stokoud én paranoïde. En dat was hij ook, bedacht hij terwijl hij het geluidsvolume bijstelde. En die toestand met Morty deed er ook al geen goed aan. Hij had het gevoel dat hij sinds woensdag vijf jaar ouder was geworden.

Er werd meteen opgenomen. 'Penzell & Rubicam, wie wilt u spreken?'

Sol haalde diep, kalmerend adem. 'Met Sol Penzell. Mag ik Yvonne? Ze is thuis.'

'Een ogenblikje.'

Hij voelde zich niet schuldig, maar hij had wel het gevoel dat dat zou moeten, dus het kwam in de buurt. Yvonne had al meer dan twee jaar geen dag vrij genomen en deze vrije dag had ze ruimschoots verdiend. Maar ze werd nooit kwaad op hem en hij verwachtte dat ze het zou opnemen zoals altijd: kalm. Als dit allemaal achter de rug was, had ze een mooi cadeautje van hem te goed.

'Ik wil wel gezegd hebben dat ik kwaad op je ben,' zei ze toen ze opnam. 'Ik heb ook nog een eigen leven, weet je.'

'Ja, dat weet ik. Maar ik heb je over een uurtje op kantoor nodig. Ik beloof dat ik het goedmaak. Ik voel me heel schuldig dat ik dit vraag.'

'Welnee. Ik heb in vier jaar niet één dag vrij genomen.'

'O, ik dacht twee jaar.'

'Nee, vier. Vierenhalf zelfs. Al houdt niemand dat bij.'

'Ik zou het niet vragen als het niet belangrijk was,' zei hij. Hij had geen zin in nog meer excuses.

'De overboekingen zijn bevestigd.' Haar stem klonk vlak, hol. Hij stelde haar geduld op de proef. Als hij nog even doorging, zou ze zeggen wat ze in zo'n geval altijd zei: Sol, ik heb hier geen zin in.

Er sloeg een golf van opluchting door hem heen. Voor het eerst in dágen was er iets goed gegaan. 'Weet je het zeker? Deden ze niet moeilijk?'

'Jawel. Dat antidateren vonden ze niet zo'n goed idee. Maar er zijn dus twee elektronische overboekingen gedaan van rekening A naar rekening B met de opgegeven bedragen. De eerste staat op 5 september 2008 en de tweede op 31 oktober 2008. Allebei op een vrijdag. Het zijn nummerrekeningen op de Kaaimaneilanden en je moet door twee beveiligingsniveaus heen, maar uiteindelijk zijn ze te traceren. Dan zie je dat rekening B op naam van David Levin staat. Met rekening A was een probleempje. Daar zijn twee handtekeningen voor nodig, want het is officieel een rekening van Delphic Europe, en voor zo'n hoog bedrag moeten twee mensen tekenen.'

'Geef dan maar een naam op van het kantoor in Genève.'

'Het moet iemand van de directie zijn. Dat waren altijd Alain en Brian, maar Brian is opgestapt.'

'Oké. Doe dan Paul maar.'

'Paul Ross?'

'Ja. Die zit in de directie. Hij is de bedrijfsjurist. En hij heeft David Levin al eens gesproken, dus zo gek is het niet.'

'Maar Paul zit er nog maar net. Op 5 september was hij nog niet in functie.'

'Maak er dan 26 september van.'

Yvonne gaf niet meteen antwoord. 'Wie is David Levin?' vroeg ze toen.

'Dat hoef je niet te weten,' zei Sol op scherpe toon. Er vormde zich een dun laagje sneeuw op de voorruit. Hij zette de ruitenwissers op de hoogste snelheid en ze zwiepten ritmisch heen en weer als koksmessen op de snijplank. 'Het is maar een formaliteit. Die overboekingen hadden allang gedaan moeten zijn en dat is nu gebeurd. Het is misschien niet netjes van me dat ik je heb gevraagd ze te antidateren, maar soms moet je zoiets doen om alles soepel te laten verlopen. Het doet er niet toe of Paul ervoor heeft getekend of niet. Ik weet dat ik je kan vertrouwen, altijd al, maar dit is niet het moment om dat vertrouwen op de proef te stellen.'

'Sorry.'

'Dat hoeft niet. Doe nou maar gewoon je werk.'

Ze zei niets terug en Sol zuchtte. 'Ik besef best dat ik vandaag erg irritant overkom,' zei hij toen vriendelijk, 'maar dit is echt een noodsituatie. Iedereen moet nu gewoon even doen wat ik zeg zonder vragen te stellen.'

'Jane Hewitt heeft gisteravond nog gebeld. Je telefoon stond nog doorgeschakeld naar mijn vaste nummer thuis. Ze klonk nogal geagiteerd. Ik heb gezegd dat je in Long Island zat en aangeboden je mobiele nummer te geven, maar dat had ze al, zei ze. Ze zei niet wat er was.'

'Dank je. Kun je haar terugbellen en zeggen dat we alles in de hand hebben en dat ik binnenkort iets laat horen? Zeg ook maar dat ik Carter heb geadviseerd geen contact met haar op te nemen.

Als er iets is, moet ze mij maar bellen. Ik heb mijn mobiel altijd bij me.'

'Ze was heel erg uit haar doen.'

'Ja, dat snap ik.'

'Ik bel haar zo.'

'Je vindt dat ik haar zelf moet bellen, dat weet ik wel. Maar ze zal het wel begrijpen. Zaken.'

'Ik zei toch dat ik haar zou bellen? Ik vind helemaal niets.'

'Ik ken je toch,' zei Sol. 'Ik weet best wat je van me vindt.' Nu was hij de vriendelijke Sol, de gezellige beer met zijn rode wangetjes en zijn opabaard, de joviale Sol die alle M&M's uit het schaaltje op haar bureau pikte.

Hij grinnikte. 'Vertrouw me nou maar, dan lossen we het allemaal hopelijk wel op. Het is al sinds woensdag een compleet gekkenhuis. Heb je Julianne nog gesproken? Is ze veilig aangekomen? Nog bedankt trouwens dat je haar in dat vliegtuig hebt gekregen.'

'Ze komt morgen aan. Geen fijne manier om Thanksgiving door te brengen, in je eentje in dat huis. Ik zal haar voor alle zekerheid nog even bellen.'

'Je bent een schat.'

'Weet ik. Tot zo op kantoor,' zei ze.

Nu hij wist dat Yvonne er zou zijn, klaarde zijn humeur al wat op. De doodenkele keer dat ze er niet was, besefte hij pas goed hoeveel hij aan haar had. Hij kon zich zijn bestaan zonder haar niet meer voorstellen. Ze organiseerde zijn hele leven. Ze tikte zijn brieven, nam de telefoon voor hem aan en herinnerde hem eraan dat hij naar de tandarts moest. Ze reserveerde tafeltjes in restaurants, boekte vluchten en las contracten door. Ze kocht ieder jaar een cadeau voor Marion voor haar verjaardag en hun trouwdag. Ze herinnerde hem eraan dat hij iets aardigs moest zeggen als iemand op kantoor een baby had gekregen of getrouwd was. Ze verdiende meer dan de jongste partners, maar ze was dan ook elke cent waard. Ze had toegang tot alle informatie, alle cliëntendossiers, alle mails, zijn agenda en zelfs het wachtwoord van zijn voicemail. Zij was zijn kluis. Zij en Marion waren de belangrijkste vrouwen in zijn leven.

Yvonne was de enige die wist dat Sol van bijna alles twee had: twee agenda's, twee boekhoudingen, twee adressenbestanden. Een exemplaar dat zou worden gevonden als er iets aan de hand was en eentje dat alleen hij en Yvonne kenden. Beide exemplaren waren voor bijna negentig procent identiek — op sommige dagen zelfs voor honderd procent — maar om die tien procent ging het nu juist. Informele ontmoetingen met senatoren, nummers en saldo's van buitenlandse rekeningen, elektronische overmakingen naar overheidsfunctionarissen — dat viel allemaal onder die tien procent.

Bij het tolpoortje voor de brug bedacht Sol ineens dat hij vergeten was haar een fijne Thanksgiving te wensen.

ZATERDAG, 10.02 UUR

Het was erg benauwd in de kamer, zeker voor november. De radiatorknop was afgebroken en er spoot een sissende straal stoom de ruimte in als uit een nijdige fluitketel. Paul zocht een raampje om open te zetten, maar dat was er niet; er waren alleen vier muren en een laag plafond, allemaal loodgrijs geschilderd met het soort slordig aangebrachte verf waar overheidsgebouwen het monopolie op lijken te hebben. Hij vroeg zich af of dit een verhoorkamer was. Hij was nog nooit in het New Yorkse justitiegebouw geweest, maar hij kon zich moeiteloos voorstellen dat er in deze kamer heel nare gesprekken waren gevoerd. Hij hoopte dat dit niet zo'n gesprek zou worden.

Hij pakte Merrills hand. Hij merkte dat de zijne zweterig was en ook dat hij haar veel te hard kneep, maar hij kon er niets aan doen. Hij was dankbaar voor haar aanwezigheid. In de taxi was ze heel stil geweest. Hij wist niet of ze kwaad was; ze leek vooral na te denken en van haar gezicht viel niets af te lezen. Misschien was ze gewoon moe. Iedereen was moe. Zelfs de hond leek uitgeput. Die ochtend was hij al na de tweede zijstraat omgekeerd om weer naar huis te gaan en zijn oren hingen als slappe slablaadjes langs zijn kop. Daar was Paul wel blij om geweest, want het ontbrak hem aan tijd en energie voor een lange wandeling door het park.

De deur ging open en daar verscheen Alexa met twee mannen, alle drie in spijkerbroek. Hij stond op om hen te begroeten en vroeg zich af of het wel verstandig was geweest zijn op maat gemaakte overhemd met zijn initialen op de manchetten aan te trekken. Hij was onder de douche geweest en had zich voor het eerst in dagen gewassen en geschoren om zich weer een beetje mens te voelen. Maar het imago van een arrogante snelle geldjongen was wel het allerlaatste wat hij hier nodig had. Hij had niet op het schreeuwerige paarse ruitje gelet, gewoon het voorste schone hemd in de kast gepakt. Nu leek het nog luidruchtiger dan de sirene die hij op straat hoorde jammeren. Wanneer was hij zich eigenlijk zo gaan kleden? Hij wist het niet meer. Tegenwoordig had hij altijd een kabeltrui en instappers van Ferragamo aan. Er hingen nog wel een paar overhemden van Brooks Brothers achter in de kast, maar die droeg hij nooit meer. Waarom zou hij, als die op maat gemaakte hemden zo lekker zaten?

'Goed dat jullie gekomen zijn,' zei Alexa. Ze deed de deur dicht. Het lawaai van de sirene klonk nu gedempt en stierf helemaal weg. 'Kennen jullie David?' De langste van de twee mannen knikte en stak hun zijn hand toe. 'En dit is Matt Curtis, onze vriend bij justitie.'

David schraapte zijn keel en trok een stoel bij. 'Ga zitten. Ja, het gaat allemaal razendsnel, we kunnen het maar nauwelijks bijhouden. Matt heeft ons ontzettend geholpen en Alexa ook, natuurlijk, maar eigenlijk zijn jullie hier allemaal vanwege mij. Het is allemaal begonnen toen ik een onderzoek naar RCM wilde instellen. In het kader daarvan wilde ik ook eens naar de klanten van RCM kijken, waaronder Delphic. Ik begon er net wat inzicht in te krijgen toen de dood van Morty Reis bekend werd en alles ineens op zijn kop stond.'

'Wanneer ben je aan dat onderzoek begonnen?' vroeg Paul. Dat vroeg hij zich al af sinds Davids telefoontje van een paar weken terug.

'Een maand of twee geleden. Alexa heeft het je waarschijnlijk al verteld: ik deed onderzoek naar een boekhoudkantoor dat RCM cliënten toespeelde zonder als beleggingsadviseur geregistreerd te staan. Ik vond het vreemd dat een van de grootste hedgefondsen ter wereld zaken deed met zo'n boekhoudkantoortje, dus ben ik eens wat beter naar RCM zelf gaan kijken. Eerst dacht ik nog aan handel met voorkennis. De prestaties van RCM werden door iets of iemand illegaal opgekrikt, maar ik dacht eerst dat het waarschijnlijk gewoon een paar hebberige jongens bij een verder legitiem fonds waren. Ik moet je bekennen dat het even heeft geduurd voordat ik kon bevatten dat het gewoon een piramidefonds was. Bij fraude op die schaal zijn veel meer mensen betrokken dan alleen de partners van RCM zelf. Daar is een enorm netwerk voor nodig, dus dan moet er iets goed fout zitten bij allerlei externe juristen, accountants en beleggingsadviseurs, zelfs bij de SEC.'

Paul boog zich naar voren om iets op te merken, maar hield zich in. Hou je mond, zei hij streng tegen zichzelf. Mond dicht, laat hen het woord doen. Daar was Merrill beter in dan hij, viel hem op. Ze zat stil maar aandachtig te luisteren en aan haar gezicht was niets te zien. Ze maakten heel even oogcontact en er flitste een glimlachje om haar lippen alsof ze wilde zeggen: het gaat goed, we zijn veilig. Hij knikte David toe.

'Dus ineens zat ik met een enorm onderzoek en geen enkele ondersteuning van het bureau,' ging David verder. 'Ik werd zelfs onder druk gezet om het erbij te laten. Eerst dacht ik dat ik spoken zag en dat mijn aanvragen gewoon ergens in de ambtelijke molen waren zoekgeraakt. Maar toen werd ik ook openlijk tegengewerkt. Het werd zo erg dat ik Matt heb gebeld, een oude vriend van me en momenteel een van de weinige mensen die ik nog vertrouw.'

Matt lachte Paul gespannen toe en boog zich over de tafel heen. Er lag een blocnote voor hem en Paul moest zich bedwingen om niet te proberen van de overkant van de tafel te lezen wat hij opschreef. Hier en daar stond een woord onderstreept of in hoofdletters. Paul vroeg zich af of dat positief of negatief was.

'Om een lang verhaal kort te maken: een paar heel hooggeplaatste mensen vonden dat ik me er niet mee mocht bemoeien. Toen ik dat toch deed, begonnen ze het vuil te spelen. Gisteren hebben ze me voor onbepaalde tijd geschorst. Alles is uit mijn kamer weggehaald – mijn computer, mijn archief, alles. Ik mag het gebouw niet in. Dus nu heeft Matt drie zaken op zijn bord. De zaak tegen RCM waar ik mee bezig was en die ik aan hem heb overgedragen. Dan de secundaire zaak tegen de fondsen zoals Delphic die zwaar in RCM hadden geïnvesteerd, én de accountants en juristen die een oogje dicht hebben geknepen. En dan is er de zaak die we Zaak Drie noemen.'

David haalde diep adem en liet zich achteroverzakken. Al pratend had hij behendig met zijn pen tussen zijn vingers zitten jongleren, maar nu legde hij hem neer. Hij had iets cools, wat Paul verbaasde. Juristen die bij de overheid werkten, waren zelden cool. Davids huid was gebronsd en zijn haar vertoonde een lichte zilverglans. Hij was lang, minstens één meter negentig. Hij had een charismatische glimlach en gaf een stevige hand. Het soort man waar vrouwen op vielen. Het soort man dat je bij de televisie of in de reclame zou verwachten. Alexa was duidelijk verliefd. Ze gedroegen zich nu professioneel en collegiaal tegenover elkaar, maar Paul voelde de chemie tussen hen.

Hij schoof heen en weer op zijn stoel. 'En Zaak Drie...' moedigde hij aan.

'Ja, Zaak Drie. De afgelopen paar dagen wisten we niet altijd precies wat voorrang moest krijgen, maar op dit moment is Zaak Drie de belangrijkste. Dat is de zaak tegen de SEC. Het enige waar iedereen het momenteel over eens is: iemand bij de SEC heeft steekpenningen aangenomen. Hoogstwaarschijnlijk van iemand bij RCM of Delphic.'

Paul fronste zijn wenkbrauwen. 'Hoezo Delphic?'

'Het probleem is dit,' zei Matt. 'Gisteren kwam er een collega bij me met een verhaal dat vrijwel identiek aan het jouwe was. Hij zei dat iemand van Delphic al met iemand van ons in gesprek is. En dat niet alleen, maar die insider heeft harde bewijzen dat Delphic met de SEC onder één hoedje speelde. En dat er elektronisch geld naar de Kaaimaneilanden is overgemaakt, van een rekening van Delphic naar een rekening van iemand bij de SEC. Meer wist mijn collega niet, want het was zijn zaak niet. Maar hij heeft ervan gehoord omdat Robertson zich er inmiddels zelf mee schijnt te bemoeien. En als de minister van Justitie zich ergens mee bemoeit, dan wordt daarover gepraat.'

'Ik kan het even niet volgen.' Paul schudde zijn hoofd. 'Dus jullie hébben al een insider bij Delphic?'

'Wie dan?' vroeg Merrill, die nu op het puntje van haar stoel zat. 'Laat die dan hier komen, dan kunnen we praten. Misschien kunnen Paul en die ander samen uitvogelen wat er bij RCM precies aan de hand was. En als er iemand bij de SEC schuldig is, laten we dat dan ook boven tafel zien te krijgen. Wat duidelijkheid zou wel prettig zijn.'

'Het ligt iets ingewikkelder,' zei Matt met een nerveuze blik op David.

Alexa keek naar de grond en Paul kreeg een onbehaaglijk gevoel in zijn maagstreek. Ze durfde hem blijkbaar niet aan te kijken.

'Ik dacht eerst nog dat er een misverstand was, dat mijn collega met jou in gesprek was, Paul. Ik dacht dat je misschien rechtstreeks contact had opgenomen met iemand bij ons op kantoor, iemand die je kende en vertrouwde. Het leek me onwaarschijnlijk dat er twéé insiders bij Delphic met ons praatten. Dus toen ben ik gisteravond eens gaan graven. En toen bleken er dus inderdaad twee insiders te zijn.' Hij schraapte zijn keel. 'Die ander – dat is dus Carter Darling. Hij praat via zijn advocaat met iemand van justitie. En het ingewikkelde is dat volgens hem zowel Paul als David betrokken is bij een complot om de SEC een oogje dicht te laten knijpen.'

Er viel een stilte. Matts woorden bleven als statische elektriciteit in de lucht zoemen.

'Wát?' stamelde Paul. Toen sloeg hij met zijn vuist op tafel, zo hard dat de beide vrouwen ervan schrokken. Hij was zelf verbaasd toen hij het gewelddadige geluid hoorde, maar hij kon er niets aan doen en het gaf hem een lekker gevoel, alsof er een ventieltje was opengezet zodat er wat stoom kon ontsnappen.

'Wou je zeggen dat Carter me ervan beschuldigt dat ik David omkoop om het onderzoek naar RCM en Delphic stop te zetten? Beschuldigen júllie me ervan dat ik David omkoop?'

'Krankzinnig,' mompelde Merrill. Ze staarde naar haar handen, die in haar schoot lagen. 'Het spijt me, maar dit is krankzinnig.'

'Ze worden erin geluisd,' zei Alexa op vlakke toon tegen Merrill. 'Ze hebben er geen van tweeën iets mee te maken. Je vader wil een deal sluiten. Snap je dat niet?'

Merrill keek Alexa vol aan. 'Natuurlijk heeft Paul er niets mee te maken,' zei ze. Haar stem was even vast als haar blik, maar haar lip trilde. 'Hij is mijn man.'

Alexa knikte en keek naar haar BlackBerry, die op de tafel begon te trillen. Ze stond op. 'Sorry,' zei ze, 'dit moet ik even nemen.' En tegen David: 'Het is Duncan.' Ze deed de deur dicht en het was weer stil in de kamer, afgezien van het gesis van de radiator.

'Niemand hier beschuldigt iemand ergens van,' zei Matt. 'Wij staan allemaal aan dezelfde kant. Maar zo liggen dus de feiten. Dit is wel een groot probleem.'

'Dit moet een misverstand zijn,' zei Merrill zacht. Ze huilde. David stond op en bood haar een doos tissues aan. Ze snoot haar neus en verfrommelde het papieren zakdoekje in haar hand.

'Dank je,' zei ze. Ze schoof de tissues weer naar het midden van de tafel. 'Mijn vader zou Paul nooit zoiets aandoen. Dit kan niet kloppen.'

Matt keek Paul besmuikt aan. 'Er kan natuurlijk een vergissing in het spel zijn,' zei hij. Hij haalde zijn schouders op, maar Paul hoorde aan zijn stem dat hij het zelf niet geloofde. 'Of een misverstand. Maar op dit moment is Carter Darling dus met een deal bezig. En het ziet ernaar uit dat jij en David daar de dupe van worden. De vraag is alleen: waarom doet hij dat? Behalve om zijn eigen huid te redden dan.'

'David,' zei Merrill. Haar wangen waren vuurrood en ze leek ineens heel klein. Zo had Paul haar nog nooit gezien. Iedereen keek haar medelijdend aan. Ze keek strak naar de tafel om de blikken van de anderen niet te hoeven beantwoorden. 'Jouw baas is toch Jane Hewitt?'

'Ja,' zei David. 'Dat wás althans mijn baas. Totdat ze me schorste.'

'En zij was ook degene die dat onderzoek wilde tegenhouden?'

'Inderdaad.'

'Dan...' Ze keek even naar Paul en greep zijn hand. 'Dan moet ik jullie iets vertellen.' Ze had een gekwelde uitdrukking op haar gezicht.

Paul gaf haar hand vier stevige kneepjes. Meestal bedoelde hij daarmee: ik hou van je. Nu dacht hij: red je het nog?

Voordat ze iets kon zeggen, ging de deur weer open. Alexa kwam binnen. Ze hield haar BlackBerry in de lucht en lachte triomfantelijk. De anderen keken haar verbaasd aan.

'Ik geloof dat we iets bij de kop hebben. Duncan komt hierheen met iemand die we moeten spreken.'

ZATERDAG, 11.01 UUR

Het was druk op de redactie van *The Wall Street Journal*. Duncan was inmiddels gewend aan het lagere tempo van een tijdschriftredactie en vond de sfeer erg opgefokt, als een casino of een kinderprogramma op televisie. De schelle tl-buizen aan het plafond en de alomtegenwoordige gloed van de dubbele beeldschermen zetten de grote open ruimte in een onrustig licht. Er hingen televisies aan het plafond die informatie van verschillende netten doorgaven. Het voelde aan als een kantoor met heel jonge mensen, al werkten jonge mensen vandaag de dag liever voor een blog of een nieuwssite of een social media outlet of iets anders waar Duncan geen verstand van had. De kranten liepen op hun laatste benen, te groot, te log en te traag om de snel veranderende wereld bij te houden. Daar kon Duncan zich wel iets bij voorstellen. Hij voelde zich zelf soms ook een soort wollige mammoet die in afwachting van de volgende ijstijd over een gletsjer sjokte.

Hij moest even lachen bij de gedachte dat Owen hier werkte. Owen was in zijn begintijd bij de *New York Observer* Duncans protegé geweest. Hij deed aan een jong hondje denken: aandoenlijk ongehoorzaam, tomeloos energiek en altijd ergens in verwikkeld. 'Óf jij komt in de gevangenis terecht, óf je wint de Pulitzer Prize,' zei Duncan soms. 'Misschien zelfs allebei.'

Ze hadden altijd contact gehouden. Voor een zakendiner spraken ze eerst ergens af voor een borrel, ze aten soms ergens een snelle hap of dronken snel wat, en soms stelde Owen Duncan voor aan het groene blaadje waar hij die maand iets mee had. Eens in de zoveel tijd vroeg Owen hem nog steeds om advies, ook al was hij inmiddels allang zelf sterreporter. Dit was de eerste keer dat Duncan hem om een wederdienst vroeg.

Hier op de redactie zat iedereen te bellen en te tikken. Toch zag Duncan Owen meteen. Hij viel altijd overal op. Zelfs na tien jaar bij *The Wall Street Journal* zag hij er nog steeds uit alsof hij eigenlijk bij *Rolling Stone* thuishoorde. Zijn rossige haar hing in pieken voor zijn ogen. Hij droeg cowboylaarzen en net zo'n riem als de Marlboro Man. Niet voor het eerst vroeg Duncan zich af hoe het mogelijk was dat iemand hem serieus nam.

Ze omhelsden elkaar. 'Ga zitten,' zei Owen. Hij trok een stoel bij het meubel dat kennelijk zijn bureau moest voorstellen. Het was verreweg het rommeligste van het hele kantoor. 'Sorry dat je zo snel moest komen, maar er is iemand met wie we beter samen kunnen praten, dus dit leek me het handigste.'

'Je helpt me hier ontzettend mee. Ik waardeer het heel erg, zeker nu met de feestdagen.'

'Kom op, zeg. Ik doe niet aan feestdagen, dat weet je toch,' zei Owen enthousiast. En dat was zo: al zolang Duncan hem kende, werkte hij altijd door. 'Feestdagen zijn voor watjes.'

'Wat heb je voor nieuws?'

'Sol Penzell is de advocaat van Carter Darling,' zei Owen. Hij leunde achterover met zijn gevouwen handen achter zijn hoofd. 'Hij is medeondertekenaar van alle offertes en documenten van Delphic, je weet wel, alles wat ze archiveren en aan hun investeerders sturen. En zijn kantoor doet ook zaken met RCM. Die twee en Morty Reis spelen allemaal onder één hoedje. Hij was in elk geval de eerste aan wie ik dacht toen we elkaar spraken. Ik wil al ik weet niet hoelang een artikel over hem schrijven, maar ik kon nooit genoeg over hem vinden. Hij heeft een kantoor dat Penzell & Rubicam heet. Eerder een lobbyistenbureau dan een advocatenkantoor. Ze doen veel bemiddelingswerk op niveau, ze brengen mensen uit de top van het bedrijfsleven in contact met overheidsfunctionarissen — dat soort werk. Ze hebben een paar heel bedenkelijke cliënten.'

'Zoals?'

'Weet je nog, dat onderzoek van justitie naar Blueridge, dat bedrijf dat ervan verdacht werd in Texas wapens op te slaan voor verkoop naar het buitenland? Daar was nogal veel over te doen in de media. Er waren militairen die bekenden dat ze wapens leverden aan Afghaanse verzetsstrijders.'

'Dat was toch vorig najaar? Hoe is dat verdergegaan?'

'Het ís niet verdergegaan. En Penzell vertegenwoordigt Blueridge. Dus ga maar na. En nog een: BioReach, het grootste landbouwbedrijf ter wereld. Een vriendin van me is journalist bij National Geographic. Leslie Truebeck. Cool. Mooie benen ook. Maar goed, zij doet dus een stuk over commercieel ontwikkelingswerk in Oost-Afrika. Daar is BioReach heel groot, ze zijn een partnerschap met het IMF aangegaan voor de distributie van graan aan boeren. Dat heeft ze veel positieve pr opgeleverd. Om een lang verhaal kort te maken, Les doet haar huiswerk en weet bij BioReach een hoge pief op te snorren die bereid is off the record te praten. Hij geeft toe dat ze daar met de boekhouding knoeien. En wat erger is: ze hebben willens en wetens graan uitgedeeld dat niet kan ontkiemen. Dus iedereen die dat gratis spul heeft gekregen, maait alles kaal – dat is niet terug te draaien – en ontdekt dan het volgende seizoen dat er niets meer groeit. Dus dan zitten ze aan nog meer graan van BioReach vast. Smerig, hè. Mensen die van ontwikkelingshulp afhankelijk zijn, dwingen je producten af te nemen. Zo doet de tabaksindustrie het ook ongeveer. Goed, Les begint aan dat artikel en maakt het nooit af. Weet je waarom niet? Die hoge pief is ineens verdwenen. Niet alleen van haar radar, maar echt letterlijk. Verdwénen. Niemand heeft hem meer gezien. Zelfs zijn eigen vrouw niet.'

'Laat me raden: Penzell is juridisch adviseur van BioReach.'

'Precies. En Les schreeuwt nu al een jaar moord en brand, maar niemand zoekt het uit. Geen onderzoek, niets. Misschien is hij gewoon waanzinnig goed in zijn werk, dat weet ik niet. Maar ik denk dat er veel meer onder de oppervlakte zit. Ik denk aan mannetjes met koffers vol contant geld en lijken op de bodem van de East River, dat soort gedoe. Ik kan er úrenlang over doorgaan. Laten we zeggen dat Penzell & Rubicam mijn troetelproject is.'

'Maar nu eerst even over RCM en Delphic.'

Owen hief zijn handen in overgave. 'Goed, goed,' zei hij. 'Daar komen we zo op. Ik geef vast wat achtergrondinformatie. Later zul je me dankbaar zijn, dus let goed op.'

'Ik ben je nu al dankbaar. Je krijgt de exclusieve rechten.'

Owen lachte. 'Mooi zo. Of een afspraakje met die leuke assistente van je die in opdracht van jou midden onder het Thanksgiving-diner belde. Waar haal je die meiden toch altijd vandaan? Van Craigslist?'

'Ach ja, sorry.'

'Je hoeft nooit sorry te zeggen als je zo'n knappe meid op me afstuurt,' zei Owen. Zijn blauwe ogen lachten bij het zien van Duncans verlegenheid, die aan zijn schutterige paarsrode blos te zien was. 'Bovendien is dit een waanzinnig verhaal.'

'Ik wou alleen dat mijn nichtje er niet middenin zat.'

'Nou, dan moet je dit eens horen: gistermiddag heb ik Sol Penzell maar eens gebeld. Ik dacht: misschien kan ik hem een beetje laten schrikken. Ik heb tegen zijn secretaresse gezegd dat ik van *The Wall Street Journal* ben en gevraagd of hij iets wilde zeggen over het artikel waar ik aan werk over beschuldigingen van fraude samen met RCM en Delphic. Je hoorde haar schrikken. Twintig minuten later werd ik teruggebeld vanaf een onbekend mobiel nummer. Door Yvonne Reilly, die secretaresse.'

'Interessant,' zei Duncan. 'Die secretaresses weten altijd alles, hè? Wat wilde ze van je weten?'

'Ze vuurde allemaal vragen op me af. Waar ging dat onderzoek van uit? Werd Delphic ook onderzocht of alleen RCM? En Penzell & Rubicam? Ze was doodzenuwachtig. En ik deed mijn best om haar de stuipen op het lijf te jagen zonder echt iets los te laten.'

'Galant van je.'

Owen rolde met zijn ogen. 'Kom op, zeg. Als íemand me heeft geleerd hoe je een bron onder druk zet, ben jij het wel. Ik moest haar een beetje inpakken, maar toen deed de aloude Barry-charme zijn werk. Ze stemde toe in een afspraak. Aan de telefoon wilde ze niet veel zeggen, maar ik kreeg de indruk dat ze wel degelijk iets te melden heeft. En ik dacht: misschien wil jij wel mee.'

Duncan floot. 'Volgens mij ben ik je wel meer schuldig dan alleen de exclusieve rechten. Komt ze hierheen?'

'Ik heb over twintig minuten met haar afgesproken. Zin in een wandelingetje door Wall Street?'

'Wat dacht je zelf?'

Later, toen Duncan achter de computer zat en Yvonne voor zijn artikel in *Press* probeerde te beschrijven, was 'nietszeggend' het eerste woord dat bij hem opkwam. Ze was van gemiddelde lengte en had een normaal postuur, en haar haar was niet oranje of geel, maar had een doffe, vale kleur ergens daartussenin. Ze kon zowel vijfendertig als vijftig zijn. Ze had te veel in de zon gezeten. Dat was aan haar gezicht en haar handen te zien. Zonnebaden was misschien haar enige ijdelheid. Haar nagels waren kort en tot op het nagelbed afgekloven; de vingers van een hardwerkende vrouw. Duncan lette altijd op handen. Hij vond dat ze veel over iemand zeiden: is degene tegenover je nerveus, praktisch, gesoigneerd? Daarom ging hij nog steeds twee keer per maand naar de manicure. Yvonne leek op al die andere secretaresses uit de kudde die twee keer per dag door tunnels en over bruggen Manhattan in en weer uit gingen.

Nietszeggend, maar toch wist hij wie ze was zodra hij haar zag.

Het was de zaterdag na Thanksgiving, dus het was niet druk in het beursdistrict. Duncan was opgelucht dat de Fraunces Tavern, een pub waar Owen vaak kwam en die hij ongetwijfeld had voorgesteld, open was. Door de week stond het er altijd vol bankmensen van Goldman Sachs, maar in het weekend was het er rustig.

Vooral 's morgens. Er brandde licht, maar zo te zien waren er geen klanten. Een goed adres voor een anoniem gesprek.

Yvonne stond buiten op de kinderkopjes een Camel te roken. De wind stak op vanaf de rivier en blies ijskoud in haar gezicht. Ze had haar schouders hoog opgetrokken. Het was te koud om lang buiten te staan. Ze moest dus een verstokte rookster zijn, of erg zenuwachtig; waarschijnlijk allebei, dacht Duncan.

'Yvonne Reilly?' vroeg Owen toen ze opkeek. Ze had de sigaret helemaal tot de filter opgerookt. Ze nam nog één trek en trapte hem toen uit.

'Je had niet gezegd dat er nog iemand meekwam,' zei ze en ze hield haar hoofd een tikje schuin. Haar handen zaten diep in haar zakken. Met tegenzin haalde ze de rechter eruit om hun allebei een hand te geven, maar ze stopte hem toen zo snel als een croupier in Las Vegas weer terug.

'Mevrouw Reilly, ik ben Duncan Sander,' zei hij. Hij hield de deur voor haar open. 'Na u.'

'Duncan is een goede vriend van me, maar ook een collega,' zei Owen. 'Een bijzondere journalist. We werken samen aan dit verhaal. Is het goed dat hij erbij blijft?'

Yvonnes ogen gleden snel en taxerend over Duncans gezicht. 'Ik weet wel wie u bent,' zei ze. Ze had een zacht, zangerig accent. Duncan zag een flits van een gouden kruisje onder de boord van haar blouse. Het enige sieraad dat ze droeg, afgezien van haar trouwring. Een Ierse uit Boston, dacht Duncan. Ze heeft waarschijnlijk vijf kinderen thuis. Gaat elke zondag naar de mis.

'U bent van dat tijdschrift, ik weet niet meer hoe het heet.' Ze leek niet onder de indruk, maar Duncan knikte niettemin nederig.

'Inderdaad, mevrouw. Wilt u iets drinken?'

Ze aarzelde en zei toen: 'Water graag.'

'En ik een Sam Adams,' zei Owen. 'Weet je zeker dat jij er niet ook een wilt? Het is vast wel ergens op de wereld middag. Zoals mijn vader altijd zei.'

'Wat maakt het ook uit. Hierna kan ik vast wel een slok gebruiken.'

'Drie Sam Adams. Gaan we regelen,' zei Duncan.

Toen hij terugkwam met de flesjes bier, zat Yvonne een cocktailservetje uit elkaar te plukken en de snippers met haar vingertoppen tot witte balletjes te rollen.

'Je moet Sol goed begrijpen,' zei ze tegen Owen. Ze zweeg en Duncan trok een stoel bij. Haar stem klonk laag en gedempt en Owen moest zich helemaal naar haar toe buigen om haar te verstaan. 'Ik snap wel wat je waarschijnlijk van hem denkt. En van mij, want ik werk al een hele tijd voor hem. Maar hij is een goed mens. Dat kán hij tenminste zijn. Hij geeft om de mensen om hem heen. Hij zorgt al veertien jaar voor mij. Daarmee bedoel ik niet alleen dat hij me goed betaalt. Dat ook, en daardoor heb ik mijn zoons meer kunnen geven, meer dan ik ooit had gedacht. Ik heb twee kinderen, weet je.' Haar ogen schoten onderzoekend tussen hen heen en weer, namen hen op. 'De jongste is veel te vroeg geboren. Veel complicaties. Op kantoor kreeg ik ineens weeën, zomaar, achter mijn bureau. Het was echt kielekiele, meteen al. Ik ben bijna doodgebloed. Sol heeft de chef de clinique van gynaecologie in het Mount Sinai voor ons geregeld. Een eigen kamer, alles erop en eraan. Ik was vrijwel bewusteloos, maar ik dacht de hele tijd: dit kunnen we niet betalen!' Ze lachte en haar blik verzachtte zich. 'Ik had nog nooit in zo'n mooie kamer geslapen, zelfs niet op mijn huwelijksreis. En we kregen niet eens een rekening. Niet van het ziekenhuis en niet van de dokter. Iemand zei dat ons kantoor alles had betaald, maar ik wist dat het Sol was. Ik heb er nog naar gevraagd, maar hij zei alleen dat de verzekering alles dekte. Dat was natuurlijk niet zo. Dat wisten we allebei, maar zo is Sol. Hij doet geweldige dingen voor de mensen in zijn omgeving en hij wil er nooit voor bedankt worden.'

'Je hebt me teruggebeld, Yvonne,' zei Owen. 'Waarom eigenlijk?'

Ze haalde diep adem. 'Hebben jullie kinderen?'

Ze schudden allebei hun hoofd.

'Voor mijn kinderen doe ik alles. Ik heb de afgelopen veertien jaar op kantoor heel wat zien langskomen. Maar wat er de laatste tijd soms gebeurt... En als het waar is wat jij zei, dat er een onderzoek loopt en zo, dan zit ik daar niet graag middenin.'

'Heb je overwogen rechtstreeks met justitie te gaan praten? Of om een advocaat te nemen?'

Yvonne keek geschrokken. Ze had een wipneusje dat onder de sproeten zat, als een kievietsei. Ze trok het op en leunde achterover. 'Jullie weten al veel meer dan ik. Toen jij belde, had ik nog van geen onderzoek gehoord. Ik had er ook nog niet aan gedacht naar de overheid te stappen of zo. Ik kan niet zomaar een advocaat nemen. Advocaten zijn duur. En ik kan het weten, ik verstuur hun rekeningen.'

Er flitste een glimlach over Owens gezicht. 'Dat begrijp ik.'

'Bovendien...' Yvonne boog zich over het tafeltje heen en tastte naar het kruisje om haar hals. 'Ik moet een beetje uitkijken. Mijn man is negen maanden geleden ontslagen. Hij werkte bij Bear als hoofd bedrijfsvoering. Het valt niet mee tegenwoordig, er is nergens werk. Hij heeft nu wel een baan, maar daar verdient hij niet genoeg. Iedereen heeft het maar over bankiers en fondsbeheerders die werkloos worden, maar mensen zoals wij krijgen het ook flink voor onze kiezen. We redden het maar nét.'

Owens gezicht stond ondoorgrondelijk. 'Je baas wordt binnenkort in staat van beschuldiging gesteld wegens fraude, betrokkenheid bij criminele praktijken en corruptie,' zei hij. 'Je kunt hem het beste aangeven voordat het zover is.'

Yvonne knikte, keek naar haar schoenen en ontleedde nog een servetje. Dat bood weinig weerstand en ze rolde het tot een rij lange witte slierten als kleine witte sigaretjes. 'Sol heeft goed voor me gezorgd,' zei ze, 'maar nu moet ik voor mezelf zorgen. Ik praat niet met de pers omdat ik zo'n goed mens ben.'

Duncan haalde een pen uit zijn zak. Op het laatste servetje schreef hij een getal. Hij schoof het haar toe. 'Je verhaal is geld waard. Dat snap ik. We willen nu een artikel in *The Wall Street Journal* en later een follow-up in de *Press*. Exclusief. Je praat alleen met ons.'

Yvonne staarde naar het servetje. 'En hoe kan ik weten dat een ander niet meer biedt?'

'Dat weet je niet,' zei Duncan. 'Maar tijd is geld. Iedere seconde dat je langer wacht, wordt je verhaal minder waard.'

'En dat onderzoek? Weten jullie zeker dat dat er komt?'

'Absoluut,' zei Owen. Ze knikten allebei.

Ze keek naar het getal op het servetje en toen naar hen. Toen ze weer iets zei, klonk haar stem zwaar van berusting. 'Het gaat om een zekere David Levin. Van de SEC. Die luizen ze erin. Sol en Carter, bedoel ik. Dat hebben ze al gedaan. Ze hebben geld naar een buitenlandse rekening overgemaakt die op zijn naam staat om de indruk te wekken dat hij steekpenningen aanneemt. De stortingen zijn geantidateerd, zodat het eruitziet alsof het al een paar maanden geleden is gebeurd.'

Duncan kreeg bijna geen lucht. 'Hoe weet je dat?' vroeg hij. 'Weet je zeker dat het geen vergissing is?'

'Heel zeker,' zei ze, 'want ik heb dat geld zelf overgemaakt.'

Later, toen ze was uitgesproken en Duncan de rekening had betaald, vroeg hij hoe ze ertoe gekomen was.

'Om dat geld over te maken?' vroeg ze.

'Nee, om met ons te praten.'

'Dat heb ik al verteld. Ik heb kinderen. En als ik straks mijn baan kwijt ben, moeten die toch eten. Dus ik hoop wel dat jullie snel betalen.'

Ze haalde een nieuw pakje Camel uit haar zak en trok het goudkleurige bandje los zodat ze het cellofaan er geroutineerd in twee helften af kon halen. Ze haalde een sigaret uit het pakje. Owen gaf haar vuur en wachtte totdat ze een diepe trek had genomen. 'Wat ik zo walgelijk vind,' ging ze verder, 'wat ik echt erg vond, was dat ze Paul er ook hebben ingeluisd. Je weet wel, de schoonzoon van Carter. Ik ken hem niet goed; geen idee of het een fatsoenlijk iemand is. Ik heb hem een paar keer ontmoet, bij kerstborrels op kantoor en honkbalwedstrijden en zo. Hij lijkt best aardig.' Ze haalde haar schouders op.

'Waarom vind je dat erger dan de anderen die ze erin luizen?'

'Omdat hij familie is. Ze verkopen zelfs hun familie om hun eigen hachje te redden,' zei ze. 'En dat gaat me te ver, zoiets doe je niet.'

'Ben je bereid om nu met justitie te praten? Ik besef dat je een lange dag achter de rug hebt.'

'Ik heb veertien lange jaren achter de rug,' antwoordde ze.

Duncan belde Alexa, en nadat hij had opgehangen, staarde hij even peinzend naar zijn telefoon. 'Nog één belletje,' zei hij toen tegen Yvonne. Marina nam meteen op. 'Ik zit in een taxi naar het hoofdgebouw van justitie. Hoe snel kun je er zijn? Ik kan je onderweg wel ergens oppikken als je mee wilt.'

'Ik ben er al,' zei ze.

Zondag, 8.58 uur

Er stopte een zwarte Escalade voor Broadway 120 en Neil Rubicam sprong eruit, zo fris als een hoentje. Carter kende Neil trouwens niet anders. Hij was altijd een tikje bruin en zag er goed uitgerust uit, wat Carter irriteerde, al wist hij dat Neil nauwelijks sliep en nooit vakantie nam. Neil had iets glads, als een acteur die een beroemd advocaat speelde maar dat niet werkelijk was.

De meeste juristen die Carter kende, besteedden weinig aandacht aan hun uiterlijk, maar dat was bij Neil wel anders. Hij was dol op zijn brede dassen en zijn maatpakken, en als hij weer eens een nieuw horloge had, keek hij voortdurend hoe laat het was. Hij was niet echt knap, maar wel heel verzorgd. Hij had een dynamisch soort charisma dat iedereen opviel. Vrouwen waren dol op hem. De laatste keer dat Carter er iets over hoorde, lag hij in scheiding met zijn derde vrouw en stond nummer vier al in de coulissen te trappelen. Carter vroeg zich af hoe hij daar allemaal tijd voor kon hebben.

Neil beende naar hem toe en schonk hem een stralende glimlach. Nog iets wat Carter altijd weer opviel: Neils lengte. Carter zelf was één meter vijfennegentig en niet gewend iemand te spreken die even lang was als hij. Bovendien had Neil onwaarschijnlijk witte tanden en lachte hij veel, zelfs als iemand hem probeerde te naaien. Maar nu vond Carter die glimlach wonderlijk geruststellend. Je kon veel van Neil zeggen, maar hij leek de situatie altijd onder controle te hebben.

'Goed je te zien, Carter,' zei hij met een hartelijke handdruk. Hij gaf hem een klap op zijn schouder en gebaarde naar de ingang.

'Zullen we?'

'Erg fijn dat je speciaal bent gekomen,' zei Carter. 'Wachten we niet op Sol?'

'Die komt eraan. Wij kunnen alvast beginnen.' Toen hij Carters aarzeling zag, voegde hij eraan toe: 'Ik wil je niet zenuwachtig maken, maar ik heb vandaag de touwtjes in handen. Sol is heel goed met Eli, maar iedereen begrijpt dat jij als eiser met je advocaat aan tafel zit. Dat betekent verder niets, behalve dat dit menens is.'

Neil leek het nogal naar zijn zin te hebben. Zo ging dat met juristen, bedacht Carter. Bij een zakelijke deal werkten ze twee keer zo hard en kregen een kwart meer betaald; zij handelden alle vervelende, saaie details af waar bankiers geen geduld voor hadden en dat deden ze met een opgewekt gezicht, want uiteindelijk betaalden de bankiers, en niet weinig ook. De juristen waren de keepers. Als het team won, werd de speler die het winnende doelpunt had gemaakt op het schild gehesen. Maar als ze verloren, had de keeper het gedaan.

In het zeldzame geval dat een deal afgrijselijk ontspoorde en er een rechtszaak van dreigde te komen, lag het echter omgekeerd. Carter betaalde weliswaar nog steeds voor de diensten van Penzell & Rubicam, maar hij was niet meer degene die de dienst uitmaakte. Er was geen weg terug: dit was geen zakelijke deal meer, maar een rechtszaak in wording. Carter had nooit kunnen vermoeden hoe zoiets voelde. Hij voelde eigenlijk helemaal niets, behalve een vreemd soort ontheemding, alsof er iets totaal mis was gegaan en hij voor iemand anders werd aangezien en alleen maar hulpeloos kon afwachten totdat de zaken hun loop hadden genomen.

'Ja, dat snap ik,' zei Carter. Hij knikte.

Ze kwamen bij de beveiliging, haalden hun sleutels, muntgeld en portefeuille uit hun zakken, deden hun riem af, trokken hun schoenen uit en legden alles in een plastic bakje, net als op het vliegveld. De ruimte had iets armoedigs, iets deprimerends, alsof overal een laagje stof op zat. Carter had een bijna fysieke herinnering aan deze omgeving; hij was er jaren geleden eens geweest toen Merrill nog in New York studeerde en een stageplaats als assistent bij het bureau burgerrechten had. In die tijd was hij haar weleens komen halen om samen te lunchen als hij in de buurt moest zijn voor een vergadering. Dan kwam ze met stralende ogen de groezelige lift uit dansen, helemaal vol van alles waar ze die dag aan werkte, en de hele hal lichtte op door de energie die ze uitstraalde. Ze had altijd openbaar aanklager willen worden. Ze had de baan bij Champion & Gilmore aangenomen omdat ze vandaar naar justitie kon doorstromen. Ze had Carter bezworen dat het niet om het geld ging – dat kon ze ook wel van hem krijgen, zoveel ze maar nodig had – maar om de juiste benadering voor de loopbaan die haar voor ogen stond. Dat was Merrill ten voeten uit, altijd bereid hard te werken en zich aan de spelregels te houden. Voor zover Carter wist, wilde ze nog steeds uiteindelijk hier terechtkomen, al vroeg hij zich af hoe ze daar tegenover zou staan als dit allemaal achter de rug was. Hij was zo trots op haar, zijn stralende ster. Hij vroeg zich af of zij ooit nog trots op hem zou kunnen zijn.

Als hij bedacht wat hij dadelijk ging doen, werd hij overspoeld door een golf van walging. Hij knipperde met zijn ogen in het felle licht. De ruimte begon om hem heen te tollen. Hij knikte toen de beveiligingsbeambte vroeg of hij een BlackBerry had en overhandigde het ding zwijgend ter inspectie. Hij was bang dat hij zou gaan braken als hij zijn mond opendeed. Neil zei iets, maar Carter verstond hem niet. Hij kreeg het gevoel dat hij zweefde. Hij was aanwezig, maar niet helemaal, alsof hij uit zijn lichaam was opgestegen, nu als een ballon tegen het plafond deinde en op zichzelf neerkeek.

Hij vroeg zich af of dit het gevoel was dat je kreeg als je doodging. Als dat zo was, leek het hem niet zo erg. Hij voelde zich licht, bijna gewichtloos, alsof de vermoeidheid en de stress die hem de afgelopen maanden hadden neergedrukt ineens waren opgetrokken. Hij had bang of tenminste bezorgd moeten zijn, maar dat was hij niet. Hij voelde zich alleen maar opgelucht. Misschien omdat hij ergens diep van binnen wist dat ten langen leste het einde gekomen was. Hier had hij op gewacht, en het wachten was het allerergste geweest.

De lift schudde even heen en weer toen de deuren dichtgingen, een misselijkmakende schok.

'Jezus christus,' mompelde Neil. 'Typisch weer zo'n overheidsgebouw. Alles oud en kapot.' Hij keek naar Carter. 'Hoe gaat het nou?'

'Goed,' zei hij, en hij stopte zijn handen in zijn zakken zodat Neil ze niet kon zien trillen. 'Ik ben er klaar voor. Laten we het maar snel afhandelen.'

Neil staarde naar de nummers van de verdiepingen terwijl ze langzaam omhoog gingen. 'Vandaag zal het nog niet rond zijn. Maar laten we de deal in elk geval vastleggen, dan kunnen we verder. Oké?'

'Ja.'

Het belletje ging en de deuren schoven open. Neil ging voor. 'Na vandaag voel je je weer beter,' zei hij. 'Dat beloof ik je.'

Verderop in de gang stond een deur op een kier, tegengehouden door een rubber deurstopper. Er viel zonlicht de gang in en speelde over de vloer. Er kwam een gedaante tevoorschijn, die het licht tegenhield. Eli. In de kamer achter hem klonken stemmen, maar Carter herkende niet die van Sol.

'Fijn dat jullie er zijn,' zei Eli toen ze dichterbij kwamen. Ze gaven elkaar een hand. Eli hield de deur voor hem open en er stonden twee mannen op. 'Dit is mijn collega Matt Curtis. Bill Robertson kennen jullie wel.'

Het gezicht van Robertson was bekend. Hij deed in de media veel van zich spreken en de speculaties over zijn aspiraties naar het gouverneurschap sudderden al maanden. Carter had hem een paar keer ontmoet, maar betwijfelde of Robertson daar nu aan herinnerd wilde worden. Robertson was iets jonger dan hij, maar bewoog zich in dezelfde kringen. Robertsons dochter zat in het eindexamenjaar van Spence, de school waar Merrill en Lily ook op hadden gezeten. Carter en Robertson hadden allebei in het schoolbestuur gezeten, hoewel niet tegelijk. Ze hadden gemeenschappelijke vrienden.

Delphine Lewis, de bridgepartner van Ines, had in september nog een cocktailparty voor Robertson gegeven. Ines had Carter er mee naartoe gesleept, niet omdat hij er belang bij had de banden met Robertson aan te halen, maar omdat zij de Rothko van de familie Lewis wilde zien, die 28 miljoen dollar waard zou zijn. Carter had liever willen doorwerken en er was een woordenwisseling ontstaan waarbij hij het onderspit had gedolven. Eerlijk gezegd kon hij Robertson niet luchten of zien, een gevoel dat hij gemeen had met alle anderen in Wall Street. Robertson was een politiek dier, hij was op persoonlijke macht uit, niet op het algemeen belang. Hij gebruikte zijn positie om een wit voetje te halen bij mensen die hem konden steunen als hij zich kandidaat stelde voor het gouverneurschap en hem nu alvast in hun appartementen aan Park Avenue voor etentjes uitnodigden. Maar als de uiterlijke schijn dat vereiste, kon hij ze stuk voor stuk onderuithalen. Carter begreep niet waarom iemand als Peter Lewis – net als hij CEO van een hedgefonds – het goedvond dat zijn vrouw een party voor Robertson op touw zette. Je kon net zo goed de vos in het kippenhok loslaten.

Maar nu was hij alleen maar blij dat hij toen was meegegaan naar die party en even een praatje met Robertson had gemaakt.

Robertson leek in deze kamer tengerder en minder imposant dan toen. Zijn haar begon bij de slapen al wat dunner te worden en hij mocht weleens naar de kapper. Zijn tanden waren iets te lang, zodat hij op een rat leek als hij lachte. Dunne lippen, dunne armen en benen. Van dichtbij zag je de putjes in zijn wangen, oude oorlogsverwondingen uit de strijd tegen de acne. Hij leek vermagerd. Misschien was hij afgevallen door alle stress van dat najaar. Carter vroeg zich af of Robertson hetzelfde over hem dacht.

'Jammer dat we gisteren niet meteen bij elkaar konden komen,' zei Eli toen de deur dicht was.

'Dat is mijn schuld,' zei Robertson, die Carter zijn hand toestak. 'Ik wilde er beslist zelf bij zijn. Goed je weer te zien, Carter. En jou, Neil.'

'Ja, goed je te zien, Bill,' antwoordde Neil. Hij glimlachte ontspannen, maar Carter zag dat hij verbaasd was. 'Fijn dat je kon komen.'

'Ga zitten,' zei Robertson. 'Maakt Ines het goed?'

'Gezien de omstandigheden wel, dank je.'

'En de meisjes?'

Carter gaf niet meteen antwoord. Hoelang gingen die beleefdheidspraatjes nog door? 'Ook goed. En met jullie? Martha doet dit jaar eindexamen op Spence, hè?'

'Fijn, mooi zo.' Robertson negeerde Carters vraag. 'Ik kan me nauwelijks voorstellen hoe moeilijk jullie het de afgelopen dagen hebben gehad. Eerst Morty en nu dat onderzoek. Is iedereen weer in de stad? Ik hoorde dat jullie voor de feestdagen naar East Hampton waren.'

'Ja, we zijn allemaal teruggegaan. Ines is nog even gebleven om het huis af te sluiten, maar de meisjes en hun mannen zijn al hier.'

'O ja, hun mannen.' Robertson knikte. Hij was blijven staan en had zijn armen over elkaar geslagen. Peinzend drukte hij een wijsvinger tegen zijn onderlip. 'Paul en Adrian. Adrian Patterson. Ik ken zijn ouders. En Paul Ross. Paul is toch jouw juridische man?'

Carter begon zich onbehaaglijk te voelen en Neil ook, dat merkte hij. De sfeer in de kamer was veranderd, maar het was nog niet duidelijk waar het heen ging. 'Je hebt een goed geheugen,' zei hij. 'Ik wist niet dat je ze kende.'

Robertson glimlachte. 'Ik ken ze alleen maar van naam. Vooral Paul. Het zit zo...' Hij maakte zijn zin niet af, maar haalde een bruine envelop uit zijn koffertje. Hij maakte de envelop open, bekeek de inhoud en zei: 'Je wilt waarschijnlijk dat ik meteen ter zake kom.'

'Ja,' zei Neil, merkbaar ongeduldig.

'Als ik het goed begrijp is je partner Alain Duvalier degene die belast was met het dagelijks toezicht op de beleggingen van Delphic bij RCM, klopt dat?'

'Alain gaat over al onze externe zaken.'

'Maar jij had toch een persoonlijke band met Morton Reis? Ik geloof zelfs dat ik hem bij jou heb ontmoet. Vorig jaar bij een benefietgala.'

'Morty was een persoonlijke vriend van me. Maar met de dagelijkse gang van zaken tussen zijn bedrijf en het mijne hield ik me net zomin bezig als met de andere externe beleggingsrelaties. Van Alain en de leden van zijn team kreeg ik wel periodieke rapporten over de voortgang en de prestaties bij RCM, maar zelf onderhield ik alleen de relatie met onze cliënten. Dat is een volledige dagtaak.' Hij had het verhaaltje uit zijn hoofd geleerd en draaide het zo serieus af als hij kon. Hij lette scherp op Robertsons gezicht om zijn reactie te peilen.

Robertson knikte. 'Natuurlijk, natuurlijk,' zei hij. 'Mijn vader deed vroeger hetzelfde werk als jij, zoals je misschien weet. Veel golfen, veel etentjes, toch?' Hij knipoogde tegen Carter en lachte gemoedelijk.

'Zoiets, ja,' zei Carter zo vlak mogelijk.

'Goed. Dus deze hele toestand overvalt je nogal. Ik moet zeggen dat je er geen gras over hebt laten groeien, je hebt al je troepen gemobiliseerd om het uit te zoeken. Dat is knap, tijdens de feestdagen. En zonder de hulp van meneer Duvalier, die in het buitenland zit en niet bereikbaar is, als ik het goed begrijp.' Hij richtte zich tot Neil. 'Jullie kantoor en het mijne hebben goed samengewerkt. Sol heeft ons heel wat nuttige informatie gegeven.'

'We doen wat we kunnen,' zei Neil. 'We moeten wel. Reis is voorpaginanieuws. Ze moeten zich tegenover hun cliënten kunnen verantwoorden.'

'Ja. En dan die kwestie met David Levin van de sec. Die kan ernstige gevolgen hebben. Fraude bij rcm is één ding. Omkoping van een sec-functionaris is weer een heel ander verhaal.'

Carter wilde iets zeggen, maar Neil was hem voor. 'Dat was voor iedereen een verrassing,' zei hij. 'Maar het verklaart wel waarom de sec deze zaak zo lang op zijn beloop heeft gelaten.'

'Wist je dat David Levin contact onderhield met mensen van jouw kantoor? Alain Duvalier en Paul Ross?'

'Nee,' zei Carter. 'Of nou ja, ik wist dat hij weleens belde, maar niet dat hij contact met Alain had. En ik geloof ook niet dat Paul dat wist. En voordat ik het van Sol hoorde, wist ik ook niet dat er geld naar hem was overgemaakt.'

'Goed.' Robertson schoof het stapeltje papieren naar Carter en Neil. 'Dit kregen we vanmorgen vroeg van Sol. Afschriften van betalingen van een rekening van Delphic Europe aan een rekening die we naar David Levin hebben getraceerd. Ik weet dat je hebt gezegd dat je daar niets van wist. Dit zijn twee kopieën van die afschriften – kunnen jullie daar even naar kijken? Hebben jullie die al eerder gezien?'

'Waar gaat dit over, Bill?' vroeg Neil. Hij en Carter bladerden door de papieren die voor hen lagen. 'Hij heeft toch gezegd dat hij niets van die overschrijvingen wist? Wanneer hebben jullie dit van hem gekregen?'

'Nee, dat begrijp ik wel, Neil. Maar ik vraag nu of jij of Carter deze afschriften al eens eerder hebben gezien. Heeft Sol jullie er inzage in gegeven?' vroeg Robertson. Hij keek Carter indringend aan.

Arrogante lul, dacht Carter. Hij komt zowat klaar als hij me in zijn klauwen kan laten spartelen.

'Ik zie dit voor het eerst,' zei hij. 'Ik heb mijn bedrijf eigenhandig van de grond af opgebouwd. Ik heb Alain altijd de beleggingskant toevertrouwd en heb me zelf uitsluitend op de cliënten gericht. Dat is altijd zo geweest. Ik was van plan me aan het eind van dit fiscale jaar terug te trekken; iedereen kan bevestigen dat ik al een paar jaar bezig ben mijn werk in de directie af te bouwen. En ik betreur het nu des te meer dat ik mijn partner zo blind heb vertrouwd, maar het is belachelijk dat ik me moet verdedigen voor iets wat één op drift geraakte man heeft gedaan. We hebben meer dan veertien miljard in portefeuille. Wij zijn een groot bedrijf. En je moet de taken nu eenmaal op de een of andere manier verdelen.'

'Het ging niet alleen om één op drift geraakte man. Dat is het nu juist.'

'Als er anderen betrokken zijn geweest bij wanbeheer, of bij de zaken die Alain met die David Levin van de sec deed, dan is dat inderdaad heel erg, ja. Maar tot nu toe wist ik daar niets van. Ik dacht altijd dat ik eerlijke, nette mensen in dienst had. Althans voor het merendeel.'

'En Paul?'

'Paul?'

'Wist je dat hij erbij betrokken was? Bij die "zaken" met de sec?'

'Daar had Paul niets mee te maken. Hij is pas twee maanden bij ons. Ik vind dat een ongepaste insinuatie.'

'Ik insinueer niets,' zei Robertson. Zijn stem klonk tegelijk kil en triomfantelijk. 'Ik constateer een feit.' Hij schoof de papieren weer naar hen toe. 'Zoals het er hier uitziet, was Paul een van de ondertekenaars die de overboekingen hebben goedgekeurd.'

Carter had ineens een steen in zijn maag. Hij werd helemaal koud en huiverde onwillekeurig. Hij griste de papieren naar zich toe.

'Ga eens naar de laatste pagina. Zie je het? Onder de handtekening van Alain.'

'Dat moet een misverstand zijn,' zei Carter tegen Neil. 'Ik moet Sol spreken. Wat doet Pauls naam daar?'

Neil keek hem woedend aan en beduidde hem met zijn ogen dat hij niets meer moest zeggen. 'Hier moet Sol ook bij zijn,' zei hij tegen Eli en nadrukkelijk niet tegen Robertson. Hij was zichtbaar ontdaan. 'Of tenminste telefonisch.'

'Hij komt niet,' zei Robertson. 'En jullie kunnen hem ook niet bereiken. We hebben hem vanmorgen gearresteerd.'

Neil stond op en legde zijn handpalmen vlak voor zich op de tafel. 'Wát?' Hij keek zo kwaad dat Carter even dacht dat hij Robertson zou aanvliegen.

Inmiddels was iedereen opgestaan en de kamer begon weer te draaien. Carter dacht dat hij flauw zou vallen. Hij knipperde telkens met zijn ogen achter zijn bril en deed zijn best zich te concentreren, maar alles ging zo snel dat het wel leek alsof hij naar een film zat te kijken waarbij iemand op de FAST FORWARD-knop had gedrukt, zodat hij moeite had de snelle bewegingen van de acteurs op het scherm te volgen.

'Je partner erin luizen. Niet erg netjes,' zei Robertson tegen Carter. 'En je schoonzoon erin luizen is helemáál misselijk. Vind je zelf ook niet?'

'Maar ik heb niemand erin ge...'

'Stil. Niets meer zeggen, Carter. Geen woord meer.' Neil probeerde gezag uit te stralen, maar er klonk een radeloze trilling in zijn stem.

Er werd aangeklopt. 'Binnen,' zei Eli. Hij stond op.

'Ik moet Sol spreken,' zei Carter tegen Neil. 'Paul had hier niets mee te maken. Hier heeft Sol niets over gezegd.'

'Je bestrijdt de geldigheid van deze documenten?' vroeg Neil. Hij hield de papieren omhoog. Hij schudde ermee, of misschien lag dat aan zijn trillende handen. Hoe dan ook, hij was niet kalm meer. Carter keek hem strak aan, doodsbang. Zijn haar, dat gewoonlijk met gel achterover geplakt zat, kwam plukkerig overeind en zijn gezicht verkleurde tot een giftig paarsrood.

'Dit is agent Dowd,' zei Eli bedaard, en iedereen draaide zich om naar de man die nu binnenkwam. 'Het spijt me, Carter, maar we hebben besloten je in hechtenis te nemen.'

'Dit kan niet waar zijn,' zei Neil.

Robertson keek hem met zijn donkere ogen furieus aan. 'Pas op, Neil,' grauwde hij met opgetrokken bovenlip. 'Vanmorgen hebben we je partner geboeid afgevoerd. We hebben mensen van jullie kantoor die bereid zijn te getuigen dat die overmakingen een opzetje zijn om de schijn te wekken dat Alain Duvalier en Paul Ross David Levin wilden omkopen. Ik heb ook een getuige, Scott Stevens, een jurist die vroeger bij de sec werkte – misschien kennen jullie hem nog –, die bereid is een verklaring over zijn eerdere ervaringen met deze zaak af te leggen. Hij beweert dat de sec hem eruit heeft gewerkt vanwege zijn onderzoek naar rcm een paar jaar geleden. We hebben meer dan voldoende bewijs om deze arrestatie te rechtvaardigen. Carter is vluchtgevaarlijk. Als jullie vandaag niet zelf waren gekomen, dan waren we wel naar jullie toe gekomen. Wees liever blij dat de pers niet op de stoep staat.'

'Waarom zou Sol zoiets hebben gedaan? Zelfs voor jullie doen is dit nogal vergezocht,' tierde Neil. Zijn neusvleugels trilden van woede.

Robertson glimlachte als een kat die heeft ontdekt hoe de ijskast opengaat. 'Ik denk – maar zeg het gerust als ik me vergis, Carter – dat de poging David Levin verdacht te maken een laatste redmiddel was om de aandacht af te leiden van de sec-medewerker die rcm en Delphic wérkelijk de hand boven het hoofd hield. Een interessante zet. Maar riskant. Agent Dowd brengt je nu naar het politiebureau. Als je je relatie met Jane Hewitt nog met ons wilt bespreken – wat me heel verstandig lijkt – dan is dit het moment. En anders zal zijzelf wel bereid zijn er iets over te zeggen als we haar arresteren.'

Carter stond op. Hij moest zich aan de tafel vasthouden om niet te vallen en hij trilde over zijn hele lijf. Hij voelde zich zo kwetsbaar en onbeduidend als een blaadje aan een grote eik; een zuchtje wind kon hem al in vrije val brengen.

Hij deed zijn mond open, maar slaagde er niet in iets tegen Robertson te zeggen. Tegen Neil zei hij: 'Bel Ines. Bel Merrill. Merrill eerst. Leg uit wat er gebeurd is. Ze moet begrijpen dat ik nooit iets zou doen wat haar kan beschadigen.'

Nadat de cautie was uitgesproken, kreeg Carter handboeien om en werd hij door de agent naar een auto gebracht; hij kon alleen nog maar aan Merrills huwelijk denken. Een prachtige dag. De lucht was wazig lichtblauw, de kleur van haar ogen en van de jurken van de bruidsmeisjes en de cummerbunds van de getuigen van de bruidegom. Er had een tent op het gazon gestaan, wit, met een wimpel op het dak, en de dunne stof wapperde feestelijk in de avondlucht. Ze hadden de hele nacht gedanst totdat het bijna licht werd.

Merrill had in Beech House willen trouwen. Ines had geprobeerd haar dat uit het hoofd te praten – in de stad was het gemakkelijker te organiseren, chiquer, een echt gala – maar daar had Carter zich tegen verzet. Hij wilde dat alles precies zo ging als Merrill het zich had voorgesteld. Als hij mooi weer had kunnen kopen, zou hij dat hebben gedaan. Maar het weer werkte uit zichzelf al mee.

Merrill en Paul waren een dag later op huwelijksreis naar Zuid-Frankrijk vertrokken. Carter was blij dat hij hen had uitgezwaaid en ook dat ze weg was toen die dinsdag de vliegtuigen de Twin Towers in vlogen en heel New York in rouw gedompeld werd.

Zondag, 11.00 uur

Marion lag in bed, kneep haar ogen stijf dicht en wachtte. Als ze lang genoeg wachtte, zou er waarschijnlijk een van de volgende dingen gebeuren: (1) ze viel weer in slaap en als ze wakker werd, was alles weer normaal; (2) ze werd gebeld met de verklaring dat het allemaal een afschuwelijk misverstand was, maar dat het werd rechtgezet; of (3) de voordeur ging open en Sol kwam binnen, riep haar naam en begon te briesen over die idioten bij justitie. In het laatste geval zou ze koffie gaan zetten terwijl hij alles uitlegde, het hele web van verwarring en vergissingen dat tot zijn kortstondige hechtenis had geleid. Dan zou zij hoofdschuddend luisteren en af en toe iets bevestigends zeggen ('verschrikkelijk' en 'wat heb je dat goed aangepakt'), en hij zou zeggen dat hij het heel naar vond dat ze haar zo hadden laten schrikken. Later zouden ze alles in kleuren en geuren aan hun vrienden vertellen, een spannend verhaal voor bij de borrel.

De minuten verstreken. Haar hart bonkte in haar keel. Hoe langer ze wachtte, hoe nerveuzer ze werd. Ze wist dat ze klaarwakker was, maar ergens diep van binnen ging ze steeds sterker geloven dat dit een bijzonder realistische nachtmerrie was. Als ze zich maar heel hard concentreerde, werd ze misschien wakker.

Doe je ogen open, dacht ze ingespannen. Als je je ogen opendoet, zie je Sol die naast je ligt te slapen, dan blijkt het allemaal een afschuwelijke droom te zijn geweest.

De telefoon ging, een schrille, doordringende schreeuw.

Ze kwam overeind en deed haar ogen open. Het eerste wat ze zag was Sols pyjamabroek op de grond bij de kast. Hij lag zo uitgespreid dat het leek alsof hij hem al rennend had laten vallen. Alle details van die ochtend kwamen weer terug, messcherp en verschrikkelijk. Ze maakte een onwillekeurige schrikbeweging. Toen nam ze op.

'Ja?' zei ze, bang voor het bericht dat ze te horen zou krijgen. Haar vingers spanden zich om de telefoon.

'Marion?'

'Ja?'

'Met Ines Darling. Wat is er aan de hand? Ik zag Sol net op tv! Ik dacht dat hij bij mijn man was.' Normaal gesproken werd Marion altijd een beetje zenuwachtig van Ines. Alles aan haar leek zo glad en moeiteloos: het steile, glanzende haar, de perfecte kleren, haar houding, de manier waarop ze zich door een kamer kon bewegen. Marion wist wel dat Ines het niet zo bedoelde, maar toch kreeg ze bij haar altijd het gevoel dat ze zich nog van de middelbare school herinnerde: dat ze hopeloos dik, lomp en slordig was. Ze was altijd haar sleutels kwijt, haar haar wilde niet goed zitten en ze at te veel brood bij het avondeten. Ze kon zich niet voorstellen dat Ines, de volmaakte, charmante Ines, zulke triviale imperfecties kende.

Ines was altijd vriendelijk tegen haar, maar ze vermoedde dat ze haar eigenlijk verschrikkelijk saai vond, maar haar nu eenmaal moest dulden vanwege het werk van haar man. Ines was bevriend met vrouwen als CeCe Patterson en Delphine Lewis, vrouwen uit het societynieuws, zoals Sol ze noemde. Marion stond nooit in de krant en wilde dat ook graag zo houden. Eigenlijk vond ze die societyvrouwen een beetje saai. Ze had geen behoefte aan meer dan het vluchtige maar vriendelijke contact dat ze met Ines had; ze spraken elkaar alleen in gezelschap van hun mannen en deden niet eens alsof het denkbaar was dat ze ooit samen met hun tweetjes ergens zouden lunchen of zoiets. Marion kon zich niet heugen wanneer Ines haar voor het laatst had gebeld.

'Hallo, Ines,' zei ze nu hees. 'Nee, ik weet niet waar Carter is... Sol... is vanmorgen gearresteerd.'

'O god – Marion! Red je het een beetje? Wanneer is dat gebeurd?'

'Heel vroeg, om een uur of zes. Sol sliep nog. Er werd op de deur gebonkt, zo hard dat ik dacht dat ze hem intrapten. Ik heb snel een badjas aangetrokken en opengedaan. Ze waren met zijn vijven. Grote kerels, een arrestatieteam in uniform. Ze wapperden met een arrestatiebevel en duwden me opzij. Ik dacht dat het een vergissing was...' Haar stem trilde en stierf toen weg. Ze drukte een hand tegen haar hart alsof ze zo het bonken kon laten bedaren.

'Ben je nu alleen?'

Er wrong zich een snik naar buiten. 'Ja!' Ze deed haar best om zich te beheersen, maar het was zó verschrikkelijk... Ze viel terug op het bed met een arm om haar bovenlijf heen geslagen alsof ze een trap in haar ribben had gekregen. In veertig jaar huwelijk was ze nooit langer dan twee dagen alleen geweest. Als Sol langer op zakenreis moest, ging ze mee. Als hij ziek was, werd zij ook ziek, als hij verdrietig was, voelde zij zich ellendig. Ze wist wel dat het niet in alle huwelijken zo ging. Zij waren misschien te afhankelijk van elkaar geworden. Maar andere echtparen, althans de echtparen die ze kende, hadden kinderen. Misschien zou het bij hen anders zijn gegaan als ze kinderen hadden kunnen krijgen, maar nu leken ze wel een Siamese tweeling met één hart. Wat was ze zonder hem? Zonder hem... ze kon het zich niet voorstellen. Ze wilde het zich niet voorstellen.

'Is er iemand die je kunt bellen?' drong Ines aan. 'Iemand die naar je toe kan komen, zodat je niet alleen bent? Hebben ze gezegd wanneer hij weer terugkomt?'

'Ze zeiden helemaal niets. Het was zo angstaanjagend, Ines. Hij kwam ze tegemoet in zijn pyjamabroek en een oud shirt en ze staken meteen die riedel af zoals altijd in de film, weet je wel? En ze wilden hem meteen handboeien omdoen, waar ik bij stond – kun je het je voorstellen? – en hij moest vragen of hij zich niet eerst even mocht aankleden. Zo ongelooflijk vernederend. Er gingen twee van die kerels mee de slaapkamer in en hij moest snel iets aan-trekken, waar zij bij stonden. Goddank hebben ze die handboeien toen maar laten zitten. Ik zei almaar tegen ze: goeie god, hij is tweeënzestig.'

Ines beet op haar lip. Het beeld van Sol die voor de rechtbank aan Centre Street uit een politieauto kwam, stond nog vers op haar netvlies; het was sinds negen uur die ochtend al twee keer op het nieuws geweest. En ze wist zeker dat hij handboeien om had gehad.

'Wat verschrikkelijk,' zei ze. 'Wat erg. Ik zit nog in East Hamp-ton, maar ik heb een auto besteld om me naar de stad te laten bren-gen. Ik zou zelf wel rijden, maar – ik durf het niet aan vanwege mijn zenuwen. Ik heb geen idee waar Carter is. Ik dacht dat hij bij Sol was, totdat ik het nieuws op tv zag...'

Marion had de televisie nog niet aangezet. Dat deed ze nu, maar zonder geluid. Nog geen minuut later kwam het gezicht van haar man in beeld.

Hoe wisten die verslaggevers waar ze moesten zijn? Hadden ze een verklikker bij de politie die tips voor sappige verhalen door-gaf, zoals tijd en plaats van de arrestatie van de oprichter en mede-naamgever van Penzell & Rubicam? Wat zou zo'n tip eigenlijk op-brengen?

'... ik háát die kutjournalisten,' mompelde Ines, alsof ze Mari-ons gedachten kon lezen. 'Let maar niet op mijn taalgebruik. Aas-gieren zijn het.'

Marion luisterde niet meer; al haar aandacht ging naar het nieuws. Wat ziet hij er oud uit, dacht ze met haar hand nog steeds tegen haar linkerborst gedrukt. Ze voelde haar hart snel en hard kloppen. Arme Sol.

Hij had donkere wallen onder zijn ogen. Hij keek niet naar de camera, maar naar het beton onder zijn voeten. Zijn haar zat in de war en zijn boord zat scheef; hij zag eruit alsof hij net uit bed kwam. De camera zoomde uit en nu was Sol helemaal te zien ter-wijl hij tussen twee agenten het gebouw in liep. Toen zag ze het: hij had handboeien om. Als een ordinaire misdadiger.

Die moeten ze hem in de auto hebben omgedaan, dacht ze. Wat gingen ze hem nog meer aandoen? Ze waren vanmorgen ruw met hem omgesprongen, of niet zozeer ruw als wel krachtdadig, intimiderend... dit was verkeerd, helemaal verkeerd...

'Sorry,' mompelde ze tegen Ines, 'ik moet ophangen.'

'Ja, ja, natuurlijk. Bel me als je iets hoort, goed? Je hebt mijn mobiele nummer toch?'

'Ja,' zei Marion dof, al wist ze dat niet zeker.

'Het komt allemaal goed. Het wordt wel weer ontzenuwd.'

Marion hing op en liet zich weer in bed glijden. Ze had de hele tijd geprobeerd in zijn ogen te kijken. Maar zelfs als hij tegen haar praatte ('Rustig maar, schat, het is gewoon een misverstand') keek hij haar niet aan, maar richtte hij zijn blik op de grond of op een van de agenten. Het was zo snel gegaan. Voordat hij werd meegenomen, mocht hij haar nog even omhelzen. Hij drukte zijn hele lichaam tegen haar aan. Ze hoorde en voelde zijn ademhaling in haar hals, snelle, korte stoten. Ze rook zijn muffe ochtendgeur en zijn ochtendadem alsof ze nog samen in bed lagen, zijn stoppels tegen haar wang. Hij fluisterde in haar oor: 'Ik hou van je. Vergeef me alsjeblieft.' Toen hij haar losliet, ving ze even zijn blik.

Er was iets grondig mis.

Had hij niet verbaasd moeten zijn? Geschrokken? Verontwaardigd? Maar hij had haar niet aangekeken... en toen ze hem naar buiten duwden, hingen zijn schouders berustend omlaag...

Hij had het al verwacht, dacht ze. Misschien nog niet vanmorgen of deze week of zelfs dit jaar, maar hij had het zien aankomen.

Het was geen misverstand.

Ze rolde zich op haar buik en begroef haar gezicht in Sols kussen. Dat rook nog naar hem. Nu stond ze zichzelf toe te huilen, ongeremd, jammerend, met haar mond wijd open, gesmoord in het kussen.

'Wát moest ik je vergeven?' vroeg ze hardop. 'Hoe kan ik je vergeven als ik niet weet wat je hebt gedaan?'

Ze hoorde zichzelf hardop praten en voelde zich ineens opgelaten. Ze duwde haar gezicht nog dieper in het kussen om de ondraaglijke stilte in de kamer buiten te sluiten.

Zondag, 11.20 uur

Het was stil in huis, maar aangenaam stil. Niet zoals je in het huis van een verse weduwe zou verwachten. Het was iets te warm in de slaapkamer (ze had tegen Carmen gezegd dat ze de radiator niet de hele dag aan moest laten staan, maar dat was ze blijkbaar alweer vergeten) maar dat was een prettig contrast met de ijzige kou buiten. Op de bijzettafeltjes stonden bloemen. Die werden één keer per week ververst, behalve de orchideeën, want die bleven langer goed. Ze hield het meest van orchideeën, maar die waren erg duur. Morty vond het vervelend als ze er te veel kocht. Die lelies stonden trouwens vrolijker. Ze vond die geur in de slaapkamer lekker; die gaf haar het gevoel dat er goed voor haar werd gezorgd. Alsof ze in een hotel zat. Maar als je goed keek, zag je dat ze al helemaal open waren en dat sommige al stuifmeel op de tafel lieten vallen, een dun laagje goudstof. Maandag zouden ze wel dood zijn.

Ze vroeg zich af of Carmen die week wel geweest was. Ze wist niet wat Morty met Carmen deed als zij er niet was, maar ze vermoedde dat hij haar vroeg naar huis stuurde of zei dat ze helemaal niet hoefde te komen. Morty had nooit een inwonende huishoudster willen hebben.

Voor het eerst in dagen had Julianne goed geslapen. Haar eerste gedachte die ochtend was dat het heerlijk was om weer in haar eigen bed te liggen. Dat gaf haar een verrukkelijk, compleet gevoel, alsof ze weer aan de beterende hand was. Haar hoofd was helder en haar lijf deed geen pijn meer, voor het eerst sinds ze uit het vliegtuig uit Aspen was gestapt. En ze had haar eigen zijden pyjama weer aan, de witte met de roze biesjes, in plaats van het oude

T-shirt uit de la in het huis in Aspen dat daar lag voor het geval ze haar pyjama vergeten was. Ze voelde zich ontspannen – durfde ze dat wel te denken?

Ze was in Aspen gebleven omdat ze zich totaal verlamd voelde, alsof het allemaal pas echt zou worden als ze weer thuis was. Bovendien kon ze niet makkelijk aan een ticket komen. Sol Penzell had geprobeerd een privévliegtuig voor haar te regelen en onder normale omstandigheden zou ze dat niet hebben afgeslagen, maar nu had ze op het laatste moment zijn secretaresse, Yvonne, gebeld om het af te zeggen. Wat moest ze trouwens in New York? Met een Thanksgiving-maaltijd voor de televisie zitten? Haar spullen vast inpakken?

Even voelde ze zich schuldig omdat het zo goed met haar ging, of liever gezegd, het leek haar ongepast. Maar het drong nu eenmaal nog steeds niet tot haar door dat Morty er echt niet meer was. De sfeer in huis was niet anders dan wanneer hij op reis was, en dat was hij vaak. Zijn aanwezigheid was nog voelbaar in hun slaapkamer. Zijn kast rook naar de cedergeur van zijn aftershave. Er hingen zes nette overhemden, nog met het plastic van de wasserij eromheen, aan hangertjes van ijzerdraad aan de binnenkant van de deur. Hij had ze duidelijk zelf gehaald, want Carmen zou ze hebben uitgepakt en op de gewone houten knaapjes hebben gehangen. Op de wastafel lag zijn scheermesje naast haar tandenborstel. De houder was leeg, alsof hij zich die ochtend nog hier had geschoren en het oude mesje had weggegooid. Julianne dacht zelfs dat ze stoppels in de wasbak zag liggen. Ze spoelde ze weg en plenste koud water in haar gezicht. Toen legde ze het scheermesje op zijn plaats, op Morty's plank in de badkamerkast.

Waarom zou iemand zijn was gaan halen en zich scheren voordat hij zich van kant maakt? Ze bande de gedachte meteen uit, maar die bleef als een roofdier in haar achterhoofd op de loer liggen om haar later weer te bespringen.

Julianne was gewend de zondagmorgen alleen door te brengen. De zondag was altijd de dag waarop Morty het werk inhaalde dat die week was blijven liggen, dus meestal was hij al weg voordat ze wakker werd. Als ze opstond, trok ze haar sportkleren aan en stapte op de loopband op de derde verdieping van hun huis. Dan ging ze naar de manicure (de Koreaanse salon op de hoek ging op zondag altijd om twaalf uur open) en las de verslagen van society-huwelijken in de *New York Times*. Daar kon ze ongegeneerd van genieten, het was het enige deel van de krant dat haar werkelijk interesseerde. Ze keek graag naar knappe vrouwen, een beetje zoals zijzelf, met succesvolle mannen. Voornamelijk mannen uit de financiële wereld met indrukwekkende titels als CEO, *managing director* of financieel directeur. Ze stelde zich voor wat ze deden als ze samen alleen waren. Misschien hielden ze allebei van zeilen. Of ze zaten op een schietvereniging of ze verzamelden Beatles-spullen. Misschien wisten ze allebei hoe het was om bij een auto-ongeluk een ouder kwijt te raken, of naar de AA te moeten, of een straatarme jeugd te hebben gehad. Misschien waren ze wel helemaal niet getrouwd om de redenen die iedereen meende te kennen. Met het construeren van een leven voor die bruidsparen was ze wel een uur of twee zoet.

De zondag was niet zo heel anders dan de rest van de week, maar er heerste dan een rust die in de werkweek ontbrak. Julianne genoot van het vredige tempo. Geen afspraken overdag, 's avonds geen officiële toestanden met Morty en zijn vrienden. Morty kwam om vijf uur 's middags thuis om te eten. Hij at graag vroeg, samen aan de keukentafel. Angela, de kokkin, zette op vrijdagavond altijd tupperwarebakjes met keurige etiketten in de ijskast voordat ze wegging: stoofvlees of coq au vin. Dan hoefde Julianne niet zelf te koken. Morty had haar twee keer naar een kookcursus gestuurd, maar ze bracht er nog steeds niets van terecht. Soms kocht ze brood bij de bakker naast de Koreaanse manicure, als ze eraan dacht.

Angela had de hele week vrij gekregen vanwege de feestdagen, dus nu stond er niets in de ijskast. Toen Julianne erin keek, werd ze even moedeloos. Een la vol San Pellegrino, een paar zachte kaasjes in folie, sojamelk, een pot cocktailaugurkjes (at er eigenlijk weleens iemand cocktailaugurkjes? vroeg ze zich af), een in blokjes gesneden meloen, bier, ketchup en andere sausjes en smeersels waar ze niets mee kon. Ze haalde de meloen uit de ijskast en hoewel hij al over de datum was, stak ze toch een blokje in haar mond. Het was overrijp en begon al bijna te gisten; toen ze het doorslikte, brandde het in haar keel. Ze gooide de rest in de vuilnisbak.

Toen ze het deksel van de bak opendeed, zag ze een dubbelgevouwen pizzadoos liggen. Ze schrok hevig. Die was van Morty, dat was duidelijk. Ze haalde het ding eruit en inspecteerde het alsof het aanwijzingen kon bevatten. Er zat een ronde vetvlek op de onderkant en het karton was koud en klam. Er zat nog een restje pizza in. Morty bewaarde altijd van alles: cadeaupapier, de reserveknoopjes in het plastic zakje dat je erbij kreeg als je een nieuwe jas kocht. Ze werd ineens misselijk van verdriet. Ze wilde de doos weer teruggooien, maar kon hem niet loslaten, ze leek plotseling verlamd.

De realiteit drong nu met vernietigende kracht tot haar door als een beest dat zijn tanden in haar vlees zette. Het was niet eens verdriet, het leek eerder angst. Ze kreeg kippenvel en haar tenen kromden zich op de tegelvloer. Ze wilde het liefst naar buiten rennen, een taxi aanhouden, naar het vliegveld rijden en op het eerste vliegtuig naar Texas of Zuid-Frankrijk of Caïro of Mexico springen. Weg hier, niets meenemen, gewoon in de taxi springen en wegwezen... maar ze stond als aan de grond genageld met de pizzadoos in beide handen, terwijl het verkeerslawaai buiten ineens harder leek. Ze hoorde het diepe gerommel van een motor aanzwellen en weer wegsterven; ze had het liefst achterop willen springen en meerijden over een van de bruggen om zich in een verlaten zijstraat te laten afzetten, waar ze in stilte kon verdwijnen. Wat was er hier in huis gebeurd? Het deed ineens vreemd aan, alsof ze hier niet hoorde, alsof ze een ruitje had ingetikt en ieder moment kon worden betrapt.

Ze ging weer naar boven en viel in een droomloze slaap.

Toen ze weer wakker werd, brandden de straatlantaarns al tegen een kobaltblauwe lucht. Ze had besloten wat ze zou doen en ging meteen met een verbeten doelgerichtheid aan de slag. Eerst naar de keuken. Ze gooide alles wat bederfelijk was in de vuilniszak en zette die toen zelf buiten. Morty's cornflakes, zijn energierepen, zijn zoetjes, zijn gemalen koffie. En het kruidenrekje, want dat had hij voor haar gekocht. Zo ging ze alle vier de verdiepingen af. De bloemen uit de zitkamer, de eetkamer en de wc beneden. Ze haalde de foto's van Morty van de boekenplanken, legde ze netjes in een grote koffer en sleepte die naar zijn inloopkast. Zijn werkkamer was minder rommelig dan ze had verwacht. Ze wist dat iemand daar binnenkort zou willen rondkijken en kwaad zou zijn als het leek alsof iemand er had opgeruimd, dus deed ze de deur weer dicht zonder iets te verstoren, alsof het een heiligdom was.

Ze was uren bezig, maar het was bevredigend werk. Ze besefte zelf niet goed waarvoor ze het eigenlijk deed, maar ze was ervan overtuigd dat het nodig was. Na het overlijden van haar vader had haar moeder het huis altijd precies zo gelaten als toen hij nog leefde. Zijn schoenen bleven op de plank in de vestibule staan en er stonden altijd flesjes A&W-limonade en kant-en-klare bloody mary in de provisiekast, al dronk niemand dat ooit. Haar vader had altijd bij de spoorwegen gewerkt en in het souterrain had hij een modelspoorbaan aangelegd, minuscule treintjes die in oneindige lussen rondreden over de houten tafels die hij zelf had gemaakt. Voor de levenden was het onverdraaglijk. Niemand sprak ooit over hem, maar zijn aanwezigheid was in alle kamers voelbaar, alsof hij alleen maar even de deur uit was om een krant te kopen. Haar moeder werd mager en grauw en zweefde als een spook door het huis. Julianne en haar zusje Caroline hadden het gevoel dat ze het huis met twee geesten deelden. Hun moeder kwam alleen op zondag nog de deur uit, om naar de kerk te gaan. Toen zij drie jaar later ook overleed, was Julianne eerder opgelucht dan verdrietig, en ze had het gevoel dat dat voor Caroline ook zo was. Ze lieten haar naast hun vader op het oude kerkhof aan Mill Street begraven, vlak bij de noordelijke stadsgrens.

Toen Julianne eindelijk in de grote slaapkamer stond, was haar haar vochtig van het zweet. Ze had een rol vuilniszakken uit de keuken meegenomen en stapte meteen de badkamer in. Daar ging het scheermesje, en het scheerschuim, Morty's Old Spice-deodorant, zijn tandpasta, zijn oude contactlenzendoosje dat hij had bewaard, ook al gebruikte hij het niet meer sinds hij op daglenzen was overgestapt. Ze aarzelde voordat ze de lenzen zelf weggooide — die waren zo duur geweest — maar deed het toen toch, zodat ze ze nooit meer hoefde te zien. Toen alles in de vuilniszak zat, ging ze op de rand van het bad zitten en huilde.

Waarom had hij zich geschoren?

Er zouden nog vele nachten komen waarin ze klaarwakker in bed lag en de volgende twintig minuten opnieuw beleefde. Daar, op de rand van de badkuip, bedacht ze ineens dat ze ondanks haar grondigheid Morty's pillen niet had weggegooid. Ze wist uit haar hoofd hoe ze allemaal heetten: Dilantin tegen de epilepsie, Lipitor voor het cholesterol, Ambien om te slapen. Ze wist precies hoeveel vierkante millimeter de potjes in de badkamerkast bezetten. En ze wist ook dat ze ze niet samen met zijn andere spullen had weggegooid, en ze doorzocht de inhoud van de vuilniszak nog eens om dat te controleren.

Dat hoefde eigenlijk niet, want ze wist waar die pillen waren. Of liever gezegd niet precies waar, maar wel bij wie. Morty zou nooit weggaan zonder zijn pillen. Vooral die Dilantin. Hij was als de dood dat hij een aanval zou krijgen. De controle kwijtraken

– dat is het ergste wat een mens kan overkomen, had hij een keer tegen haar gezegd.

Ze zag voor zich hoe hij voor de badkamerkast over die pillen moest hebben staan dubben. Zijn medicijnen meenemen – een ingecalculeerd risico. Als het nu eens iemand opviel dat ze weg waren? Dan viel hij door de mand. Op de bodem van de rivier had je geen Dilantin meer nodig... Dat moet hij beseft hebben, maar de angst voor een toeval was hem te machtig geweest. Op het vliegveld mocht hij geen aanval krijgen. En zeker niet na zijn verdwijning. Wie moest er voor hem zorgen als dat gebeurde? Hij kon niet naar een ziekenhuis; hij zou zich zijn hele verdere leven schuil moeten houden. Die gedachten moesten door hem heen zijn gegaan toen hij zijn pillen meenam.

Hij moest hebben bedacht dat zij het zou ontdekken. Ze had altijd goed opgelet dat hij zijn medicijnen op tijd innam. Ze zou zien dat de pillen weg waren en dan zou ze het begrijpen. Daar hoefde je geen genie voor te zijn, als je eenmaal wist waar je naar moest zoeken.

Ze voelde een wonderlijke mengeling van tederheid en woede. Daar in de badkamer, alleen op de rand van het bad, deelde ze voor het laatst iets met hem. Hij had haar zijn geheim verklapt. Hij wist dat ze zich gevleid zou voelen en het niet zou doorvertellen. Ze voelde zich altijd gevleid als ze merkte dat hij aan haar dacht – gevleid en zo trouw als een hond.

Zijn vertrouwen in haar loyaliteit maakte haar ook een beetje kwaad. Kwaad genoeg om naar de telefoon te lopen, de vuilniszak achter zich aan slepend als een kind met een slee. Ze had de hoorn al in haar hand voordat ze wist wie ze kon bellen. Carter Darling? Zijn juridisch adviseur, Sol? Haar eigen advocaat, die ze welgeteld één keer had gesproken, toen ze wilde dat Morty met haar trouwde? Er moest toch iemand zijn die het moest weten, dacht ze, dat leek niet meer dan redelijk. Maar ze kon niemand bedenken.

Ten slotte legde ze de telefoon weer neer en liep naar beneden om het vuilnis buiten te zetten. Haar woede was gezakt, weggespoeld door een golf van vermoeidheid. Toen ze eindelijk de telefoon weer pakte, later die avond, belde ze alleen haar zusje Caroline in Texas.

'Ik kom naar huis,' zei ze, 'als je dat goedvindt tenminste.'

En dat deed ze: ze ging terug naar de plek waar ze vandaan kwam. Ze had nooit gedacht dat ze dat zou doen; sinds ze in New York woonde, had ze er zelfs nooit meer aan teruggedacht. Maar het was het beste wat ze nu kon doen, of in elk geval het beste wat ze op dit moment kon bedenken.

Na alles wat er tussen hen was gebeurd, na alles wat hij haar had gegeven, kon ze eindelijk iets voor Morty terugdoen. Dat leek haar goed, zo goed dat ze er verder niet over hoefde na te denken. Nu stonden ze quitte. Als Morty gevonden werd – en ze wist bijna zeker dat ze hem uiteindelijk wel zouden vinden – wilde ze ook die nacht rustig kunnen slapen in het besef dat zij hem tenminste niet had verraden. Tot die tijd zou ze zich blijven afvragen hoelang hij hier al mee bezig was geweest.

Was hij naar Frankrijk gegaan, naar Sophie? Zijn ware liefde, degene die uiteindelijk altijd zijn vrouw zou blijven? Hadden ze dit samen bekokstoofd? Of was hij gewoon verdwenen en had hij zijn oude leven afgelegd als een slang zijn oude huid?

Ze wilde hem haten, maar zoals meestal kon ze niet lang kwaad op hem blijven. Zelfs als hij egoïstisch bezig was, hield hij voor haar altijd een vreemde charme. Hij deed alles altijd met zo'n briljante precisie, met zo'n bedrieglijke behendigheid, dat ze hem wel moest bewonderen. Ze had nooit iemand ontmoet die zó slim was. Morty deed alles beter dan wie ook, dacht ze. Het zou niet lang meer duren of ze zou stilletjes glimlachen als zijn naam in het nieuws ter sprake kwam. Hij had mij uitgekozen, zou ze dan denken. Althans voor een tijdje. En hij is slimmer dan jullie allemaal bij elkaar.

Als ze hem vonden, zou ze nog steeds trots op hem zijn omdat hij het tenminste geprobeerd had. Ze vond het zijn mooiste prestatie tot nu toe.

Maandag, 7.06 uur

'De proformazitting is verzet naar tien uur,' zei Neil toen Merrill binnenkwam. Hij trok haar even tegen zich aan, hun standaardbegroeting van de afgelopen twee etmalen. 'Het staat boven aan de rol.'

'Dat is tenminste iets.'

'Heb je je moeder nog gesproken?'

'Nee. Ik heb onderweg haar mobiele nummer geprobeerd. Ik heb haar voicemail ingesproken met het kamernummer voor het geval dat ze erbij wil zijn, maar ik denk niet dat ze komt.'

'En Lily en Adrian?'

Merrill haalde haar schouders op en schudde haar hoofd. Ze ging een bekertje koffie halen. Er was geen melk, alleen poedermelk en zoetjes. De koffie zelf was koud; de machine had waarschijnlijk de hele nacht uit gestaan. Het spul smaakte bitter, maar toch dronk ze het bekertje in een paar grote slokken leeg en schonk hem toen weer vol. Ze kon zich niet heugen wanneer ze voor het laatst gegeten had, maar toch had ze vreemd genoeg helemaal geen honger.

'Ik denk dat wij de enigen zijn,' zei ze. Ze gooide het bekertje in de vuilnisbak.

Neil knikte. 'Het zou wel beter staan als je moeder er ook bij was.'

'Ik kan er ook niets aan doen.'

'Nee, snap ik.' Neil draaide zich om naar de jongste medewerker die aan de vergadertafel zwijgend met een stapeltje papieren in de weer was. 'Is alles klaar om te tekenen?'

'Ja,' zei de jongeman. Merrill bedacht dat hij waarschijnlijk nauwelijks jonger was dan zijzelf; misschien was hij een jaar of twee na haar afgestudeerd, maar hij leek bijna een kind, een jongetje in een net pak. 'En de auto's staan klaar, jullie kunnen weg wanneer jullie willen.'

'Je moet dit nog even tekenen,' zei Neil zacht. Merrill kon niet uitmaken of hij werkelijk met haar meeleefde of alleen maar doorhad hoe hij in zo'n situatie zijn zin moest krijgen. Ze had Neil nooit helemaal vertrouwd, maar inmiddels vertrouwde ze niemand meer. Behalve Paul.

'Is dit voor de cheque?' vroeg ze aan de jongen. Hij knikte en gaf haar een pen.

'We mogen pas weg als we die cheque voor vier miljoen hebben getekend.' Neil schonk haar een klein, bijna verontschuldigend glimlachje. 'We hebben het geld naar jouw rekening laten overhevelen, zodat jij ervoor kunt tekenen.'

'Kan ik hem daar straks even spreken? Onder vier ogen?'

'Na de zitting. Zodra de borgsom is betaald, mag hij weg.'

'Goed,' zei ze. 'Laten we het maar zo snel mogelijk afhandelen.'

Al dagenlang wilde Merrill haar vader een paar minuutjes alleen spreken. Ze had zo veel vragen en verlangde zo veel antwoorden, die ze niet zou geloven, maar die ze toch uit zijn eigen mond wilde horen. Ze wilde hem recht aankijken, hem dwingen haar vragen te beantwoorden. Dat was hij aan haar verplicht.

In de zittingskamer streek ze stilletjes op een bank achterin neer. Ze deed haar best om een aandachtige indruk te maken, maar de woorden van de rechter werden overstemd door het drukke rumoer in haar hoofd. Ze voelde dat er naar haar werd gekeken, dus hield ze haar blik strak op de rechter gericht. Wat verwachtten ze van haar? dacht ze bitter. Tranen? Woede? Hooghartigheid?

Ze wist niet goed wat ze moest doen, zelfs niet wat ze moest voelen. Ze kon nauwelijks bevatten dat dit hier iets met haar familie te maken had. Het deed haar vooral denken aan de rollenspellen tijdens haar studie, in zaaltjes die voor de gelegenheid als rechtszaal waren ingericht. Ze had die oefeningen altijd tenenkrommend vergezocht en onnatuurlijk gevonden en gedacht dat ze totaal niet op een echte zitting leken. Nu verwachtte ze half en half dat de rechter en de mensen van het openbaar ministerie ieder moment uit hun rol konden vallen en dan weer gewoon studenten zouden zijn. Maar de rechter neuzelde onverstoorbaar door. Voor hem was het gewoon maandagochtend, en daar maakte hij geen geheim van. De griffier zat hoorbaar te tikken. Het hoofd van een van de bodes knakte telkens even als een verwelkte bloem naar voren; zo te zien was het gisteravond laat geworden. Hij viel zowat in slaap. Ze keek of ze ergens een klok zag, maar kon er geen vinden. De minuten gingen ondraaglijk traag voorbij.

Nadat de borg was vastgesteld (het van tevoren afgesproken astronomische bedrag van vier miljoen), stond de rechter op en knikte Neil haar toe ten teken dat het was afgelopen. Merrill stond op en liep snel naar buiten, met bonkend hart en neergeslagen ogen om de beschuldigende blikken niet te hoeven zien. Ze zag de verslaggevers die elkaar om haar vader en Neil heen verdrongen als een zwerm vliegen op een stuk vlees. Ze wachtte totdat haar vader in zijn auto zat en sprintte toen naar hem toe.

Toen ze het portier opendeed, was er even een uitbarsting van flitslichten en stemmen, en toen – *páts* – viel het portier in het slot en zat ze naast haar vader in de koele, stille auto. Door de getinte ruit hoorde ze gedempte stemmen die zijn naam riepen. Toen hij haar aankeek, kon ze ineens niet meer denken. De stilte, die toch maar een seconde duurde, was verstikkend. Ze deed haar mond een paar keer open en dicht, maar er kwam geen geluid uit; ze verdronk sneller dan een vis op het droge.

'Het betekent heel veel voor me dat je gekomen bent.' Carter wilde haar tegen zich aan trekken, maar ze kon zich niet verroeren. Toen legde hij zijn hand maar op de hare en drukte haar handpalm tegen de gladde leren bekleding.

Haar hand lag vlak en stil onder de zijne. Ze keek voor zich uit, langs het hoofd van de chauffeur naar het naderende verkeer. Een taxi week toeterend uit voor een fietser en zwenkte hun rijbaan op.

Ze kon hem niet goed aankijken. Alles aan hem leek gekrompen. Toen hij de zittingskamer in kwam, was haar eerste gedachte dat hij waarschijnlijk niets gegeten had. Ze vroeg zich af of je in de cel eigenlijk iets te eten kreeg als je er maar één nachtje moest blijven. En hij had met zijn kleren aan geslapen of er althans de nacht in doorgebracht. Van dichtbij zag hij er moe en gekreukeld uit, alsof hij nodig onder de douche moest. Ze had niet verwacht dat hij er zo vreselijk uit zou zien.

'Er moest toch iemand bij zijn,' zei ze vlak. Ze hield zich krampachtig aan haar laatste restje zelfbeheersing vast.

'Ik weet dat het voor iedereen zwaar is.'

'Inderdaad.'

'Hoe is Lily eronder?'

'Ik heb haar sinds gisteren niet meer gesproken.' Ieder woord deed pijn. Hier zou het voortaan altijd over gaan, dacht ze. Waar ze het ook over hadden – een film die ze hadden gezien, iets wat er op het werk was gebeurd –, altijd zou onder hun woorden de onuitgesproken gedachte liggen:

Je hebt ons verraden.

Ja, dat besef ik, ik vind het vreselijk, kunnen jullie me vergeven?

Misschien, maar nu nog niet.

Ze voelde de rancune in zich zwellen en de tranen prikten in haar ogen. Carter kneep zo hard in haar hand dat haar vingers pijn deden. 'Jullie zullen wel ontzettend kwaad op me zijn,' zei hij.

Ze trok haar hand terug. 'Ik weet niet, pap. Ik ben van alles. Vooral heel erg moe.'

'Ja, dat snap ik. Ik vind het vreselijk.'

Ze keek strak uit het raam terwijl de tranen over haar wangen stroomden. Het begon zachtjes te sneeuwen en de chauffeur zette de ruitenwissers aan. 'Heb je dan helemaal niet aan ons gedacht?

Of aan de gevolgen die dit voor ons heeft?' vroeg ze met trillende onderlip.

'Merrill, kijk me alsjeblieft even aan. Ik denk altijd aan jullie. Misschien begrijp je het beter als je zelf kinderen hebt. Ik heb fouten gemaakt, maar ik wilde jullie alleen maar alles kunnen geven. En ik geloof dat dat tenminste gelukt is. Of niet?'

'Ik weet niet, pap.'

'Ik heb mijn best gedaan.'

'Kwam het door Sol, pap? Heeft die ervoor gezorgd dat Paul in die toestand met David Levin verzeild is geraakt? Zeg maar gewoon ja, dan geloof ik je.' Ze keek hem aan, maar wendde snel haar blik af toen ze zag dat hij huilde. Ze schrok altijd als ze hem zag huilen.

Er viel een lange stilte, zo lang dat die op zich de vraag al beantwoordde. Toen sprong het verkeerslicht op rood en de chauffeur remde abrupt, er ging een schok door Carter heen en hij zei snel: 'Ik heb nog zo gezegd dat hij dat niet moest doen. Maar blijkbaar niet duidelijk genoeg.'

'Wist je dat hij dit ging doen?'

'Lieverd, Paul is jouw man. Ik zweer je dat ik je zoiets nooit zou aandoen. Als ik het geweten had.'

'Hij is ook jouw familie, pap.' Haar stem klonk nu kil en zonder meegevoel.

'Natuurlijk. Alsjeblieft, kindje, ik zou nooit goedvinden dat iemand Paul benadeelde, dat zweer ik. Alsjeblieft. Geloof me.'

Er was iets in zijn stem geslopen, iets zieligs en slijmerigs dat ze nooit had gehoord en ook nooit meer wilde horen.

'Hou op,' zei ze walgend.

'Ik weet hoe het is,' zei hij na een afgemeten stilte. 'Dat moment waarop je beseft dat je vader geen superheld meer is, maar gewoon een mens. Dat moment heb ik ook meegemaakt.'

'Ik verwacht niet dat je volmaakt bent.'

Hij haalde zijn schouders op. 'Jij bent wel volmaakt. In mijn ogen in elk geval. En dat blijf je altijd. Als je klein bent, zie je je ouders zo. En als je ouder wordt, vind je dat van je kinderen. Dat zul je wel merken.'

'Ik verwacht alleen éérlijkheid.' Ze sprak het woord uit alsof ze aannam dat het nieuw voor hem was.

Ze griste een handvol tissues uit de doos die de chauffeur in de zak aan de rugleuning had gestopt en snoot haar neus. Haar handen trilden toen ze de tissues in haar vuist tot een prop frommelde. 'Dat zei je toch altijd tegen mij? "Altijd eerlijk zijn, Merrill. Eerlijk zijn en hard werken. Dan komt alles goed."' Haar stem kreeg een spottende, giftige klank. Kwaad worden was haar nog nooit zo makkelijk afgegaan. Het gaf een bevrijdend, machtig gevoel om zo te praten; het was bijna lekker. 'Godverdomme. Waarom dacht je dat ik rechten ben gaan studeren? Omdat ik zo stom was te geloven wat jij toen zei: dat je dan vooruitkomt in het leven. En ik wilde het jou zo ontzettend graag naar de zin maken. Ik word beroerd als ik eraan terugdenk.'

De chauffeur kuchte. 'Meneer, we zijn er,' zei hij. Het drong tot haar door dat ze al een tijdje met draaiende motor voor het appartement van haar ouders stonden.

Ze haalde diep adem. 'Ik moet ervandoor,' zei ze. Ze probeerde kalm te klinken.

'Ga nog even mee naar binnen,' zei Carter zacht. 'Toe. Mama is ook thuis. Ze vindt het vast fijn om je te zien.'

Merrill slikte. Ze werd al claustrofobisch bij de gedachte aan het appartement, aan de salon met die verstikkende hoeveelheden pauwblauwe zijde en chintz en gebloemde porseleinen schalen en hondjes en doosjes op de bijzettafeltjes, de gestreepte muren met de vergulde spiegels, het gewelfde plafond en de zware gestoffeerde meubels. Een stille, holle kamer die vrijwel alleen voor ontvangsten werd gebruikt. Daar kwam de familie bijeen als er een verjaardag, verloving, diploma-uitreiking of promotie te vieren viel. En de party's natuurlijk. Merrill herinnerde zich de jurken (gesmokte Liberty-stof in de lente, Schotse ruiten rond Kerstmis) en de lakschoentjes die ze van Ines aan moesten als er bezoek kwam. Dan mochten ze later opblijven dan anders; Ines dreef hen als makke schaapjes langs haar vriendinnen of liet hen met een schaal toastjes rondgaan. De gasten kirden en koerden: *ach, wat een schatjes, die kleine Darlings!* Lily vond die feestjes van haar ouders altijd heerlijk. Zelfs toen was ze al een goede gastvrouw. Maar Merrill ging voor het raam naar de verre bomen van Central Park staan kijken en vroeg zich af wanneer die mensen weer weggingen.

'Goed dan,' zei ze met tegenzin. 'Maar alleen om mama gedag te zeggen. Heel even.'

Toen ze de hal in liep en de dennengeur van de marmerreiniger rook, haar hakken hoorde klikken op de zwarte en witte tegels en het tafeltje met de vaas verse bloemen zag staan, werd ze overvallen door een vlaag jeugdsentiment. Ze ademde snel in en drong haar tranen terug.

Tom, de portier, was samen met een man koffers in de lift aan het zetten. Toen ze hem zag, dwong ze zich tot een glimlach. Hij werkte hier al zolang ze zich kon herinneren. Ze hield van hem zoals van John en Carmela: nog nét geen familie, maar wel bijna. Hun hele kindertijd lang had Tom als een vriendelijke oom over hen gewaakt, hen veilig in taxi's gezet, streng naar de jongens gekeken die hen na het uitgaan naar huis brachten en onder de luifel bleven rondhangen in de hoop op een zoen. Zelfs nu liet hij Merrill altijd binnen zonder eerst naar boven te bellen, alsof het appartement altijd haar thuis zou blijven.

'Ha, Tom,' riep ze toen hij opkeek. Ze deed haar best om een kalme indruk te maken, alsof het een gewone doordeweekse dag was.

Tom keek op. 'Hallo, Merrill.' Hij kwam niet meteen naar haar toe, maar hielp eerst de man met zijn koffers. Hij knikte Carter kort toe. 'Meneer Darling.'

Hij had iets stijfs in zijn houding waar Merrill van schrok. Anders leek hij altijd blij haar te zien; soms sloeg hij zelfs een arm om haar heen. Nu hield hij de liftdeur open zonder hen aan te kijken. Merrill en Carter fluisterden allebei 'dank je wel'. Carter schonk de man met de koffers een beleefd glimlachje, dat niet werd beantwoord.

Het leek eindeloos te duren voordat ze boven waren. Merrill en Carter stonden vlak voor de andere man en ze voelde zijn blikken op haar achterhoofd. Ze keek zwijgend naar de verlichte etagenummers.

De man stapte op de vijfde verdieping uit zonder te groeten. Toen de deuren weer dichtgingen, dacht ze: *zou het nu voortaan altijd zo gaan? Zou iedereen zo kil tegen ons blijven doen?* Ze keek naar haar vader, maar zijn gezicht was uitdrukkingsloos en ze vroeg zich af of het hem wel was opgevallen.

De deur van het appartement stond op een kier. Ze liepen zwijgend naar de salon, waar ze stemmen hoorden. Toen Merrill de deur openduwde, lachten Lily en Adrian haar toe vanaf de bank. Ze zagen er allebei moe uit en leken blij haar te zien.

'Engeltje,' zei Ines na een paar seconden. Ze sprong op uit haar stoel. Ze negeerde Carter en liep met uitgestoken armen op Merrill af.

'Mam.' Merrill deed haar ogen even dicht terwijl ze haar wang tegen Ines' hals drukte. Terwijl haar moeder haar tegen zich aan hield, keek ze over haar schouder de vertrouwde kamer in. Overal fotolijstjes. Daar de kerstkaarten, door een professioneel fotograaf gemaakt en lichtelijk geposeerd. Portretten van de meisjes op hun debutantenbal, in zwart-wit, een paar persfoto's van Carter. En daar de familiekiekjes: de meisjes in de skilift, kaarsjes op hun verjaardagstaart uitblazend, in de branding met plastic emmertjes en schepjes. De meisjes met kniekousen en rugzak hand in hand voor de rode voordeur van Spence, hun gladde gezichtjes badend in de onwetende volmaaktheid van de jeugd. Ines zette de lijstjes graag precies parallel aan de tafelrand en op gelijke afstanden van elkaar, als soldaten in het gelid. Als het bezoek er eentje oppakte, schoot Ines toe en nam het weer in beslag voordat ze er vingerafdrukken op konden maken.

Ik vind het hier vreselijk, dacht Merrill. De gedachte verraste haar, maar het erkennen van de waarheid was een enorme opluchting. Ze had zin om zich om te draaien zonder nog een woord te zeggen en door te blijven lopen totdat ze weer veilig in haar eigen appartement was.

'Neil belde net,' zei Ines tegen niemand in het bijzonder. 'Hij is op weg hierheen om ons te spreken.'

'Waarover?' vroeg Merrill. Ze keek even naar Lily en Adrian, maar die zaten weer samen de krant te lezen. Merrill probeerde de koppen te ontcijferen, maar besloot toen dat ze niet wilde weten wat daar stond. Ze vroeg zich af hoelang haar zusje en zwager daar al zaten.

'Over alles!' riep Ines ongeduldig. 'We moeten goed voorbereid zijn! Er komt een heleboel media-aandacht. We moeten een plan hebben, niet alleen voor papa, maar voor de hele familie. Ja? Niet omdat we daar zo'n zin in hebben, maar omdat het móét.' Ze knipperde vol verwachting met haar ogen en fronste haar wenkbrauwen alsof ze wilde zeggen: hup, aan de slag.

'Goed,' zei Merrill. Ze voelde zich onbehaaglijk. 'Maar moet dat nú?'

Ines keek haar met opgetrokken wenkbrauwen aan. 'Je bent hier nu toch.'

'Ja, maar ik wil naar huis, naar Paul.' Ze draaide zich om en keek haar vader aan, tartte hem om haar blik te beantwoorden. Maar hij keek naar Ines.

'Laat haar maar, Ines,' zei hij, 'als ze nu naar huis wil.'

'Pap...' begon Lily, maar hij legde haar met opgestoken hand het zwijgen op.

'Ik weet dat dit ellendig voor jullie is,' zei hij, 'en ik vind het heel, heel erg. Ik kan jullie niet zeggen hoe beroerd ik het voor jullie vind. En ik zal iedere dag mijn best doen om jullie vertrouwen weer terug te winnen. Van jullie allemaal. Maar ik begrijp dat dat niet van de ene dag op de andere zal gaan. En nu hebben we allemaal rust nodig. Ik ga even liggen totdat Neil er is. Jullie mogen blijven en met Neil praten als je wilt, of naar huis gaan en morgen praten – wat jullie willen.' Hij sloot zijn ogen en haalde diep adem. Het praten leek hem uit te putten. Zijn borst trilde bij het ademhalen.

Toen sloeg hij een hand voor zijn ogen en schudde langzaam zijn hoofd alsof hij hun aanblik niet meer kon verdragen. Buiten trokken de snel jagende wolken voor de zon langs en er vielen lange schaduwen in de kamer. Het was het vreemde, behekste uur tussen middag en avond. Dadelijk zou het tijd worden om de lampen aan te doen, maar nu nog niet; het donkere hout van de boekenkasten absorbeerde het namiddaglicht.

Ines had nog niets tegen hem gezegd; hij liep naar haar toe, maar ze bleef zitten met haar armen voor haar borst. Hij probeerde haar niet aan te raken, maar knielde als een smekeling voor haar neer met zijn armen op de leuningen van haar stoel. Ze draaide zich langzaam om. Eindelijk beantwoordde ze zijn blik. 'Ik moet even gaan liggen,' zei hij zacht. Ze knikte zwijgend en wendde zich toen weer af.

Ines en de kinderen bleven zitten totdat hij de kamer uit was en verderop in de gang de slaapkamerdeur werd dichtgetrokken.

'Blijf je nog?' vroeg Lily na een korte stilte onderdanig aan Merrill. Ze liet haar hoofd tegen Adrians schouder zakken. Hij sloeg een beschermende arm om haar heen.

'Nee,' zei Merrill resoluut. 'Jongens, het spijt me, maar ik ben al sinds vijf uur op. Ik moet naar huis, naar Paul.'

Lily knikte. 'Bel je me?'

'Tuurlijk.'

Ines stond op.

Ik ga weg, dacht Merrill. Ook als ze wil dat ik blijf. Ze vertrok haar gezicht toen Ines naar haar toe kwam. Ze gaat aandringen. Ze gaat smeken en bedelen en daar kan ik niet aan toegeven...

Ines stak een hand uit. 'Zal ik je even uitlaten?' vroeg ze alleen.

'Oké,' zei Merrill. Ze slaakte een zucht van opluchting en pakte haar moeders hand. 'Tot snel, lieverds,' zei ze tegen Lily en Adrian.

'Ja, tot snel, schat!' riep Lily.

Bij de voordeur vroeg Ines: 'Hoe gaat het met Paul?'

'Goed. Tenminste, dat denk ik. Ik ga nu thuis kijken.'

Ines knikte. 'Daar doe je goed aan.'

Toen begon ze te huilen, de tranen rolden over haar wangen. Haar make-up liep uit, haar huid werd vlekkerig van de mascara en de natte rouge. Er was een lok uit haar wrong losgeraakt. Merrill stak haar hand uit om hem achter haar moeders oor te strijken, maar haar moeder liet zich in haar armen vallen.

'O, mam,' zei ze. Ze omhelsde haar. 'O, mam.'

'Ik snap niet hoe het zo ver heeft kunnen komen,' fluisterde Ines. Ze klampte zich aan haar dochter vast en haar stem werd gesmoord in Merrills trui. 'Ik heb mijn hele leven met je vader gedeeld. Ik heb mijn hele hebben en houden in ons huwelijk gestoken. En nu is alles zomaar weg, er is niets van over. En ik weet dat het allemaal zijn schuld is. Ik weet dat ik nu moet maken dat ik wegkom en hem die nachtmerrie maar in zijn eentje moet laten oplossen; hij heeft dit alles tenslotte zelf over zich afgeroepen. Maar waar moet ik heen? Ik heb niets anders. En ik weet dat het krankzinnig is, maar ik wil hem nu niet verliezen. Hij is alles wat ik heb. Jouw vader kwijtraken, naast alles wat er al gebeurd is, dat zou te veel zijn...'

Merrill wiegde haar moeder als een baby. Haar kin rustte bijna op Ines' kruin. 'Stil maar,' zei ze zacht, 'stil maar.' Ze sloot haar ogen en stelde zich voor hoe verschrikkelijk Lily dit zou vinden. Ze hoopte maar dat ze hen niet hoorde.

'Kun jij hem ooit vergeven, denk je?' vroeg Ines toen. 'Ik weet niet of ik het kan. Jij?'

Merrills eerste impuls was haar te sussen, gerust te stellen, 'natuurlijk, mam' te zeggen en te glimlachen, maar ze kreeg de woorden haar strot niet uit. 'Dat weet ik nog niet, mam,' zei ze. 'We moeten het maar van dag tot dag bekijken.'

Ines hield haar dochter even met gestrekte armen van zich af en nam haar taxerend op. Ze glimlachte, kneep even stevig in Merrills handen en liet haar toen los.

'Goed.' Ze slikte haar laatste tranen weg. 'Fijn dat je bent gekomen. Het was goed om je te zien. Ik ben trots op je, Merrill, echt. Je doet het zó goed.'

'Ik hou van je, mam.'

Ines ging op haar tenen staan en kuste haar dochter op haar voorhoofd. 'Ik ook van jou, liefje,' fluisterde ze.

Ze draaide zich weer om naar de zitkamer, keek nog even naar Merrill en schonk haar de snelle, stralende glimlach waarmee ze altijd op alle foto's stond. Haar hoge jukbeenderen en haar rechte Romeinse neus tekenden zich fraai af tegen het wegstervende daglicht dat door de ramen naar binnen viel. Zelfs nu ze zo bleek en behuild was, bleef ze uitdagend mooi. Ze hief haar kin.

'Zorg maar goed voor Paul,' zei ze langzaam, 'en laat hem goed voor jou zorgen.'

Toen was ze weg en Merrill trok de deur zacht achter zich dicht.

Thuis had Paul de open haard aangemaakt.

'Ahh,' zuchtte Merrill toen ze binnen was. Haar ogen prikten van de kou. 'Wat heerlijk.'

Hij had op de bank zitten lezen en keek op bij haar binnenkomst. Door het zachte flakkeren van de vlammen voelde hij zich rozig en vredig. Op de salontafel stonden een glas merlot en een schaal popcorn. De kamer was warm, licht en gezellig.

'Ha,' zei hij met een glimlach. 'Fijn dat je thuis bent.'

'Ja,' zei ze. Ze liet zich naast hem neerploffen zonder haar jas uit te trekken. Ze kroop tegen hem aan en bedekte zijn kin en zijn mond met kleine kusjes.

'Wil je ook wijn?' vroeg hij. Hij gaf haar zijn glas aan.

'Ja, heerlijk. Wat een dag.' Dankbaar nam ze een slokje. Toen schopte ze haar schoenen uit.

Hij streelde haar wang. Zijn warme vingers voelden lekker aan tegen haar koude huid. 'Hoe is het gegaan?'

Ze haalde haar schouders op. 'Tja. Lang. Akelig. Hij is op borgtocht vrij.'

'Was er veel pers?'

'Ja. Volgens Neil kunnen we morgen een compleet mediacircus verwachten.'

'Was je moeder er ook?'

'Nee, bij de zitting was ik de enige. Dat gerechtsgebouw is behoorlijk intimiderend. Ik ben blij dat Lily er niet bij was. Die zou er kapot van zijn geweest. Ik ben na afloop met papa mee naar huis gegaan. Daar is mama nu ook. En Lily en Adrian waren er.'

Paul knikte. *Had me gebeld*, wilde hij zeggen, *ik ben er toch voor je.* Maar hij zei niets en bedacht dat hij misschien nooit meer welkom was in het huis van Carter Darling, net zomin als Carter Darling wellicht in het zijne.

'Ik wilde naar huis, naar jou,' begon ze, alsof ze zijn gedachten kon lezen. Ze zaten even samen zwijgend in de amberkleurige gloed van het haardvuur te kijken. De warmte begon zich door haar lichaam te verspreiden en haar spieren ontspanden zich.

'Heb je David vandaag nog gesproken?' vroeg ze.

'Ja. Zijn ontslag was voorpaginanieuws. Ik heb de krant voor je bewaard, hij ligt in de keuken. Morgen is er een persconferentie. Hij klonk opgelucht. Moe, maar opgelucht.' Hij wilde ook nog vertellen dat de arrestatie van Jane Hewitt om vijf uur het belangrijkste nieuws was geweest, maar besloot toch maar van niet, want Merrill leek die naam niet graag te horen.

'Heeft hij nog iets over jou gezegd?'

Hij lachte. 'Alleen dat ik maar een nieuwe baan moet zoeken.' Hij legde zijn hand geruststellend op haar dij en gaf haar een kneepje. 'Nee hoor, hij zei dat ik me geen zorgen moet maken en goed voor jou moet zorgen.'

'Lief.' Ze ging rechtop zitten en trok haar jas uit. 'Weet je wie me vanmorgen mailde? Eduardo. Hij had het nieuws gezien en wilde weten of het wel goed met ons ging. En of hij iets voor ons kon doen.'

'Goeie vent.'

'Ik ben benieuwd wie onze vrienden nu nog zijn.'

'Zo moet je niet denken.'

Ze haalde haar schouders op. 'Weet je nog dat hij je een baan bij Trion aanbood?'

'Ja, wat is daarmee?'

'Zou je dat aanbod nu aannemen als hij er weer over begon?'

Hij fronste verrast zijn wenkbrauwen en zette zijn glas neer. 'Dat zou ik echt niet weten,' zei hij na een korte aarzeling. Hij boog zich naar haar toe en kuste haar lang en teder op haar wang. 'Het komt allemaal goed, schat. Dat zul je zien. Ik vind wel weer een baan in New York.'

'Ja, dat weet ik wel. Maar misschien is New York momenteel niet de juiste plek voor ons.' Ze glimlachte. Er waren vermoeide lijntjes in haar ooghoeken verschenen. Haar stem trilde een beetje, maar er klonk ook kracht en hoop in door. 'Het zal altijd mijn thuis zijn, maar...' Ze maakte haar gedachte niet af.

'Ik weet niet,' zei Paul zacht. 'Er gaat een hoop veranderen, lief. Misschien heb je dan wel behoefte aan een vertrouwde omgeving.'

'Ik weet niet of New York hierna nog wel zo'n vertrouwde omgeving zal zijn,' zei ze met een zucht.

Hij zweeg. Ze had natuurlijk gelijk. Voor hen zou New York morgen een heel andere stad zijn. De deuren zouden niet meer zo gemakkelijk voor hen opengaan. De stapel uitnodigingen op het tafeltje in de hal zou kleiner worden en misschien zou het binnenkort wel een andere hal zijn, kleiner, in een bescheidener appartement. Ze zouden andere routes nemen en bepaalde plekken mijden. Het gerechtsgebouw, het Seagram Building, de derde verdieping van het MoMA. En vooral het huis van Morty. Misschien werd het wel verkocht, en dan werd de felrode deur overgeschilderd en de klopper in de vorm van een hertenkop weggehaald. Maar dan nog zou het altijd een onheilspellend huis voor hen blijven, en als ze ooit door 77th Street moesten, zouden ze een plotselinge, duistere kilte voelen die de herinneringen wekte die onder de oppervlakte lagen te sluimeren.

Morgen waren ze niet meer de Darlings van New York.

'Wat denk je allemaal?' vroeg ze nerveus.

'Dat ik van je hou, en dat we allebei moeten slapen.'

Ze knikte en ontspande haar schouders. 'Ja. Ik ben kapot.'

Het vuur was bijna uit. Ze schonk het laatste restje wijn in Pauls glas en nam een slok. 'Ik wil dat deze dag voorbij is.'

'Oké,' zei hij resoluut. Hij stond op, pakte haar hand en trok haar overeind. Ze lachte – voor het eerst sinds tijden, leek het wel. 'Hup, naar bed,' zei hij.

Toen hij haar op hun bed neervlijde, sloot ze haar ogen en ademde diep in. Schone lakens, dacht ze. Hij heeft vanmiddag het bed verschoond. Ze voelde hoe hij voorzichtig haar pakje uittrok, en haar ondergoed, zelfs het elastiekje uit haar haar haalde, totdat ze helemaal naakt was. Buiten gonsde het verkeer over Park Avenue. Haar hoofd zweefde van uitputting. Zodra het haar kussen raakte, viel ze in een onrustige slaap.

Midden in de nacht schoot ze met bonkend hart wakker. Haar adem stokte in haar keel en haar ogen gingen wijd open. Ze draaide zich opzij: daar lag Paul. Zijn mond stond een klein beetje open en zijn hand rustte slap op het kussen boven haar hoofd.

Wat zag hij er vredig uit als hij sliep. Ze werd al rustig als ze naar hem keek. Na een tijdje gingen zijn ogen ook open. Hij glimlachte. 'Je hebt behoorlijk heftig gedroomd,' zei hij.

'Sorry,' mompelde ze.

Hij trok haar tegen zich aan. 'Kom eens hier,' zei hij.

Ze nestelde zich tegen hem aan en lag nog een poosje wakker met het warme ritme van zijn ademhaling in haar hals. Eindelijk kroop er een straaltje daglicht over de vensterbank. Het was morgen. Over een uur of twee zou de telefoon gaan rinkelen en haar mailbox volstromen, en er zouden journalisten op de stoep verschijnen. De buren zouden in de lift fluisteren, onbekenden zouden haar op straat aangapen, vrienden zouden zenuwachtige vragen stellen als ze hen tegenkwam. De wereld zou om haar roepen. Hij zou door alle kieren, alle telefoonlijnen en alle televisies haar huis binnensluipen... en uiteindelijk zou ze de mensen onder ogen moeten komen. Maar nu lag ze in de armen van haar man, met haar ogen dicht en haar lijf tegen het zijne, en ze bedacht dat dat genoeg was, ook als ze verder nooit meer iets kreeg.

Epiloog

In het begin meed hij *Litoral Norte*. De noordkust van de deelstaat São Paulo had hem twintig jaar geleden naar Brazilië gelokt. Zijn herinneringen aan die heiige, zonbeschenen middagen waren nog vers; het was een idee van Sophie geweest om daar naartoe te gaan. Ze had vrienden met een strandhuis in Barra do Una, een eenvoudig wit gebouw met hoge plafonds en een groot houten terras met uitzicht op zee. Hij dacht graag aan haar terug zoals ze toen was: dommelend in een chaise longue met in haar hand een open boek waarvan de bladzijden ritselden in de middagbries. De bandjes van haar bikini los om haar olijfkleurige schouders gelijkmatig bruin te laten worden. Ze werd wakker, zag dat hij naar haar keek en glimlachte. Ze waren gelukkig.

Hoewel het leven aan de kust makkelijker voor hem zou zijn – verse vis, smaragdgroen water – voelde hij zich in de stad São Paulo meer op zijn gemak. Die was geknipt voor hem: groot, ruig en met veel te veel criminaliteit voor de meeste toeristen. Het leven in een gevaarlijke stad beviel hem goed, merkte hij. In São Paulo bemoeide iedereen zich met zijn eigen zaken, leefde achter bewaakte muren, reed in auto's met getinte ruiten of steeg per helikopter op van zijn eigen dak. Zelfs de elite kleedde zich onopvallend en droeg in het openbaar goedkope horloges om geen aandacht van dieven te trekken. Privacy was hier het hoogste goed. In São Paulo had je geen nieuwsgierige kleinsteedse buren en er werd niet zomaar gewandeld. Het was een stad waar iedereen snel en onopvallend in de schaduw wegglipte.

De stad trok echter wel zakenlieden, en die vormden voor hem de echte bedreiging. Buitenlandse zakenlieden lazen *The Wall Street Journal*. Ze keken naar CNBC. Zij waren degenen die hem konden herkennen. Het eerste half jaar kon iedereen hem herkennen, want toen stond zijn foto in alle kranten. Hij zag er nu natuurlijk wel anders uit. Smallere neus, hogere jukbeenderen, geen zware hangwangen meer. Toch ging er iedere keer weer een schok door hem heen als hij zichzelf op de televisie of op de voorpagina van een krant zag. Meer dan eens was hij na zoiets weer ondergedoken in het bescheiden appartementje dat hij op naam van Pierre Lefèvre had gehuurd.

Op sommige dagen zat hij op zijn laptop uren achter elkaar op internet naar berichten over zichzelf te zoeken. Hij had een ingewikkeld classificatiesysteem bedacht (een artikel op de voorpagina waar hij in voorkwam en waar zijn foto bij stond, kreeg een 10, een klein stukje over Ines Darling in een roddelblad haalde maar een 1 of een 2) om te meten of de aandacht in de media voor hem en de rechtszaak toe- of afnam. Hoe hoger de score, hoe langer hij binnen bleef. Het deed hem een beetje denken aan New York na 9/11. Iedere dag moest het dreigingsniveau opnieuw worden gemeten en het gedrag daaraan aangepast. Als het te hoog werd, was het tijd om te verhuizen, naar een nieuw appartementje of naar een hotel vlak buiten de stad.

Het leven van een voortvluchtige: uiterst mobiel, puur gericht op overleven. De volgende dag halen, dat was het enige doel van de dag. Maar er verstreek tweeënhalf jaar zonder dat hij ooit echt in gevaar was. De zaak-Darling werd geschikt. Het nieuws over het RCM-debacle zakte weg en maakte plaats voor andere zwendeltjes en schandaaltjes. Morty Reis verdween uit het collectief bewustzijn, zelfs voor Morty Reis. Hij begon rusteloos te worden.

Hij begon de deals te missen.

Hij had geld, heel veel geld zelfs, maar dat stond op rekeningen op de Kaaimaneilanden en in Zwitserland. Als hij daar grotere bedragen van opnam, bracht hij zichzelf natuurlijk in gevaar. Toch kon hij niet verhinderen dat hij af en toe manieren bedacht om dat geld voor zich te laten werken. In Brazilië waren de mogelijkheden fenomenaal. Een investering op de Braziliaanse aandelenmarkt zou hem in de afgelopen tien jaar een winst van 276 procent hebben opgeleverd, tegenover een verlies van 13 procent in de Verenigde Staten. Als hij zich tien jaar geleden voluit op die strategie had gestort, had hij niet alleen het hele RCM-debacle kunnen vermijden, maar was hij bejubeld als het grootste financiële genie aller tijden. Hij wist wel dat dat een onlogische gedachte was — niemand investeerde natuurlijk in een fonds dat voor honderd procent op Braziliaanse beleggingen dreef — maar toch zat het hem niet lekker. Hij kon niet werkeloos blijven toekijken terwijl de Braziliaanse economie als een vrachttrein langsdenderde.

Hij begon door de achterbuurten te slenteren, te rekenen, te evalueren, rond te kijken. Hij tartte het lot, dat besefte hij best, als een alcoholist in een kroeg. Maar hij had niets omhanden, en wat maakten die paar onroerendgoedspeculaties nou uit? Alles plaatselijk, alles contant. Als het om kleine bedragen ging, hoefde er niets te worden vastgelegd. In de kustplaatsen viel ook goed te verdienen; naarmate de economie stabieler werd, ontstond er steeds meer vraag naar kleine perceeltjes aan zee.

Hij moest trouwens even weg uit de stad, waar de bloeiende vastgoedmarkt lonkte als met sirenenzang. Hij besloot een huis te huren in Juquehy, een van de minder luxueuze badplaatsen vlak bij Barra do Una, om onder te duiken en over de toekomst na te denken. Zo werd hij tenminste bruin en bleef hij uit de buurt van de grotere, riskantere, verleidelijke deals in São Paulo.

Het was eind mei, het begin van het naseizoen. De toeristen waren weg en de drukte op de stranden nam af. Hij zat nu een week of drie in Juquehy. Het was vroeg in de ochtend en het had die nacht geregend; de wegen waren vochtig en glad. Achter zijn huis doemden de bergen op, donker, mooi en onheilspellend. Daar waren de wegen levensgevaarlijk — de ene haarspeldbocht na de andere, en hij verlangde naar een van zijn sportwagens, het liefst de Aston Martin.

Hij ging een eindje lopen en rolde zijn broekspijpen op om de zee om zijn voeten te laten spelen. Zoals vaak aan het begin en aan het eind van de dag gingen zijn gedachten naar Sophie. In de verte zag hij een stelletje lopen, hand in hand. Het haar van de vrouw glansde in het ochtendlicht. Bij de opgaande zon tekende haar figuur zich scherp af terwijl haar gezicht in het donker bleef.

Aan het eind van het strand bleven ze staan. De man tilde met zijn vingers haar kin op en trok haar naar zich toe voor een kus. Zij ging op haar tenen staan.

Hij liet haar als een danseres onder zijn hand door draaien en in zijn armen achteroverbuigen. Haar lange haar raakte het zand.

Op dat moment zag Morty haar gezicht.

Ze zag er jonger uit dan hij zich herinnerde. Het was inmiddels zo licht dat hij zijn ogen tot spleetjes moest knijpen en zijn hand erboven hield: misschien was het gezichtsbedrog.

Maar nee. Ze was het echt. Hij wist het zeker. Merrill Darling.

Toen haar man haar weer overeind trok, keek ze Morty recht aan. Heel even stond de tijd stil en zij ook, als een hert in het vizier van de jager. Hij wist dat hij zich nu moest omdraaien. Maar voor het eerst sinds hij in Brazilië was, misschien zelfs voor het eerst van zijn leven, was hij niet in staat zijn instinct te volgen.

De zon verdween achter een wolk en er viel een schaduw over het strand. De betovering was verbroken. De vrouw keek naar haar man en hief haar gezicht naar hem op voor een zoen. Ze zag nu anders uit, kleiner of blonder of breder dan hij zich Merrill herinnerde. Hij schudde zijn hoofd; het had maar heel even geduurd.

Ze is het niet, dacht hij. Doe niet zo gek. Maar zijn hart, dat zo tekeerging dat hij het tegen zijn shirt voelde bonken, was het niet met hem eens.

Hij bleef nog even naar hen staan kijken en liep toen weer terug.

Zijn longen pompten weer, zijn bloedsomloop kwam weer op gang. Zijn voeten droegen hem geluidloos over het harde zand langs de waterlijn naar het zachtere, rulle deel van het strand en toen over de houten trap naar zijn huis. Boven zijn hoofd draaide de ventilator in hetzelfde dwingende ritme als zijn hart. Tegen de middag was hij vertrokken, met achterlating van een briefje voor de huishoudster op de keukentafel. Hij bleef een tijdje weg; hij wist nog niet wanneer hij terugkwam.

Woord van dank

Dit boek zou er niet zijn geweest zonder de onvermoeibare inspanningen, het briljante werk en het risicovolle geduld van iedereen bij McCormick & Williams en Viking Books, met name Pilar Queen, Pamela Dorman en Julie Miesionczek. Het is een genoegen en een voorrecht om met jullie samen te werken.

Gedurende het gehele proces kreeg ik steun, liefde en bemoediging van een aantal fantastische mensen. Mijn bijzondere dank gaat uit naar Lucy Stille en iedereen bij Paradigm, David McCormick, Leslie Falk, Jamie Malanowski, Anne Walls, Joan Didion, Tom Wolfe, Ben Loehnen, Jennifer Joel, Sara Houghteling, Charlotte Houghteling, Edward Smallwood, Lauren Mason, Andrew Sorkin, Andrea Olshan, Michael Odell, Christina Lewis, Daniel Halpern, Joanna Hootnick, Sharon Weinberg, Cristopher Canizares, Carolina Dorson, Redmond Ingalls, Francesca Odell en Jonathan Wang.

Onnoemelijk veel dank aan mijn moeder, Josephine Alger, voor alles wat ze voor me heeft gedaan. Ik draag dit boek aan jou op, mam.